冒險史

大眞相

作者：柯南·道爾（Arthur Conan Doyle，1859～1930）

處處留心皆學問——
福爾摩斯的冷靜智慧

顏世錫

福爾摩斯探案是許多人年輕時代裡鮮明的記憶，也是我早年喜愛閱讀的故事，世界書局在七十年前第一次把它引入中國白話文的世界，如今又重新編修出版。閻初總經理託我爲這套書作序，她是我多年好友，也是我從江兆申老師習字時的小師妹，因此便慨然應允。

故事書中懸疑緊湊的情節，現在讀來仍舊津津有味；但我從事警政工作幾十年來，早已在犯罪的刀光血影中走過千百回，也經歷了各式大小案件，如今重讀此書，感覺最值得玩味的，是福爾摩斯的冷靜、智慧和勇氣。他敏銳的觀察力和縝密的推理分析實是破案的重要關鍵。當然，隨著時代的進步，各種鑑識科技應運而生，爲偵辦工作提供了更多更好的輔助，但這位神探的博學多聞、細心耐心、追求眞理、堅持原則的特質，應該是這套書背後所傳達的重要意涵。這不僅是犯罪偵查人員必須具備的要件，引申到現代生活中，也是一般大眾應該加強的思維。

近年來，治安問題始終是大家關切的焦點，犯罪手法的翻新和犯罪年齡的下降給社會帶來了空前的挑戰。今日，打擊犯罪要靠警民合作，不要妄想仰賴一、二位超人神探，而是要靠許多福爾摩斯的配合——人人都應留意自己周遭的人事物，遇有狀況，冷靜分析，並熱心負起改善治安的責任。青少年朋友更要不盲從、不衝動、多用眼、用腦、用手去開啓自己正確的路。其實，福爾摩斯風靡世界一百年，始終在各個時代裡蟬聯青少年心中的英雄，他永遠光鮮的外表、永遠零亂的書桌、他獨特的衣帽煙斗、千變萬化的喬裝掩飾、冷靜聰明的頭腦、鍥而不捨的作風、濟弱扶傾但尊重法理的俠義精神，不也正符合我們這個時代年輕朋友最「酷」的選擇嗎？與其盲目崇拜偶像，不如冷靜分析什麼是自己該堅持的主張，才不致迷失徬徨。

我想，福爾摩斯雖然是在柯南·道爾筆下塑造的人物，但能跨越時空、歷久彌新，是因爲他以最有趣引人的手法，在許多人的生活中引起共鳴：我們都有探索黑暗與未知的好奇，也都有找出眞相、伸張正義的嚮往；我們都希望具備超人智慧，能先知先覺地解決難題，也都希望在零亂紛擾的疑團中抽絲剝繭地理出邏輯。就在事實與想像裡、在假設與證據間、在科學理論與小說創作下，你我心中都有福爾摩斯的影子！喜見世界書局再一次把他帶進讀者的世界，也希望讀者把他的冷靜、智慧與勇氣帶進自己周遭的世界。

一九九七年十二月二十五日

出版緣起　當福爾摩斯重現世界

閻初

一八四一年，美國，愛倫・坡發表《莫爾格街謀殺案》，偵探小說這個名詞第一次出現。當時，在東方，列強的炮火早已轟開了中國的大門，他們正用鴉片對這個民族進行集體謀殺。林則徐等人企圖緝兇歸案，但終告失敗。

一八八七年，英國，一位身材削瘦、披著斗蓬、叨著煙斗的神探誕生了。當時，正值光緒十三年，慈禧歸政德宗，其實東方也很需要一位智多星，能幫著皇帝懲惡捉奸、撥亂反治。

接著，甲午戰爭、戊戌變法後，晚清的翻譯小說便紛紛出現，一九〇二年，最早的一篇文言福爾摩斯刊登在梁啓超編的《新民叢報》和《新小說》上。

民國十六年，上海，世界書局出版《福爾摩斯探案大全集》，由「中國偵探泰斗」程小青和嚴獨鶴、包天笑等人以白話文翻譯。從此，這位西方的神探便正式進駐龍蛇混雜的十里洋場，而他的傳奇經歷，也快速地傳遍中國各地，成爲家喻戶曉的人物。

譯者程小青先生自幼喪父，原本在鐘錶店裡當學徒，工作之餘便到夜校補習英文。他寫作時認眞嚴謹，講究專業精神，除了大量閱讀西方偵探小說外，還特別透過函授，修習美國警官學校的犯罪心理學和偵探應用技術等課程。據聞，每當他開始構思小說情節時，常常跑到杳無人煙之處，苦思冥想，直到倦鳥歸巢，他才返家命筆。透過他的譯筆，福爾摩斯成爲風靡大衆的一個有情、有理、有趣的偶像。

東方古老沈重的社會裡，永遠流傳著包青天、施不全的奇聞軼事，他們是神仙下凡，是老天爺賞給小老百姓的難得恩賜；但洋人筆下的福爾摩斯，卻是科學的、智慧的凡人，他靠冷靜謀略使眞相大白、讓沈冤昭雪、叫惡人伏法，舉凡聰明博學者皆可爲之。福爾摩斯的受歡迎、被認同實也反映了當時社會的背景：問天聽天的封建已被打破，科學民主正是主流，西潮洶湧、人心激盪，而苦難仍是一個接著一個地降臨在小老百姓身上，於是，人們期盼一個合邏輯的救難英雄——福爾摩斯正適合；人們也渴望脫離無解的現實，進入另一個善惡分明、凡事找得到答案的文明世界——偵探小說正是這樣一個非神化的理性空間。

當時的社會背景也符合現在的情境，只是，物慾更橫流、道德更淪喪、犯罪更猖狂！

一九九七年，福爾摩斯重現世界，距離他第一次在我們的白話文世界裡出現恰巧七十年，古人說：「七十而從心所欲，不逾矩。」所以，我們在忠於原著並尊重譯者的原則下，將百餘萬字重新順讀潤飾，並修改程小青先生的上海方言、文白夾雜和人名地名的翻譯，以便更符合現代閱讀習慣。我們相信新的口語、新的包裝，將帶給福爾摩斯新生的體魄，再加上他歷久彌新、雋永沈潛的智慧與勇氣，必更能遊刃有餘地展開工作。然而，現代犯罪花樣的翻新、犯罪組織的龐大，豈可靠一個神探解決，所以，世界書局徵召各方好漢，一起來做他智勇雙全的好幫手。

偵探小說向來不被新文學正視，它只是個生活消遣品，但它確實能反應出某些社會意義。百餘年來，我們中國人從那個問天祭天謝天的封建中走過來，掙著敲打出這個民有民治民享的雛局，但目前的自由和法治眼看正在消失，於是在亂相威逼下，人們方才醒悟到在民主社會中，天子可以推翻，但天道不可悖離，個人的小惡、眾人的姑息，必將鑄成大錯，不可收拾。今日我們撥亂反治，也不能只翹首青天，還是要從每個小人物的細心、關心和警覺心做起。這套「化了妝的社會科學教科書」，或許能啓發我們一些敏銳觀察、分析判斷和沈穩處事的能力。畢竟，花繁柳密處撥得開，方見手段；風狂雨驟時立得定，才是腳跟。我們愛這花花世界，總要在變通與原則之間，找出自己安身立命的方法。

福爾摩斯短篇探案
冒險史

目錄

處處留心皆學問——顏世錫 一

出版緣起 三

波宮祕史(A Scandal in Bohemia) 一

熱情女(A Case of Identity) 二七

赤髮團(The Red-Headed League) 四八

湖畔慘劇(The Boscombe Valley Mystery) 七四

橘核案(The Five Orange Pips) 九九

倫敦之丐(The Man with the Twisted Lip) 一一六

藍色寶石(Blue Carbuncle) 一三九

斑斕帶(The Speckled Band) 一五九

工程師的拇指(The Engineer's Thumb) 一八三

貴新郎(The Noble Bachelor) 二〇五

髮之波折(The Copper Beeches) 二三〇
綠玉皇冠(The Beryl Coronet) 二五三
附錄一 真實與虛幻之間——柯南・道爾與福爾摩斯 二八一
附錄二 柯南・道爾年譜 二八八
參考書目 二九一

波宮祕史（原名 A Scandal in Bohemia）

歇洛克·福爾摩斯常稱她「這個女子」，難得聽他提起她別的名字，在他的眼中，似乎她是所有女性中最特殊的，這倒不是他對於愛琳·亞德勒有什麼近乎愛情的感情，一切情感，尤其是戀愛的情愫，對於他冷靜、精密而平衡的腦子，本來就顯得格格不入。據我觀察，他是世上最具理性和觀察力的機器，若談到戀愛問題，他也自認做門外漢了。他除了冷諷以外，從不曾說過柔情密意的話，這種溫柔的話語，在觀察家眼中卻是有用的，因爲它可以藉以揭破人們隱藏的目的和舉動，但這種情感若是眞的闖入理論家精細而理性化的腦子，就不免要發生混亂，使得他之前的各項成果受到懷疑。假使有一種情感衝進了他的心裡，那比起在他精密的儀器中跑進砂礫，或是他的高倍顯微鏡片上破了洞，更使他覺得紛擾難受。雖然如此，在他心中，也有一個女子，這女子就是他模糊記憶中的愛琳·亞德勒。

自從我結婚以後，便很少和福爾摩斯碰面，因爲婚姻的愉快，和從家庭中帶來的種種趣味，已把我的全神吸住。那時福爾摩斯仍住在我們貝克街的寓中，他秉著波希米亞人豪放不羈的態度，對於繁文縟節，都含厭憎的意味，終日埋在他的古書堆中，有時惰性發作，便借重他的古柯鹼，有時卻又精神抖擻地工作。他仍舊全神貫注地研究犯罪行爲，他憑著特殊的才幹和出奇的觀察力，循跡推索，解決種種官家警探認爲絕望的疑案。我時常聽到他活動的消息；一次他被要求到奧德薩，偵查德利伯夫的謀殺案；又在鐵林考麥里地方，破獲艾特金遜兄弟的慘案；最後，是他幫荷蘭皇家完成了一件微妙而成功的使命。這種種消息，我和別的讀者一樣，都是從報紙上獲知的，除此之外，我對於我老友的狀況，也不很明瞭。

一八八八年三月二十日晚上，我正出診回來（因那時我已回復了行醫生活），打從貝克街經過。當我經過那老屋門口的時候，頓使我想起我從前求婚時的情形，和「血字的研究」一案的奇詭，我決定進去瞧瞧福爾摩斯，探問他的近況怎樣。他的室中燈光明亮，我抬頭一瞧，見他高大的影子，映在窗簾上，那時他正低頭負手，很急切地在室中往來踱著，我素知他的態度與習慣，他的舉止姿態，往往可以表示出他心中的意緒，因此我知道他此刻一定又在那裡工作了，他必已從醉麻藥的迷夢中醒來，正在研究什麼新發生的問題。我引手掣鈴，隨即被引進從前我住過的室中。

他的態度似很冷漠，他很少這樣的。但他一瞧見我，還是很高興，他並不說話，只和悅地對我笑，又揮手指著一張安樂椅向我示意，接著，又將雪茄匣給我，指著壁角裡的酒瓶，讓我自斟。最後，他站在火爐面前，露出一種疑問式的眼光向我瞧著。

他道：「惠特洛牌的雪茄合你的胃口的。華生，我想自從我前次見你以後，你也許已增了七磅半的體重了。」我答道：「剛好七磅。」「眞的，我想是七磅多。華生，據我觀察，你又重新行醫了，但你先前不曾向我說起過啊！」「是啊，你怎麼知道的呢？」他道：「我看出來的，我推究出來的。我還知道你最近曾經淋到雨，並且你家裡有一個笨拙粗心的女僕。你可想得出我怎麼知道的呢？」

我道：「我親愛的福爾摩斯，我實在想不出來。假使你生在數世紀前，那你一定要被人當做妖巫燒死了。上星期四，我當眞往鄉間散步，渾身被淋，但我已換了衣服，實在想不出你怎麼還能推究得出，至於我家的女僕瑪莉．珍，做事確實很粗心的，我妻子曾叮嚀過幾次，但我也不知你又怎樣能知道？」

他格格地笑了一聲，搓著他細長而露出青筋的兩手。

他道：「這實在明顯得很。我從燈光中瞧見你左鞋的裡側，皮面上留著六個平行的擦傷痕跡，這表示是有一個人替你從鞋根上刮去黏泥，舉動粗魯，因而擦傷皮面，從這一點推想，可見你曾在風雨中出行，所以鞋子上才有泥膠。至於我說你重新行醫，就因你走進我房裡的時候，帶著一陣碘酒氣味，右手食指又染著硝酸銀的黑斑，並且帽內又藏著聽診器，故一邊微微高起。由此種種，我若還不能知道你最近開始行醫，那我眞可算一個笨蛋了。」

我不禁笑道：「我聽了你推究分析以後，便覺得那眞是十分簡單了，似乎我也有這種本領，可是在你解釋之前，卻又往往驚歎稱奇，難道我的眼睛不像你的一樣嗎？」

他點著一根紙煙，轉身坐到一張安樂椅中，答道：「當然一樣的，不過你只是瞧，卻沒有察，這就是不同之處。現在試舉一個例子，那下面的樓梯，你當然是時常走過的。」「沒錯，時常走。」「大概多少次數了？」「總有好幾百次了。」「那麼，這樓梯共有幾級？」我道：「你問我級數嗎？那卻不知。」

他點著一根紙煙，回身坐到一張安樂椅中。

「這就對啦！因爲你沒有觀察，只是看而已，這就是我的要點。我知道階梯共有十七級，因我不只是看，還會加以觀察的緣故。對了，你既很注意這些瑣細的問題，並且又很起勁記載我所經歷的案子，那你對於眼前這一件事，一定覺得很有興趣了。」說著，他從桌上取起一張淺紅格線的厚紙，拿給我瞧。又道：「這是最近一班郵差送來的，你大聲念出來。」

那是一封短信，既沒有日期和地址，信末也沒有署名。

那信道：「今晚七點三刻，有一個男子要來見你，和你商量一件要緊的事情。你近來對於歐洲皇族所建的奇功，顯示在任何緊急任務上，你是惟一足以信託的人，你的功績已四處傳誦。今晚請你在寓中稍等，如果來客戴著面具，請不要因此懷疑。」

我唸完了，說道：「這眞是一件奇怪的案子，你認爲這信有什麼用意？」

福爾摩斯道：「我還沒有得到線索哩。若在明白事實以前，先立設想，那是一個大錯，因爲假使先有了設想，就難免生出成見。這樣，不但不會用設想印證事實，反往往以事實強湊設想，那自然就走入歧途了。現在姑且瞧瞧這短信本身，你可推究出什麼呢？」

我仔細檢查信箋和信上的筆跡

我仔細地檢查那信箋和信上的字跡。

我依著我同伴的推究方法看了一會兒，說道：「我想寫信的人一定很富有，這種信箋的價值，一疊少說也要一克郎，這紙非常堅實呢。」

福爾摩斯道：「非常這兩個字，你用的很確切，這不是英國的紙，你且放在光亮處照一照。」

我照著他的話瞧視，見紙上映出一個大E字，接著有一個小g字，又有一個大寫的P字，一個G字，連著一個小寫的t字。

福爾摩斯問道：「你可瞧出這是什麼意思？」我道：「那一定是造紙人姓名的縮寫。」

「不是，G字連著小寫的t字，本是德文Gesellschaft一字的縮寫，意思就是公司，正像我們用Co.的縮寫代表公司一般。那P字不消說是紙的意義。現在還有Eg二字推想不出，我們且查查歐洲地名字典。」他說時就從書架上取下一本厚重的棕色冊籍，接著說道：「Eglow——Eglonitz——就是這裡了，Egria，這是一個說德語的小國，在波希米亞，距離卡爾斯巴德不遠，這地方就是華倫斯坦猝死的地方，並且有無數玻璃廠和造紙廠，老兄，此刻你有什麼意見呢？」這時他的眼睛閃閃發光，很得意地噴出一大口煙霧。

我道：「那麼，這紙一定是在波希米亞製造的。」

福爾摩斯道：「是啊，並且寫信的人還是一個德國人。你可發現信中語句的特殊結構？這種問題只有德國人才可能有。決不是一個法國人或俄國人，現在我們可知道這寫信的人，一定是德國人，不過他要戴面具來見我，究竟有什麼用意，那卻不知道。啊，如果我的聽覺沒錯，這個人已來了，我們的疑團，大概立刻可以解決哩。」

說到這裡，忽聽見一陣馬蹄聲響，又聽見門前停車的聲音，於是門鈴響了。

福爾摩斯吹著口哨，說道：「聽那聲音分明是一輛雙馬車。」他站起來向窗口中探一探頭，又道：「正是，那是一對矯健的名駒，我瞧至少值一百五十鎊一匹。華生，這件案子裡有錢呢。」我道：「福爾摩斯，我想我應迴避一下。」「醫生，不必，你儘管坐著，我沒有你，辦事上不免減少興趣，並且這案子明顯有值得注意之處，你錯過了也覺可惜。」我道：「但你那主顧——」「不要管他，我既需要你的助力，他當然也需要的。他從那裡進來了，你請坐在那張安樂椅中，留神些聽吧。」

這時有一陣遲緩而沈重的腳步聲，從樓梯上上來，經過甬道，到了起居室門外，接著，聽見敲門聲，福爾摩斯應道：「進來！」

那進來的男子，身材高大，有六呎半的高度，他的胸脯和四肢，像大力士赫邱利士一般壯健，衣飾很華麗，但在英國人眼中，卻覺得麗而近俗，他的胸領和袖口都鑲著厚毛的俄國羊皮，肩上披著一件深青色的外套，襯著一條深紅色的絲領巾，前面有一枚綠玉的扣針扣著。他的靴統很長，統口裹著棕色的厚毛，還不脫一種野氣。手裡執著一頂闊邊的帽子，臉部從額角直到頰骨，蒙著一個黑色的面具，這面具似乎剛戴上去，因當他進門的時候，他的手還摸著面具，嘴唇厚而下垂，頷骨闊大，看起來個性固執。他以一種低沉而帶著德國口音的聲音，說道：「你接到我寫的信了嗎？我早告訴你我要造訪的。」說時他向我們倆交換瞧著，似不知道應向那一個說話。

福爾摩斯道：「請坐，這是我的朋友和老夥伴華生醫生，他時常幫我探案的。我應當怎樣稱呼你呢？」

「你可叫我克拉門伯爵，我是波希米亞的貴族，我希望這位先生是一個有信用而能守祕的人，以便我可以宣述一件十分重要的事情。不然，我只能和你一個人密談。」

我一聽這話，站起身來要走，福爾摩斯忽將我拉住，仍推我坐在安樂椅上。說道：「我們倆必須在一起的，否則大家不幹。你要向我說的話，不妨當著這位先生直談。」

伯爵闊大的肩膊，聳了一聳，答道：「既然如此，我就不妨說。不過這事在這兩年之中，必須保守祕密，請二位應許我的請求。限期過後，悉聽尊便，若論眼前，這件事對歐洲歷史將有重大的影響。」

福爾摩斯道：「你這請求我應許了。」我也說道：「我也應許的。」

那奇怪的來客續道：「請你原諒我這面具，因爲我本是受人委託的，他不願意讓我的眞面目給你知道，我索性老實說吧，剛才我告訴你的爵位也不是我自己的。」

福爾摩斯冷冷地道：「這一點我早知道了。」

來客道：「這件事事關重大，不能不處處謹慎，以免發生意外的流言，簡單地說，此事牽涉到波希米亞王本人。」

福爾摩斯把身子貼著安樂椅的椅背，閉著眼睛，說道：「這一點我也已知道了。」那客人瞧著懶洋洋斜靠在椅子上的福爾摩斯，顯出詫異的神色。福爾摩斯緩緩張開他的眼睛，也向那魁梧的來客瞧著。

他冷然道：「如果陛下肯把這案子的眞相說明白，那我也許可以更容易盡力些。」

那人一聽，忽跳起身來，一時不能自持，在室中往來踱著，接著，忽顯出決意的樣子，便把面具拿下，丟在地下。他說道：「你的眼力眞不錯。我就是波希米亞王，此刻我何需再隱藏呢？」

福爾摩斯喃喃自語道：「正是，何苦呢？當陛下開口說話以前，我早已知道今晚我們的來客就是威廉・歐姆斯坦，原本是費爾斯坦朵地的公爵，現在卻已承襲了波希米亞的王位。」

那來客重新坐下，伸手摸著他白皙而高廣的額角，說道：「我當眞瞞不過你。我素來不慣做這種事，但這事關係重大，假使委託他人來替我接洽，我便有受人挾制的危險。因此，我祕密從布拉格出來，特地到這裡來，請教你的高見。」

福爾摩斯重新閉著眼睛，說道：「那麼，就請把事實說明吧。」

「這事也很簡單：約當五年以前，我偶然在華沙逗留，交識了一個名叫愛琳・亞德勒的女子，她是一個著名的女光棍，你也許早已聞名了。」

福爾摩斯仍閉著眼睛，喃喃道：「醫生，請你從我那本人物錄中，把她的事蹟找出來。」多年來，他對社會上一些特別的男子女子，都用分類的方法，紀錄他們的行述和事蹟。因此凡是有名的人物，發生了什麼事情，只需借重他的這本冊籍，多少可以提供一些資料。我檢查了一下，果眞查得她的小史，夾雜在一個希伯來教師和一個英國軍官之間，這軍官也是一個有名的人物，曾寫過一本海中魚類的紀錄。

福爾摩斯將那人物錄接過，說道：「喔！她在一八五八年生在新澤西州，女低音。喔！她當時是華沙皇家歌劇院的首席女歌手。哈——她後來脫離舞臺生活，在倫敦住過——對了！我想陛下當時一定曾和這女子發生過糾葛，又曾寫過幾封情書給她，現在卻想設法把情書取回。」來客道：「是啊，但怎樣——」「當時可曾祕密結婚過？」「沒有。」「也沒有立過合法的證書之類的？」「也沒有。」

福爾摩斯道：「那麼，我不知陛下有什麼用意。即使這女子將舊信取出來要脅，或另有別的目的，她又能怎樣證明呢？」「那都是我親筆所寫。」「不妨可說是僞造的。」「還有我個人用的信箋。」「那可說是偷去的。」「信上有我自己的鈐印。」「也未嘗不可摹仿。」「更有我的照片。」「也不妨說是她買來的。」

來客大聲道：「那是一張我們倆的合照。」「哎喲！那就糟了。陛下做事太欠考慮了。」「我當時眞像瘋子一般。」

福爾摩斯道：「你把它搞砸了！」「那時我還是王儲，年紀很輕。那時我才三十歲哩！」

福爾摩斯道：「現在你可是要把那信取回來？」「正是，我們已試過幾次，卻沒有成功。」「陛下何不出些代價買回？」「她不肯出賣。」「那麼，可設法偷取。」

來客道：「我們已試過五次，兩次買通了人，破屋進去行竊；一次在她旅行的時候，竊取她的行李；更有兩次，曾半途將她襲劫搜檢，卻都沒有效果。」「難道一次也沒有發現那東西嗎？」「都沒有。」

福爾摩斯笑道：「這的確是一個極有趣的問題。」波希米亞王抱怨道：「在我卻只覺得焦急而憂慮！」「那也怪不得你，但她挾持了這張照片，打算做什麼呢？」「要毀了我！」「她為什麼要如此？」王答道：「因為我將要結婚了。」福爾摩斯點頭道：「這事我也聽說了。」

「我所娶的就是斯堪的納維亞國王的二公主邁寧根。你該知她家族的規範很嚴，她又是一個非常敏感的女子，假使她對我的品行上有絲毫懷疑，這婚事必告吹。」

福爾摩斯道：「那麼，亞德勒準備怎麼樣呢？」

我們的貴客道：「她聲言要把照片送去。我知道她當真做得出的，你還不了解她，她是個鐵石心腸的人。她的面龐雖然柔媚，但她的意志卻比男子還要剛毅。因此，她知道我要和另一個女子結婚，什麼事都做得出的。」「那麼，你肯定她此刻還沒有把照片寄出去嗎？」「我確知她還沒有寄出。」

福爾摩斯道：「你怎麼知道的？」「因她曾說過，必等到我們的婚事正式宣佈以後，才將那照片寄出，我們的婚事宣佈的日子，就是下星期一了。」

福爾摩斯打了一個哈欠，答道：「這樣，我們還有三天工夫，那還算充裕，因眼前我還有一二件重要的案子需處理。陛下會在倫敦多耽擱幾天嗎？」「會，你可到倫海姆旅館來找我。我的化名，就是克拉門伯爵。」「那麼，我可把進行的情形隨時寫信通知你。」波希米亞王道：「那再好不過了，我很切望你的好消息。」

福爾摩斯道：「這事的費用如何？」王道：「任你決定。」「可是全權嗎？」「當然，我願意把我領土中的一省，拿來換取那一張照片！」「如此很好，但眼前需要的費用呢？」

國王聽了，便從外套下面取出一個沈重的皮囊，放在桌上。他道：「這裡有三百鎊現金，七百鎊鈔票。」

福爾摩斯從日記簿上撕下一頁，寫了一張收據給國王。問道：「這女子的住址在那裡呢？」「她住在聖約翰伍德，塞彭泰恩大街，布里翁尼宅。」

福爾摩斯將地址也記在冊中，略一沉思，又問道：「還有一點，那照片的大小，可是四吋六吋的大照片呢？」「正是。」「那麼，願陛下晚安，我自信不久便可有好消息給你。」國王便點頭告辭。當下面的車輪轉動的時候，福爾摩斯向我道：「華生，晚安，你假使明天下午三點鐘能費工夫到這裡來走一下子，我可以把這一個小小的問題和你細談。」

次日下午三點鐘，我早已依約到了貝克街寓所，但福爾摩斯卻出外沒有回來。房東太太告訴我，他在清晨八點鐘便出去。我就在爐旁坐下，準備耐著性子等他回來。這件案子雖不像我所記載的前二案那麼奇怪，但案中的情節，和當事人的地位，卻也有足以引人注目之點。並且除了案情以外，那波希米亞王目前所處的境地，的確有些危急，若替他設身處地想，也未免惴惴不安。

福爾摩斯的理解能力和敏銳的機智，是我素來佩服的，不知在這件事上，是否也能夠迎刃而解？因爲他一向穩操勝算，因此他失敗的意念便不容易進入我腦海。

將近四點鐘時，忽見房門開動，有一個酒醉模樣的馬夫直闖進來。那人盛髯繞頰、臉色赤紅，衣服也襤褸不堪。我知道我的朋友善於喬裝，但這時我也仔細瞧了好久，方才認出是他。他點一點頭，便走進臥室裡去，大約五分鐘後，便換了一身常穿便服出來。他把兩手揷入衣袋，在火爐前伸了伸腿，忽然縱聲大笑。

他呼道：「唉！眞是有趣！」便忽然停住了不說，接著又大笑不止，使得他的身體不由得不倒在那安樂椅上。我問道：「什麼事呀？」「這事實在太可笑了。我料你一定猜不出今天早晨我忙什麼，我做成了什麼事情。」「我猜不出來。你必是去窺探愛琳·亞德勒小姐的舉動，或是你曾到她的寓所去偵察動靜。」

福爾摩斯道：「不錯，但結果卻很特別。你聽我說：今晨八點鐘過後，我從這裡出去，喬裝成一個失業的馬夫模樣，因馬夫們最富同情心，只需認識一個同道的人，他便能告訴你一切你想知道的事。我找到了布里翁尼宅，見是一宅精緻的別墅，共有兩層，前面接近馬路，屋後連著一個花園。前門上還裝著暗鎖。屋子的右部，有一間很大的起居室，陳設很富麗，長窗幾接地板，窗上裝著英國式的窗栓，孩子們都能開動。此外並無可異，不過有一個樓窗的窗口，假使站在車馬間的屋頂上面，便可攀接得著。我在那屋子的周圍兜了一個圈子，仔細瞧察，實不見有別的足以注意之點。我隨即在附近踱來踱去，果然不出所料，在那後園的一旁，瞧見一個馬廐。那時有兩個馬夫，正在那裡洗刷，我便挨進去幫忙，後來果然得到了二便士的酬報，另外又給我一杯麥酒，兩煙斗粗煙，又得到了種種關於亞德勒小姐的消息。」

我問道：「這亞德勒是什麼樣的人？」

「她是一個最婉妙的女子，附近的男子沒有一個不爲她傾倒。她的作息非常單純，除了去劇院唱歌和每日五點鐘時乘馬車外出散遊以外，平時不常出門。她只和一個男客往來。據說那人很俊秀，面色略黑，神態很勇敢。他每天至少造訪一次，有時還是兩次。他叫戈茀雷·諾頓，住在坦普爾。這兩個馬夫曾好幾次載送他回去，故很熟悉他的行徑。我聽了他們的話後便走開，重新在布里翁尼宅附近徘徊，思考著手進行的方法。

這個戈茀雷·諾頓分明是案中的重要角色。他是律師，這一著更耐人尋味。他和那女子有什麼關係呢？他之所以時常造訪，又有什麼目的呢？她是他的委託人嗎？他的朋友嗎？還是他的意中人呢？假使她眞是他的主顧，那麼，她的那張照片也許已交給他執管；如果只是朋友或意中人的關係，這種情形似不會發生。我因著這兩個疑問，私忖我究竟應繼續在這布里翁尼宅進行呢？還是轉移我的目光，到坦普爾去找這個諾頓呢？這問題一時很難解決，因爲我若捨此就彼，那我偵察的範圍，便不能不因此擴展。你此刻聽了可感到厭煩呢？但我要你明白我所處的境地起見，不能不說明我的困難。」

「你儘管說下去，我聽得很出神呢！」

福爾摩斯繼續道：「當我正躊躇不決的當兒，忽見一輛兩輪馬車，停在布里翁尼宅門前，有一個紳士模樣的男子從車中走出。他的確很俊秀，膚色微黑，唇上留著短鬚，分明就是我所聽得的那個男客。他那時的神情似很急促，下車後，吩咐車夫稍待，隨即回身敲門。等那女僕出來開門，他便擦身進去，幾和那女僕摩肩相撞，顯見他在這裡進出慣了，彷彿是他自己的家裡一般。他在屋中約有半個小時，我從起居室的窗口遙觀，有時瞥見他在室中往來踱著，說話時形態張皇，且不時揮動手臂。但那女子的神情，我卻沒法瞧見。一會兒，他又匆匆出來，神情比先前越發惶急。當他跳上車子的時候，掏出一隻金錶來瞧了一瞧，吩咐車夫道：『你給我快馬加鞭！先到攝政街亨基公司，然後到埃奇韋爾路的聖摩尼卡教堂。假使你能在二十分鐘中趕到，我賞你半個金幣！』馬車一走，我正在忖慮應否跟著那馬車同去，忽見一部精潔的小馬車，從屋後轉出。那車夫的衣鈕一半沒扣，領帶也沒打好，連車轡也沒完全裝好。車子還沒有停住，那女子忽從前門閃出，一剎那間，已跳上車去。倉卒中我沒有瞧得清楚，但覺她確是一個絕色可愛的女子。她吩咐道：『約翰，快往聖摩尼卡教堂，你若能在二十分鐘中趕到，我賞你半個金幣。』華生，這時候我自然不能輕易放過了。我正想躲在她的車後同去，忽見另一部空車經過，我不等那車夫許可，急忙跳去，向他說道：『快往聖摩尼卡教堂，你若能在二十分鐘中趕到，我賞你半個金幣！』這時候是十一點三十五分，他們倆都希望在二十分鐘中趕到，也可推想有什麼用意。我的馬車駛得很快，我自信從來沒有坐過這樣快的馬車，可是他們倆的車子還比我先到。我的車子到教堂時，見那兩輛車停在門口！馬身上都熱氣蒸騰。我急急付了車錢，奔進教堂裡去。堂中除了我所跟蹤的一男一女以外，只有一個穿白衣的牧師，此外竟闃無一人。這三個人都立在祭臺前面，似在那裡討論什麼。我便閃在信徒座旁，裝成一個閒觀人的樣子，準備默瞧他們的舉動。忽然有一個出我意外的舉動，那三個人都回頭來看我，戈茀雷・諾頓一見，突然向我直奔過來。他大呼道：『謝謝上帝！就是你。來！來！』我問道：『什麼事？』『來！朋友，來！只要三分鐘，否則就不算合法！』這時我身不由主地被他拖到祭臺前面，我還莫名其妙，耳邊有聲音告訴我，教我爲愛琳・亞德勒和戈茀雷・諾頓做一個婚禮上的證人。這件事一霎眼便已完成。接著，新郎新娘則對我微笑，在我的兩旁向我道謝，牧師也我對我微笑。這件事實在是我生平難得的經歷，因此，我剛才一想起來，禁不住大笑起來。大概他們的婚姻，不很合法，因此那牧師的意思，若非另有一個證婚的人，便打算拒絕幫他們行禮。因此，新郎一瞧見我，便強拉我做他們的證人，省得他再到街上去找人。那新郎給我一鎊金幣，算做我的酬勞，我已準備把這金幣裝在我的錶鍊上，做一種永久的紀念了。」

我道：「這事如此變化，確眞出乎意外的。以後又怎麼樣呢？」

福爾摩斯道：「那時我的計畫既已發生了變動，不能不臨機應變。我覺得這兩個人似乎立刻要遠行了，我不能不有所準備。不料他們走出了教堂門口後，彼此仍分道而行，男的向坦普爾去，女的也回她自己家去。臨別時她向他說道：『今天五點鐘時，我仍會照常坐了馬車去公園。』此外我沒再聽見什麼。他們倆既登車分道而行，我也急急走開，預備我自己的事。」

我道：「你預備什麼呢？」

他一邊按鈴，一邊答道：「你先弄幾塊冷牛肉和一杯啤酒來，我因忙碌的緣故，忘了吃東西。我預料今天傍晚還得忙一次。醫生，這事我需要你和我合作。」我道：「我很願意。」「你不怕犯法嗎？」「當然不怕。」「也不怕被逮捕嗎？」「如果有光明正大的理由而被捕，自然也願意。」福爾摩斯道：「那理由自然不是曖昧的。」「那麼，我願聽你指揮。」「我深信這事少不得要借重你的。」我道：「但你究竟要我做什麼事？」

福爾摩斯道：「等我的僕人透納女士將我吃的東西送進來後，我便可仔細說給你聽。啊，來了，來了。」說時他連忙將女僕人手裡的食盤接過，繼續道：「現在我一邊吃一邊談吧。我們時間不多，此刻已近五點鐘了。兩小時內，我們就要動手。愛琳・亞德勒小姐坐馬車回去時約是七點，在這時候，我們應先到布里翁尼宅去等她。」

我道：「以後又將如何？」

福爾摩斯道：「到那時我自有應付的方法，你不要多管。你假使見有什麼變動，也不可從中干涉。你知道嗎？」「我可是應當嚴守中立？」

福爾摩斯道：「總而言之，你不可輕舉妄動。即使有什麼紛擾發生，你也不必介入，只等我進屋以後，自能就緒。在我進屋後四五分鐘左右，那起居室的窗必會開動，那時你就站近這打開的窗口。」「那可以的。」「你還應留心看我，我一定會讓你看得到我。」「知道了。」「你一見我舉起手來，就馬上將我給你的這件東西，從窗口裡擲進室去，同時還須叫喊『失火了！』。你可以勝任嗎？」我道：「當然可以的。」

他從衣袋中摸出一種雪茄煙狀的圓物，又道：「其實這種任務不算難辦。這是修水管匠的煙球。兩端裝著機關，一經觸動，便能點火發煙。你的責任就是管這一件東西。等到你縱聲喊失火，勢必驚動別的人，那時你只須走到街的對面稍等，在十分鐘內，我大概也就可以出來和你會面。這計畫的步驟，你可已完全明白了？」

我應道：「明白了。起先，我保持不介入，然後接近窗口看你，一見你舉手的暗號，就把這東西擲進去，隨即大聲喊失火，最後，就到對街的轉角上等你。」福爾摩斯點頭道：「一點也不錯。」「那麼，你儘管放心就是了。」「很好，此刻登場雖然還早，但我卻不能不先行裝扮哩。」

他回到臥室裡去，數分鐘後，便已扮成一個慈祥可親的牧師出來。他那黑色的帽子，邊簷很寬，寬大的褲子，雪白的領結，嘴角掛著仁慈的微笑，在在都顯出他是一個年高德劭的長者。福爾摩斯的喬裝，不但是衣飾上的改變，連他的姿態、表情和內心的靈魂，也和他所扮的角色合而爲一。因此，我暗想他從事了偵探的事業之後，不但科學界少了一個敏銳的理性頭腦，連舞臺上也損失了一個善於化裝的名伶呢！

到了六點一刻，我們從貝克街出來，但走到塞彭泰恩大街時，才六點五十分。那時天色已黑，我們在布里翁尼宅附近踱來踱去，等那女主人回來的時候，見屋中有幾處燈光已亮。那屋子的結構，果和福爾摩斯所說的沒有兩樣，不過屋子附近，卻並不像我所想的那麼僻靜。因爲那裡接近一條小街，轉角上有一群衣服襤褸的閒漢，在那裡吸煙談笑。其中有一個磨剪刀的，挾著他的磨輪；兩個警衛正向一個保姆調笑；另有幾個衣飾較整齊的少年，嘴裡都啣著雪茄，也懶洋洋地站在那裡閒瞧。

當我們在屋子門前徘徊的時候，福爾摩斯說道：「據我看來，他們這一次的結婚，倒替我們的案子解了一重困難。因爲那張照片，此刻已變成雙方的利器，我料愛琳不會願意讓這照片給她的新婚丈夫戈弗雷瞧見，正像我們的主顧波希米亞王不願讓那與他訂婚的公主瞧見一樣。故而眼前的問題，就是我們到那裡去找這張照片。」我答道：「正是，這照片藏在什麼地方呢？」「那照片的面積既大，她勢不會藏在身上的。況且波希米亞王曾僱人半途襲擊了兩次，她爲了謹慎起見，也決不會再隨身攜帶。」「這推理很近情理。那麼，你想她會藏在那裡呢？」福爾摩斯道：「她的銀行或她的律師，都有爲她保存那照片的可能，但我想事實並不會如此。因爲女人天生喜歡保守她的祕密，她們對於自己的祕密，不肯輕易告訴他人，除此以外，這照片她本來就要在最近數天中應用，因此我料那東西一定在她近邊，以便隨時可取。換句話說，多半就在她自己的屋裡。」我道：「但那屋子不是曾兩次被人進去行竊過嗎？」「這算不得數，他們必不知道怎樣搜尋的。」我道：「那麼，你打算怎樣搜尋？」「我不用自己搜。」「如此，你有何妙法？」「我將讓她自己指給我看。」「假使她拒絕呢？」

福爾摩斯道：「她決不能拒絕的，現在我聽見車輪的聲音，一定是她回來了。你依著我的命令行事吧。」

這時果見有兩條車燈的光，自遠而近，不一會兒，一部精緻的小馬車停在布里翁尼宅的門前。在這當兒，忽見街角的一個閒漢，奔過來開車廂的門，希望賞得一個銅幣。可是同時另有一人，也抱著同樣的目的，因而彼此爭奪，便扭打起來。那兩個警衛奔過來幫著一方，那磨剪刀的也跟蹤而至，幫著另一方的閒漢。於是喧叫聲中，拳脚交下，彼此就在馬車門前打成一堆，這時喬裝的福爾摩斯忙搶著過來，似要扶助那下車的女子，但他才剛走到她的近旁，忽然一聲慘叫，立即倒在地上，面頰上早已鮮血淋漓。因他一跌，那兩個警衛似已知道肇禍，便拔脚飛跑，那兩個乞錢的閒漢也都轉身竄逃。這時有幾個衣服較整潔的男子，起先只袖手瞧他們打架，並不參加，到了這時，也都走過來扶引那個女子和瞧察地上受傷的牧師。愛琳‧亞德勒急忙走上石階，直到門口，才站住了回頭瞧著門外的衆人。她問道：「這先生可傷得厲害？」有幾個人同聲答道：「他已死了！」另一人道：「不，不，還有一絲氣呢。但若送到醫院，半路上一定保不住了。」一個婦人說道：「這個人很勇敢，剛才若沒有他上前保護，這位女士的錢囊和金錶，勢必都要被他們搶去。他們都是一班流氓啊！你瞧，他現在已能呼吸哩。」另一人道：「他不能就在街上的。女士，我們可把他抬進去嗎？」亞德勒答道：「當然可以。請把他抬到起居室裡去，那裡有一張舒適的沙發，可給他安臥。請從這裡走。」

於是那幾個人將福爾摩斯緩緩地扶進布里翁尼宅。我這時站近窗口瞧著，不一會兒，見起居室中的燈光通明，但窗簾還沒有拉起。我從窗隙中瞧見福爾摩斯躺在一張沙發上面。我不知道他這種裝腔，此刻是否感受著不安，但我一見這美麗的女子，又見她對待受傷人的那種仁愛同情，而我們卻正要設計對付她，良心上眞不禁暗暗愧疚。但這是福爾摩斯預定的計畫。他當初既已信託我，我若中途退縮，便不免破壞他的大局。因此，我硬著心腸，將煙球取在手中，準備動手。同時我又自己告訴自己，我們並不是要傷害她，只是阻止她傷害別人罷了。

福爾摩斯已從沙發上坐直了身子，我見他仰面作勢，似表示需要新鮮空氣的樣子，於是一個女僕立即奔過來開窗。在這當兒，我見他舉起手來，我知道這是他的暗號，急忙將煙球擲入室中，又縱聲呼道：「失火了！失火了！」我的呼聲剛完，頓時引集了許多人，有華服的紳士，也有工人僕役，都附和著我喊失火。這時有大股的濃煙從室中發生，一陣陣透窗而出，於是一陣驚亂，室中人也都匆忙走避。接著我聽見福爾摩斯高聲說，這只是虛驚，並非眞正失火。我爲了遵行預定的計畫，便從人叢中退出，悄悄到街角上去等待。大約十分鐘光景，果見我的老友已出來與我會合。他挽著我的手臂，離去那驚亂未定的地方，他走得很快，並且靜默不發一言，直到轉了一個彎，進了一條通往埃奇韋爾路的小街，方才開口。他道：

「華生，這件事你辦得很妥當，實在太好了。」

我道：「你已得到了照片了？」「我已知道那藏照片的地方了。」「你怎麼知道的呢？」「她指給我看的，我早對你說，她自己會指出來的。」我道：「這事究竟如何，我卻還是搞不清楚哩。」福爾摩斯笑道：「我不願賣關子了。這事本來很簡單的。你想必已知道那街上的閒人，都是這戲中的配角，他們是被雇而來的。」

我答道：「這一著我已猜出八九分了。」

「既然如此，以後的舉動，你也不難推想而知。須知當他們開始爭鬨的時候，我一邊奔上前去，一邊把掌心中預備好的紅色顏料抹在臉上，一近前，便跌倒在地上。這是老把戲了。」

「這層我也早明白了。」

「那時他們把我抬進屋去，她實有不能不容留之勢。進了起居室後，我想那照片假使不在她的臥房，一定就在這起居室中，他們將我放在沙發上，我裝做需要空氣的樣子，他們就不得不開窗了。這麼一來，就使你有了動手的機會。」

我道：「但是，這一著對你有什麼助益呢？」

「那是最重要的。因一個女人聽到了屋子失火，她會本能地去搶救她最珍貴的東西。這種舉動，往往自然而然不可抗拒，我已利用過幾次，屢試不爽。從前在達林敦頂替醜聞中和安斯渥斯城堡案中，都曾勝利奏功。大概已婚的女子，第一著先搶她的孩子；未婚的女子，則都最先搶取她的珍寶手飾。但我們案中的這位女子，眼前實在沒有比那照片更貴重的東西，故而我預料她一聽聞火警，勢必先取照片。那時失火的警報很逼真，莫怪她驚慌失措。我見她走到鈴繩的旁邊，把壁上的一塊小板抽動，伸手進去，正要將照片取出，我的眼睛一瞥，便高喊只是虛驚。她因此停住沒再取出，回頭向煙球瞧了一瞧，便回身奔出室去，我就沒再見到她。我也就站起身來，一邊打算出來，一邊暗自躊躇，能否立即動手將照片帶出。不料那時候她的馬夫忽走進室來，我在他監視之下，當然不便動手。因爲有時著手過於急促，反而要壞事的。」

我又問道：「那麼，現在如何？」

福爾摩斯道：「我們的任務此刻已完畢了。明天我可同那波希米亞王一塊兒去見她，你假使有興趣，不妨同去。待我們被引進起居室時，便可在那裡等她出來會面。但等到她眞的進起居室時，她一定要覺得不但不見有什麼來客，連那照片也已不翼而飛。這東西若教我們的主顧親手取回，他自然更覺滿意了。」

我道：「那麼，你明天什麼時候去見她？」

「早晨八點鐘。那時她大概還沒有起身，更便於我們動手。但我們愈早愈妙，因她結婚後，生活習慣或許因此改變也未可知。現在我要打一個電報給波希米亞王，教他不可耽擱。」

一會兒，我們已回到貝克街，福爾摩斯站住，正想從衣袋拿出鑰匙，忽有人從背後經過，說道：「福爾摩斯先生，晚安。」

那時路邊有好幾個人閒談，那打招呼的話，似是一個瘦長而已走遠的少年說的。福爾摩斯回頭向那半明的街上瞧著，自言自語道：「這聲音我聽過的，但是是誰呢？」

那晚我就住在貝克街。第二天早晨，我們正在進早餐的時候，便見波希米亞王直闖進來。他奔到福爾摩斯身旁，用力按在他肩上，急切問道：「你當眞得到了那東西嗎？」

福爾摩斯答道：「還沒有哩。」「但你已有希望嗎。」「有希望。」「那麼，快走吧。我實在不能再忍耐了。」福爾摩斯道：「我們應當先雇一部車子。」「不必，我的馬車等在門外呢。」「這樣，我們不妨就走。」

於是我們三個人一塊兒下樓，上了馬車，向布里翁尼宅前進。車既進行，福爾摩斯向國王說道：「愛琳・亞德勒已結婚了。」波希米亞王驚訝道：「結婚了嗎？何時？」「昨天。」「和誰結婚？」「一個名叫諾頓的英國律師。」「但她不會愛他的。」福爾摩斯道：「我希望她能夠愛他。」「你爲什麼希望如此。」「因爲這麼一來，可以免除你將來的纏擾。假使她愛她的丈夫，勢必不會再愛你，既不愛你，那麼，對於陛下另娶的計畫，自然也沒有干涉的理由了。」

波希米亞王沈吟道：「這話不錯。可是——唉，我很希望她的門第和我相同。如果她做了皇后，那將多麼出色啊！」說了這句，他就閉口無語，只聽得蹄聲噠噠，直駛進塞彭泰恩大街去。

布里翁尼宅的前門開著，一個老婦人站在石階上面，她瞧著我們從馬車中先後走出，臉上帶著一種譏諷似的微笑。她問道：「來的可是歇洛克・福爾摩斯先生？」福爾摩斯以驚疑的眼光回瞧著老婦，答道：「我就是福爾摩斯。」老婦道：「唉！我的女主人告訴我，今天你一定會來。清晨，她和她的丈夫一塊兒走了。他們是往查林格洛斯車站去，坐五點十五分的快車。」福爾摩斯不禁驚駭失色。他問道：「你的意思是說她已準備離開英倫了？」老婦道：

「是啊，永遠不回來了。」

波希米亞王作失望聲道：「那麼，信件呢？大事壞了！」

福爾摩斯忙道：「我們且瞧瞧再說。」說著，他一手將老婦推開，奔進起居室去。我和波希米亞王在後面跟著。室中的器物縱橫雜亂，地上零物狼藉，抽屜也都開著，分明當愛琳逃遁以前，匆匆整理行囊，故留此狀。福爾摩斯奔到裝鈴繩的壁旁，拉開一塊活動的鑲板，伸進手去，摸出一張照片和一封信來。那照片是愛琳·亞德勒自己的，身上穿著晚禮服，打扮端莊，嫵媚動人。那封信卻寫明著留呈歇洛克·福爾摩斯先生。我的朋友將信撕開，我們三個人便一同誦讀。信上的時間是今天凌晨，那信道：

「我敬愛的歇洛克·福爾摩斯，你的本領眞好！我起先也被你所騙，因爲在那場假火警發生以前，我實在一點也不懷疑。但我在數月以前，即有人警告我，國王正打算請用偵探，那所請的偵探一定是你。因此，我便也注意你的住址。昨夜你的喬裝的確逼眞，雖在我懷疑以後，還是很難相信你那一副誠懇慈愛的樣子會有什麼惡意。雖然如此，你當知我是登過舞臺的人，在化裝上也有幾分研究，一旦我懷疑，你也就難逃我的目光。但當時我仍不動聲色，只吩咐馬夫約翰進來，監視你的行動，我則上樓去改裝，等到你起身出去，我也已改裝完畢下了樓。

後來我一直跟到你的門口，才確知你眞是歇洛克·福爾摩斯先生。那時我一時冒昧，還向你道了個晚安，接著才趕到坦普爾去會我的丈夫。

我們商量了一會，覺得既有你這樣一個敵手，惟有遠走高飛一策，方算萬全。於是決定破曉動身，讓你來後撲一個空。至於那張照片，不妨請你的主顧安心。我此刻已和一個比他更好的人相愛，他從前雖曾負我，但此刻他儘可如願行事，我決不阻擾。這照片我仍當保存，留做一種防身之器，以防他將來有什麼意外的舉動。我今另留一張照片，他如果不棄，也不妨存留的。

愛琳．諾頓上」

我們三個人讀完了這封信後，那波希米亞王失聲呼道：「啊！好一個女子！我不是說過她是一個靈敏而果斷的女子嗎？假使她眞做了我的皇后，眞是何等光榮啊！只可惜她與我地位不同！唉！」

福爾摩斯忽沈下了臉，冷然道：「從這些經過的事看來，這女子的確不是和陛下同水平的人物！但這件事不能得到更好的結果，我很覺抱歉。」

王道：「我親愛的先生，那裡的話。這事如此結局，再好沒有了。因爲我知道她說話算話，因此，此刻那照片就像已丟在火爐中一樣安全。」福爾摩斯道：「我很樂意聽陛下說這樣的話。」王道：「我很感激你，但怎樣報答你呢？這一個指環——」說時，他從手指上取下一個蛇形的綠玉指環，放在掌中，拿給我友。福爾摩斯道：「陛下還有別的東西，在我卻覺得更加寶貴。」「那請你說吧。」「就是這一張照片。」王向他瞧著，很詫異地說道：「愛琳的照片嗎？好，你既喜歡，就贈給你吧。」

福爾摩斯道：「多謝陛下，那麼，這件事已結束了。願陛下早安。」說完，鞠了一個躬便轉身走出。那時國王正伸著手等他握別，我的朋友確似沒有瞧見，毫不理會，早已出了布里翁尼宅。我也就跟著他離去。

這就是那波希米亞王因被威脅而求教福爾摩斯，福爾摩斯卻敗在那女子手中的事實。事後他常讚嘆那女子的智慧，但近來卻不常聽見了。每逢他提起愛琳・亞德勒，或說起她的那張照片，他常用一種更尊敬的稱呼，稱她做「這個女子」。

熱情女（原名 A Case of Identity）

福爾摩斯和我對坐在他貝克街寓所的火爐兩邊，道：

「我親愛的老友，世上的事情，眞有意想不到之妙。有許多非常平常的事情，我們想都不敢想，假使我們倆，手拉手地飛出窗外，飛到了天空，輕輕把人家的屋頂揭去，我們便可以偷看到許多怪異的事情正在進行：奇怪的巧合、計謀、意見相左、一連串驚奇的事情，它們一代代的發生，導致出離奇的結果。這些事讓那些老套或一望而知結果的小說顯得索然無味，不暢銷。」

我答道：「只是我卻不贊同你的話。報上所寫的事還不都是那麼單調、低俗。警察的報告中，那更是寫實主義到了極點，我們得承認，那種結果既不迷人也毫無藝術性可言。」

他道：「要明白一件案情的眞相，必須要有一定的選別力和判斷力。警方報告的缺點，便是只知道把重要事情報告長官，不肯詳細敍述，卻不知道瑣碎事情裡面反而可以發現全案的重要關鍵。」

我笑著搖搖頭道：「我十分明瞭你的意思。當然了，你的地位本來就是非官方性質的，又是一般惶惑困危者的救助人，你的事業已遍布了三大洲，因此你就有機會和那些奇事怪物接觸。」那時我從地上撿起一張晨報，接著說：「也許這報紙的第一篇可以做爲我們的實地試驗。這是一個丈夫虐待妻子的事件，占去了報紙的半個篇幅。但我不必讀它，就可以完全知道這事情的內幕。不用說，那一定是爲了別的女人，或者喝醉了，推拖、毆打、傷痕、富有同情心的姊妹和房東太太等。那些粗笨的記者，記來記去，除了這些淺率筆墨，能夠做些什麼？」

福爾摩斯把晨報看了一下，他道：「你舉的例子，卻不幸是你辯論失敗的證據。這是鄧達斯夫婦分居的案子。我恰巧也參與探索和這案有關係的幾點小節。這事一點也不關什麼別的女人，並且鄧達斯素來不飲酒。這事情的起因是因爲他有一個習慣，每次吃過東西之後，常常拿下他所鑲的假牙，丟在他妻子的臉上，他妻子受不了，所以想要離婚。這大概不是一般善講小說的人所能推想得到的了。華生醫生，聞一些鼻煙吧。你現在應承認，我已在你所提出的例子上勝你了。」

他拿出他的舊式金鼻煙壺來，壺蓋中央鑲著一大塊紫水晶。那東西的古美，似乎和我友素來不講究起居的情形不很相稱，所以我不禁要對這東西的來源推想一番了。

他已經明白我的疑惑，便道：「啊，我忘了，我和你有好幾星期沒見面了。這是波希米亞王送給我的一點兒紀念品，也算我幫他辦了那件索回愛琳．亞德勒照片案的酬報。」

我那時又瞧見一個很燦爛的指環在他指上，便再問道：「這指環也是他送給你的嗎？」

「不，這是荷蘭王室贈給我的。這一件事情很複雜，很值得研究。不過我要爲他們保守祕密。就是你，我也不能說。」

「那麼現在你有什麼新的案件在辦嗎？」我問他的時候，很富興味的盼他回答。

「案件呢，有十幾件，不過沒有一件可以

說是有趣味的，那些案件都很重要，這個你也知道，只是沒有什麼趣味。我發現，往往在一些不重要的案情上蘊藏著值得觀察之處。而且把它分析開來，研究出一個結果，就會覺得非常有趣。愈是重大的案件，愈是簡單，好像成爲定規，因爲罪行重大，動機愈是顯明。在這許多案件裡面，除了馬賽的案子稍可研究之外，簡直找不到一件有趣的，可以叫我多用些心思。但是或許等會兒較有趣的案子就會上門。我如果沒錯的話，應該是又有顧客上門了。」

那時我友已經從他的椅子上站起來，站在開著的百葉窗邊，注視著下面慘澹的倫敦街道。我從他的肩膀望下去，瞧見在對面路邊站著一個女人，圍著一條長毛的皮圍頸，一頂闊邊的帽子，上面揷著一支彎曲的紅羽毛，那帽子斜戴著，一邊直壓到耳朵上面，就像德文郡公爵夫人的穿著風格。

她全副盛妝，對著我們的窗戶很疑遲而驚亂地窺望，那時她的身體不住地前後顫動，手指拈弄著手套的扣子。忽然間，她嬌軀一掠，像游泳選手入水的樣子，很快地走過大街，我們便聽見門鈴很銳利的響聲。

福爾摩斯便把他吸的香煙扔在火爐裡，向我說道：「從前我常見這種徵兆的。大凡在道路上猶豫不決的，常常表示與桃色事件有關，她需要人家幫忙，卻又很不願把詳細的實情和人家商議，不過這也有程度上的差異，當一個女人覺得男人做了很對不起她的事情時，她便不會有猶豫的樣子，她的憤怒，甚至會把電鈴線都拉斷的。現在我們可以知道，這位婦人的事一定是件關係情愛的問題。但是這婦人尚不十分失意傷神，她今天來的正好，恰可以解釋我們的疑惑。」

當他說話的時候，門上輕叩一聲，一個穿制服的侍童進來說梅麗·蘇瑟蘭小姐來了。那時她的嬌軀已經隱約在侍童的小影後面，好比一艘駛足風帆的商船，在一艘領港的小船後面的樣子。福爾摩斯便用平常習慣的禮貌，迎她進來，隨手關上了門，請她坐在靠背椅上。心不在焉地對她端詳了一下，這一種神情是他所特有的。

他對那女人說道：「你不覺得你的近視眼，對於從事這長時間的打字工作，很不適宜嗎？」

她回答道：「起先確實覺得很苦，現在已熟悉了，不用眼瞧，已可以找到字盤上的字母了。」說到這裡，她似忽覺得他的問句來得突兀，大爲驚異，便呆望著我友，在她廣闊而和善的臉上，露出驚駭的神色。她驚呼道：「福爾摩斯先生，我的事情，你都知道了！不然，你怎麼曉得我打字呢？」

福爾摩斯笑著說道：「沒什麼，我的職務就在於知道這種種事情。或許我是熟練慣了，可以預知人家的情形。不然，你今天爲什麼要來找我商確呢？」

「先生，今天我到此地來，是由愛司里琪夫人介紹的。她的丈夫失蹤，警察和旁人都說他已死了，只有你把他找回來。啊！先生，我希望你可以同樣的幫助我。我雖然沒有錢，卻還有每年一百鎊的財產，和打字的些微收入。我願意犧牲這些錢，只要能知道福司莫·安吉爾先生現在究竟在什麼地方，情況怎樣，那就心滿意足了」

歇洛克·福爾摩斯眼睛望著天花板，把指

尖頂在一起，冷冷地問道：「你出來同我商量，爲什麼如此的匆忙？」

那時梅麗・蘇瑟蘭小姐的臉上又現出一種驚奇表情，答道：「不錯，我從家裡負氣地跑出來的，都是因爲溫特朋克先生——就是我的父親——的那種冷淡的神情，實在叫人見了發火。他既不肯報警，又不願我到此地來。他說決不會有危險的事情發生，因此一點也不願有所行動。他這種話，簡直要叫我發狂哩。所以我爲了我自己的事情，就直接到此地來見你。」福爾摩斯道：「你父親嗎？他既然與你的姓不同，我敢斷定是你的繼父吧。」「是的，我的繼父。我尊稱他父親，的確很可笑，因爲他只比我年長五歲又兩個月。」「那麼，你母親還在嗎？」「是的，我母親仍活著，身體也很健康。當她再嫁的時候，我很不高興，因爲她在我父親死後沒多久，便再嫁給一個比她年輕十五歲的人。我父親是做鉛管的，店鋪開在特登海路，他死後把這龐大的企業留下來，我母親便和店裡的工頭哈臺先生繼續經營下去。但是溫特朋克先生來了之後，便逼著我母親把店鋪賣給人家，因爲他是一個酒商，似乎比這行業高尚了些。他們賣掉店裡的生財所得的錢及和利息，一共四千七百鎊。其實如果我父親活著，一定還不止這幾個錢的。」

我以爲福爾摩斯聽了這許多瑣瑣屑屑無關緊要的敍述，一定要不耐煩了。卻不料適得其反，他全神貫注地留意傾聽，等她說完就問道：「你自己的私人收入，就是從這上面得來的了？」「不是，那和此項完全無關，是在奧克蘭的舅父奈特遺留給我的。是一張紐西蘭的股票，有四釐半的利息，總數是二千五百鎊。但是我只能支用那些利息。」

福爾摩斯說道：「你的事情，我覺得很有興趣。你既有一年一百鎊的巨款，你怎樣使用呢？我想你總能過些優裕的日子，或者到名勝地方旅行。我知道一個單身女子，大概有了六十鎊的收入，就可以把日子過得很舒服哩。」

「福爾摩斯先生，我不需要花用這項進款。你想必明白我的脾氣，我只要一天住在我家裡，就不想花他們的錢，所以這項進款，仍給他們去用。但這當然是暫時的。溫特朋克先生每季會提出利息交給我的母親，我也覺得我打字的收入足夠我使用。我打一張，可以得到兩便士，我每天可以打十五張至二十張，所以很夠用哩。」

福爾摩斯道：「我對於你的情形，已經十分明瞭。這是我的老友華生醫生，你當他的面說話，可和當著我的面說話一樣自在。現在請你把你和福司莫．安吉爾先生的關係，詳細告訴我們。」

蘇瑟蘭小姐臉上頓時泛起紅暈。她很不自然地拈著短衫的邊緣，輕輕說道：「我第一次見到他，是在煤氣業的舞會上。我父親還活著的時候，那些煤氣商時常送請帖來的，所以他們後來記得我們，便會把請帖寄給我的母親。溫特朋克很不願我們去，他不願我們到任何地方去，就是我要去參加主日學活動，他也要氣得

舞會中

發狂。但我卻偏偏要去，因此我仍舊去了。他有什麼權力可以阻止我呢？他當著我父親的朋友面前，竟說有許多人我們都不應認識的。他還說我沒有合適的衣服穿，可是我那件紫絨的衣服幾乎都還沒穿過。最後，他無計可施，便到法國的分公司去。我便和我的母親，與從前店裡的管事哈臺先生，一同去參加舞會。就在那兒，我遇到了福司莫·安吉爾先生。」

福爾摩斯道：「我想，當溫特朋克回來之後，知道你們已經去參加這舞會，一定很不高興的。」「啊，他卻並不發怒。我還記得，他聳聳他的肩膀，笑著說，一個女人執意要做什麼事，別人是沒有法子可以違拗她的。」「我知道了。那麼，是否在煤氣同業的舞會裡，你們便遇見一個紳士，叫做福司莫·安吉爾先生？」「先生，是的，那晚我遇見了他，第二天他到我家裡來拜望我們。後來又在路上碰見兩回。但自從我父親回來以後，他便不能再到我家裡來了。」「不來了嗎？」「是的，你應知道父親很不喜歡這種事情。如果他能夠禁止，他便不願有一個拜訪的人來。他常說，一個女人只能在自己家庭的環境裡面找到快樂。但是我常對我母親說：我還沒有自己的家庭，又叫我那裡去尋快樂呢？」「但安吉爾先生怎樣呢？他難道不曾設法要來看你嗎？」「哎！父親隔了一個禮拜，又到法國去了。福司莫寫信來說過，在父親沒有出去以前，大家還是不見面爲妙，故而那時我們互相通信，他差不多天天有信來，我都在清早出去取信，所以我父親決不會知道。」「這時你們已經訂婚了嗎？」「是的，我們在相遇的第一星期就訂婚了。福司滿·安吉爾先生是萊登霍爾街一家公司的會計。」「什麼公司？」

「這就是最糟的一點，福爾摩斯先生，我不知道。」「那麼，他住在什麼地方呢？」「他住在家裡。」「你不知道他的地址嗎？」「只知道萊登霍爾街。」「那麼，你的信寄到什麼地方去的呢？」「我的信寄到萊登霍爾街的郵局裡去，讓他自己去取。他說如果把信寄到公司裡去，同事們知道是一個女子寄的，他們一定要嘲笑的。所以我也和他說，我給他的信，因恐怕給人看見，不如用打字的吧。但是他不贊成，他說我寫給他的信，宛如我親去見他一樣，如果用打字的，便像我們兩人中間，給打字機隔別了。從這一點，可以見得他是如何愛我，就在這一點兒小事上，他竟也想得如此周到。」

福爾摩斯道：「這點頗堪玩味。我一直相信，許多小事反而非常的重要。其餘你可記得其他關於安吉爾先生的小事情嗎？」

「福爾摩斯先生，他是一個很怕難爲情的人。他寧可在晚上同我散步，因爲他說白天怕被人家瞧見。他態度和善、舉止優雅。他說話的聲音很輕柔。他說他年輕的時候得過扁桃腺炎和頸腺炎，所以後來嗓子一直不好，說話不能很大聲，只能輕輕柔柔的。他的衣服總穿得很講究而清潔；但是他視力不好，和我一樣，故而常戴一副淺色眼鏡，抵擋強烈的光線。」

「好，那你繼父從法國回來以後又怎樣呢？」

「安吉爾先生先到我家裡。他提議在父親回來之前，必須先行結婚。他非常的認眞，他叫我把手按在聖經上面，立誓說，無論什麼事情發生，我總是忠於他。我母親也說他叫我立誓是對的，並且也表示他的感情。我母親一開始就喜歡福司莫的，恐怕比我更喜歡他。他們說要在一星期內舉行婚禮，我主張要告訴父親，但是他們兩人都以爲事前不可聲張，事後再告訴他。母親還說，她爲我們辦這婚事，一點也不會錯。但我卻不十分贊成這樣的辦法。若說我的婚事，必須去請示那只比我略長幾歲的繼父，似乎有些可笑，但我不願有什麼事情瞞著他。所以我就寫信到法國波爾多的分公司給我繼父。不料就在結婚的早上，那信竟退了回來。」

「人不在那邊嗎？」「是的，信到那邊之前，他已經動身回英國來了。」

「呀！不幸之至，但那時，你們的婚事已經預備好在禮拜五了，是在教堂裡舉行的嗎？」

「先生，是的，但是一切都不聲張。是在靠近皇家十字路的聖救主教堂裡，並且約定隨後往聖柏格旅館裡去用早餐。福司莫預備了兩部車子，請我們兩人坐在一部兩輪馬車，他自己坐進一部四輪馬車裡。那時街上只有這兩部車子。我們先到教堂，那四輪馬車後到，我們一直在等他走出來，但是卻很久都不見他下來，後來馬車夫跳下車來，到車廂裡去看，卻沒有人在那裡！那馬車夫也想不出怎麼一回事，因爲他親眼目睹他坐到裡面去的，那是上禮拜五的事情。福爾摩斯先生，那天之後，我就再也沒有他的消息。」

福爾摩斯道：「此事據我看來，你恐怕受了人家的欺騙了。」「不，不，先生！他人很好，決不會欺騙我的。那天早晨，他一再向我說，不論什麼事情發生，我都要忠於他，並說就算是有出乎意料的事情發生，把我們分開，也是一樣的。我也總記著我已經屬給他了，所以聽憑他怎樣處置。這種話在結婚的早晨說，本來是很奇怪的，但是怎料，眞有這種事情發生呢！」「這眞是有意思，但你的意思是不是說他那時已知道有不測的事情要發生了呢？」「是的，先生，我相信他一定預見有什麼危險，不然，他怎會說這種話呢！」「但是你一點線索也沒有嗎？」「沒有。」「我還有一個問題，你母親對於這事情的態度怎樣？」「她很不高興，她叫我再也不要提起這一件事情。」「你父親又怎樣呢？你可曾告訴他嗎？」「我告訴他了，他也和我一樣猜想他已遇到什麼意外，並且他認爲我一定可以再聽見福司莫的消息。他說他既把我帶到了教堂的門口，卻又離我而去，這對他有什麼益處？要是他借了我的錢，或者他已經娶了我，用了我的錢，尙有可說，但是福司莫是不要倚賴這錢的，他從不向我拿一個先令。那麼，到底他是怎樣了呢？他爲什麼不寫一封信給我呢？唉！這件事情，我想起來就要發狂了，晚上簡直無法闔眼睡覺。」此時她從手籠裡抽出一條手帕，很悲傷地啜泣起來了。

福爾摩斯站起身來，說道：「我替你處理這件事吧。我深信我們可以得到相當的結果。這件事情全包在我身上。你不必再操心。最要緊的，你應把安吉爾先生從你的記憶中消除，好像和你已經沒有關係的樣子。」「那麼，你認爲我再也不能見到他了嗎？」「恐怕不能了。」「他到底怎樣了呢？」「你把這些問題交給我好了。我必須多知道關於他的描述，最好你可以拿出幾封他的信給我。」

她道：「我登過一則廣告在上禮拜的『記錄報』上。這就是剪下的一片，這是他寄來的四封信。」「謝謝你，你的地址在那兒？」「我住在康白惠爾區的里昂街三十一號。」「安吉爾先生的住址，你是不知道的，你父親執業的地址是在什麼地方？」「我父親是芬邱綺街葡萄酒進口商西屋・馬爾班克公司的旅行推銷員。」

「謝謝你，你的陳述很清楚，你把這報紙留在此地。你要記住我給你的忠告，讓全部的事情像已經合攏的書，不讓支字片語影響到你的生活。」「福爾摩斯先生，多謝你的仁慈，只是我卻不能如此，我要永遠忠於他，不論什麼時候他回來，他會知道，我都預備著嫁他。」

雖然她斜戴的帽子和平淡的面貌不很受人歡迎，可是她那可貴單純的忠誠，卻叫我們不能不欽佩她。她把一小紮的紙頭放在桌子上，並允諾不論何時叫她，她就可以過來。之後她才慢慢地走出去。

歇洛克・福爾摩斯靜坐了幾分鐘，手指仍舊緊壓在一起，兩腿伸直在前面，默默地仰視他上面的天花板。隔了一會兒，他從架子上拿下他那陳舊且佈滿油污的煙管，這煙管對他好像是一位顧問。他點燃了之後，把背靠著椅子，藍色的煙霧彌漫室中，他臉上露出十分倦怠的神情。

他開口說道：「這位婦人本身就很值得研究。我覺得她本身比她的那個小問題更加有趣，那問題只不過是很平常的老套，你可以在我的記錄裡面找到一件同樣的事情。像是一八七七年恩特孚地方的案件，和去年在海牙的那一件事，都是類似的。這種計謀很陳腐了，只有一兩處還覺得新鮮些，但她自己本人卻更有趣。」

我道：「你似乎在她身上發現了許多事情，在我卻一點也看不出來。」

「你不是看不出來，只是你不注意罷了。」

你不知道從什麼地方著眼，因此便失去許多重要的注意點。我大概不曾讓你明瞭那衣袖的重要，大姆指指甲的暗示，或一條鞋帶就含有一項重大的發現。現在請把你觀察所得的那女人的外貌形容出來。」

「好，她戴一頂黑灰色的闊邊草帽，帽上有一根紅磚色的羽毛。她的短衣是黑的，有黑色細珠縫在上面，四邊還有小的黑玉的妝飾品。她的外套是棕色，比咖啡色深些，用小塊紫絲絨，釘在頸項下面和衣袖口上。她的手套是灰色的，右手的食指上已有些破了。她的皮靴，我卻沒有注意。她耳上帶著小圓形垂掛的金耳環。從她的神氣也可瞧見她是那種舒舒服服過日子的人。」

福爾摩斯輕輕地拍著兩手，呵呵笑道：「華生，你個人的觀察也很神奇。你的成績當然也不錯，只是有些重要所在你卻未曾注意，你辨別顏色的眼光的確很厲害。老友，我常說，觀察點須在細微小節上，普通的外表是毫無注意的價值。我對於女人，先看袖口，對於男子，就先看他褲子的膝蓋。像你所注意的，她有紫色絲絨在她的袖口上，這是最有用的東西，可以顯露些痕跡。在手腕略上些的地方，那平行雙線的痕子，很顯著地表示那是打字時壓緊桌子的痕子。用縫紉機器的話也有這種痕子，不過只是在左臂一面，並且離拇指遠一點的那邊，並沒有她這樣寬闊。我再注意她的臉，見她鼻子的兩邊，有夾鼻眼鏡的凹痕。因此我敢說她近視，而且從事打字的行業，這一點竟使她覺得非常的驚異。」「我也覺得很驚異。」

「但是這是很容易覺察的。我隨後再注意到她的脚上，那使我非常驚異且感到有趣。雖然她的兩隻皮靴沒有兩樣，但實際上卻有不同之點。一隻鞋尖上有細小的妝飾包皮，另一隻卻純素沒有。並且一隻鞋子上的五個鈕扣，只扣上了下面的兩個，另一隻卻扣上了第一個，既然穿得非常整齊，卻著了一雙不同的皮靴出門。所以毫不費力地便可說她出來的時候，一定是十分匆忙的。」

我聽了福爾摩斯申說他的理由，覺得非常有趣，便問道：「還有嗎？」

「我又發現得她在已經妝束好了，還沒有離家之前，一定寫過一張字條。你瞧她右手手套的食指已破，但你沒有留心那兩隻手套和她的手指上都染著紫色墨水。那一定是她很匆忙地寫字，把筆在墨水裡浸得太深了。這分明還是剛才的事情，不然，這些痕跡不會仍留在手指上的。這些事情，雖然十分瑣碎，卻都很有趣。我現在必須回到正題上來了，華生，你肯把廣告上描寫安吉爾先生的話，讀給我聽嗎？」

我就把這一小張紙，拿到亮光裡，唸道：

「尋人啓示：十四日早晨，有位紳士名叫福司莫·安吉爾，突然失蹤。那人約五呎七吋高，身材高大，皮膚白皙，黑色頭髮，頂上微禿；略有短髭，戴淺色眼鏡，說話聲音輕柔。當時穿黑絲絨外套，黑色背心，金別針、灰呢褲，皮靴上有棕色靴套。他在萊登霍爾街的一家公司裡服務。倘若有人知道，請……」

福爾摩斯道：「好了。」他瞧著那幾封信，接著說道：「講到這幾封信，都毫無意思，除了他引用過一次巴爾札克的話以外，簡直完全找不出安吉爾先生的有關線索。但是有一點可以注意的，這一定也可以觸動你的。」

我道：「這些信都是打字機打出來的。」

「非但信是打的，就是簽名，也是打字機打的。你瞧下面的福司莫．安吉爾幾個小字。這是發信日期，除了萊登霍爾街外，並沒有發信的地點，這是很含糊的。事實上，簽名這一點很可研究，並且是決定性的一點。」「爲什麼？」「老友，你難道還不知道這是這案件重大關鍵之處嗎？」「我不敢說我知道，除非他預謀好了，一旦信約破裂，容易否認他簽字的證據罷了。」「不，不是這一點。我現在急著要寫兩封信，以便處置這一件事情。一封信寫到城裡的一家公司裡，一封信給她的繼父溫特朋克先生，請他能否在明晚六點鐘到這兒來會見我們。這就是我對於這件案子關係人應盡的職務。華生醫生，在那回信未來之前，我們實無事可爲，所以此時我們暫把這一件小小的問題擱置起來。」

我有許多理由可以信任我友強有力的推論和過人的體力。我知道他已經找到了一個緊要關鍵，就可融會貫通的解決全案了，他生平失敗的，我只知道有一次，就是波希米亞王和愛琳．亞德勒照片的案件。但是再想到那件怪誕的「四簽名」，和「血字的研究」案中的事情，當初我以爲像這樣復雜的案子他一定無法處理，沒想到他卻弄得清清楚楚，使我不得不佩服他的才智。

我離開我友的時候，他仍舊坐著抽煙，我相信等我第二天晚上再來的時候，我就可以看見他掌握了許多線索，也可以知道新郎失蹤的眞相了。

到了第二天，我因忙於給人看病，看了整天，將近六點鐘時才有空閑，我便跳上一部雙輪馬車，一直趕到貝克街去，我怕時間太遲了，來不及幫助我友推究那一件小疑案。可是我走進去的時候，看見福爾摩斯正翹著腿，在靠背椅上閉目養神。桌子上面放著許多化學器具，一陣氯化氫的酸味，便告訴我他今天一整天都花在他所喜愛的化學研究上了。我一走進去，

我見福爾摩斯正閉目養神

便問道：

「好啊，你已經解決了那個問題了嗎？」「是的，這是硫酸氫鋇。」「不，不，我說的是那不可思議的案件。」

「啊，你說那事情嗎？我以爲你問我剛才研究的鹽。講到那件事情，像我昨天所說，一點也沒有什麼神祕，不過少許細微末節略有趣罷了。但是有一點爲難，這案中的惡漢，實在沒有一條法律可以處置他。」

「那惡人是誰？他究竟爲什麼要離棄蘇瑟蘭小姐呢？」我發這問題時，覺得很難啓齒。我友還沒有回答我，忽聽見沈重的脚步聲，從走廊過來，接著在門上輕叩了一下。

福爾摩斯說道：「來的是那女孩子的繼父詹姆斯．溫特朋克先生。他今天回信，說六點鐘要到此地的。請進來吧！」

那走進來的人，年紀約三十來歲，挺拔的身材，衣服整潔，面色慘白，卻有一種溫柔殷勤的神氣，和一雙尖銳狡譎的灰眼。他向我們倆疑惑地瞧了一下，把呢帽放在旁邊架子上，微微彎了彎身子，就坐了下來。

福爾摩斯向他說道：「溫特朋克先生，願君晚安。剛才送來的一封打字的信，就是你的

吧？信上約定六點鐘來會我的。」

「先生，不錯，我恐怕來得遲了一些，實在因爲替人家服務，不能自主。請你原諒，我覺得很抱歉。蘇瑟蘭小姐爲了這一點兒小事情，竟到這裡來麻煩你。其實這種事情，還是不叫人家知道爲妙。她到此地來，我本來很不贊成，不過她是很剛愎而率性的，你大概也可以覺察，當她決定要做什麼事情，決不會受人勸阻的。我對於閣下，原不以爲忤，因爲你並不和警察連絡的，但我仍不免覺得懊喪，試想，一個家庭裡出了這種煩惱的事情，在外面傳揚開來，怎不難受。況且我以爲我們研究這事，也是徒費精神，毫無用處，因爲你又怎樣去找這一個福司莫．安吉爾呢？」

福爾摩斯很平靜地回答道：「這話恰相反了，我卻有種種理由敢說我會發現福司莫．安爾兒先生行蹤的。」

溫特朋克先生聽了這話，身子猛地震了一下，竟把手套掉在地下。他說道：「我很高興聽你說這一句話。」

福爾摩斯愼重說道：「這也是一件很奇怪的事情。用打字機打出來的信，也可以分別得出，就像每個人手寫的一樣。除非那打字機是新的，不然絕對不會有兩部機器打出完全相同的字。總會有幾個字母比別的字磨損的多些，或是有幾個字只損壞一邊。溫特朋克先生，你試瞧你的來箋上，不論何處的E字，都有損蝕的痕跡，而R的末尾也都短了一些。此外還有十四處特異之點，不過這兩個字最明顯了。」

那客人很銳利地瞧了我友一下，答道：「我們公司裡往來的信件，都用這一架打字機，那自然會有些損傷了。」

福爾摩斯接說道：「溫特朋克先生，我現在要告訴你一椿眞正有趣的研究。在這幾天內，我想做一篇論文，專講打字機的信和犯罪的關係。這一個題目，我已經專心注意了好久了。這兒有四封信，是從那失蹤的男子發出來的，也都是用打字機打的。在這些信裡，非但E字磨損，R的末端也消蝕，你若願用我的顯微鏡觀察一下，便可見還有其他的十四個特異之點，竟也像我剛才和你說的一樣。」

溫特朋克先生從椅子上跳了起來，拿起他的帽子，說道：「福爾摩斯先生，恕我不能在這一種奇怪的談話上浪費我的光陰。如果你可以逮捕那個人，請你立即逮捕他，並且你成功以後，請告訴我一聲。」

「那是一定要的。」福爾摩斯說著，站起來把門上的鑰匙一旋，鎖上了門。接著，又對他道：「那麼，我來告訴你，現在我已經把他捉住了！」

「什麼？在那兒？」溫特朋克先生大聲叫著。那時他的嘴唇泛成白色，對我友望著，好像一隻老鼠，被捉進籠子裡面。

我友很溫和地說道：「啊，你不要這樣，你是走不出這門的。溫特朋克先生，這事情是很簡單明瞭的，你未免對我太不敬了，怎說我連這一種小問題都不能解決呢！那很好！還是坐下來吧。我們再來談談。」

那客人頹然坐了下來，臉色非常難看，額上冒出冷汗。嘴裡咕嚕著說：「你有那一條法律，可以處治我？」

「溫特朋克先生，我確實不能用法律處治你的。不過我們面對面說，這實在是一種狡惡自私而殘忍的惡作劇。現在姑且讓我把這事的始末說出來，有不對的地方，還要請你糾正糾正。」

那人很不高興地坐在椅子上，他的頭垂在胸前，好像已完全給人家打敗的樣子。福爾摩斯把脚擱在火爐架的角上，兩手插在衣袋裡，好像自言自語地徐徐說著：

「這人娶了一個比他年長十五歲的婦人，完全是爲了她的金錢，並且她女兒沒有嫁人以前，他還可享受她女兒的所有金錢，這些金錢的數目也不能說少，如果一旦失掉這許多錢，他的景況就有極大的影響。那女兒的性情很溫柔，很有感情，她也很想有個歸宿，憑著她本身的優點和收入，若想要擇人而事，當然不難辦到，那也是很顯明的情形。但她假使眞嫁了人，她繼父就少了每年一百鎊的進益，那麼，他又怎能不阻止她呢？因此，他就叫她常守在家裡，禁止和年齡相仿的人們交往。可是他的命令，不能使她永遠服從，最後，她忍耐不了，便毅然提出抗議，堅持要去參加舞會。那時，她那個狡猾的繼父，又想出了什麼法子呢？他果然想到了一個方法。他雖聰明，卻太沒良心了。他與他妻子商量之後，便喬裝起來，戴了一付淺色眼鏡，遮住他銳利的雙目，又買了一副假鬍髭，改變他的面貌，並且故意把說話的聲音變得很柔細。因爲蘇瑟蘭小姐是近視眼，尤其容易受欺。他便化做了福司莫・安吉爾先生，故意在這女孩面前獻殷勤，於是她就離開了別的男友，專心當他的情人。」

溫特朋克喃喃說道：「起先不過是鬧著玩罷了，我們也沒想到她竟會如此癡情。」

「我瞧未必如此。但無論如何，這女子十分相信她的繼父是在法國。這種狡譎的詭計她當然想不到。她給這男子媚昏了，加上有她母親在旁極力讚美慫恿，他們的計畫便生了效果。他們更一步一步地做，安吉爾先生到她家裡來，後來與她訂婚，叫她不能再把愛情用到別處去。但是這一種假戲，不能永遠做下去，而常常假裝到法國去，也是很累的事情。於是就來個戲劇性的結束，要讓這女子的腦海裡留著一種深刻的印象，讓她以後不會再有別的情愛。他叫她按著聖經明誓，暗示著有什麼兇險的事情，將要在結婚的早上發生。詹姆斯・溫特朋克認爲，若使蘇瑟蘭小姐常惦念著安爾兒先生不可知的行蹤，那麼，無論如何，至少在這十年裡面，她就不會和第二個男子發生關係了。當他把她帶到了教堂門口，這齣戲勢不能再做下去了，他便設法溜跑，那方法也是老把戲，他只要從四輪馬車這邊的門上去，再從另一邊的門溜走便是。這就是這件事的前後情形和關鍵，溫特朋克先生，你以爲對嗎？」

當福爾摩斯說話的時候，那位客人已經恢復他無恥厚顏的神氣，他站起身來，灰白的臉上，露著冷笑，向我友道：

「福爾摩斯先生，你的話，或者對，或者不對。只是你既然這樣的靈敏，你總也明白我沒有犯法，反倒是你自己卻犯了法哩。你要知道，我沒有做什麼違法的事，你卻把我關在此地，你已犯了私擅逮捕的罪名。」

「不錯，法律上不能處治你，」福爾摩斯說著，便把鎖開了，把門打開，道：「但是你不受罪那還有誰該受罪？如果那女郎有兄弟，或者是朋友，那麼你的肩背上，自然也逃不了要吃幾鞭子哩。」說著，那人冷峭的臉色上，漸漸泛出紅色。福爾摩斯又道：「我對於我的委託人，本沒有負著這種責任。但這裡卻有一位打獵的好手，有了禽獸，我也不能不一試身手了。」說著，他很快地走過去，取那根放在架子上的鞭子，可是鞭子還沒有拿到，已聽見一陣急促的脚步聲，和巨大的關門聲，溫特朋克先生已急忙跑了出去。我們從窗口望出去時，見他以最快的速度走出這條貝克街了。

他很快地走去取那根放在架子上的鞭子

福爾摩斯重新坐了下來，笑著說道：「眞是一個冷血的惡棍！他還沒有到惡貫滿盈的時候，但若一椿一椿地做下去，他少不得要死在縊犯架上。從某個角度看，這件案子有幾處還算有趣。」

我問他道：「只是我還不很明白你推究此事的步驟。」

「這自然是很顯明的。首先我認爲安吉爾先生的奇異舉動，一定有重大的目的，同時很明顯的，在這件失蹤案上，他是最受益者。我又想到那經過的情形，這兩個男子，從沒有在一起出現過，一個人走開了，一個人才出現，這給我一個暗示。還有他的淺色眼鏡，輕柔的聲音，短硬的鬍髭，可以知道都是喬裝的。後來我的疑猜所以能完全證實，全靠他信上的簽字都是用打字的緣故。那當然是因爲這個人的親筆跡，雖只是幾個小字，那女郎也可以認得出來。因此可知那一定是個和她極熟識的人了。此外再把種種獨立的事實和許多細微的特點歸納起來，都指向同一個方向。」

「那麼，你怎麼證實的呢？」「我只要認定了這一個人，要再找出證據來，那就很容易了。那廣告上面的描寫，除了那些我猜是喬裝的部分——像鬍髭、眼鏡和聲音等——於是我寫了一封信到他的公司去詢問是否有這樣形貌的人。同時我又注意到了打字信的特點，便另外寫封信到他營業的地方，請他能否到此地來。果然如我所願，他的回信也是用打字機打成的，這就洩露了那些細微卻有意義的漏洞。在同一班郵差裡送來另一封信，是從芬邱綺街的西屋・馬爾班克公司來的！告訴我我所說的那種形貌的人，是公司裡的職員詹姆斯・溫特朋克。於是這事情就完全明白了！」

「那麼，蘇瑟蘭小姐那方面要如何說呢？」

「如果我告訴她，她也一定不肯相信的。你應記得波斯的古諺說：『奪去一個女人所迷惑的情人，就如同從雌虎身上搶去一隻幼虎般危險。』這種古諺就是我們處世應有的學識啊！」

赤髮團（原名 The Red-Headed League）

去年秋天，我去拜訪福爾摩斯的時候，瞧見他正和一個陌生客在那兒長談。這客人的年紀已老，面色紅潤，髮色火赤，身軀很高大，我那時便想道歉退出，福爾摩斯突然將我扯進去，隨將室門關上。

福爾摩斯很和婉地說道：「華生，你來得正巧。」我道：「你想必很忙。」「是啊，我最近忙極了。」「那麼，我在另一室裡靜待吧。」福爾摩斯道：「這也不用。」他對那客人道：「威爾森先生，這是我老友華生醫生，以前我的案子，得他幫助的居多，現在對於你的案子，當然也要用著他的。」

那人方才略略起身，對我行禮，用他的圓臉，向我打量了一下。

福爾摩斯坐下來道：「現在只好委屈你在長椅上稍坐了。」他說話的當兒，將兩手的指尖，互相緊抵著，默默地深思。這是他的常態，我時常瞧見的。歇了一會兒，他便又道：「華生，你的好奇心當然不減於我，這從你對於案情的努力紀述，可以證明。你如果不介意，我敢說你對於我小小的案件，有時卻不免過分標榜了呢。」

我道：「你所偵探的案子我都覺得非常有趣。」

福爾摩斯道：「你也該記得，從前我們沒有辦『熱情女』一案之前，我曾經和你說過，天下奇特的事，必須要親自閱歷過方才能夠明白，決非光憑理想所能了解的嗎？」

我道：「這層見解，我當時很懷疑。」

福爾摩斯道：「醫生，你的確曾懷疑過。但是無論怎樣，你還是得同意我的說法。現在傑貝茲·威爾森先生陳述的這一件事，在我看來，姑不論是不是有犯罪的意味，實在夠奇特了。因爲天下離奇的事情，往往從較小的罪行中發展出來的。威爾森先生，這是我友華生，他是我的助手，請你將這事詳細講給他聽。我也可以再聽一遍，細細地審察一下，或許可以有所啓發。這事就我所記得的回想起來，實在是一件絕無僅有的怪事！」

那人略略挺了挺胸部，顯出他驕貴的態度，接著，便從衣袋裡取出一張舊報紙，先細細地瞧著。我在這個當兒，便仿效我同伴的方法，仔細打量這人的衣飾狀態，以便明瞭他的狀況。

但是我所得到的卻不多。覺得這人雖然高大，也不過是個英國的商人罷了。他的舉動，謹愼而滯緩，外衣的大鈕是灰色的，已經半舊，胸前掛了一條很長的銅鍊，鍊尾繫了一個形狀扁圓，當中方孔的金屬物品，以代裝飾。褲子很大，和牧羊人所穿的差不多。除此之外，有一只破邊的帽子，和一件棕色的大衣，放置於椅背上面。我一直看他，想要找他的特異之處，使我可以藉此研究。但是除了他目小髮紅，表情懊惱以外，其餘一點也考察不到。

福爾摩斯好像已經曉得我的意思，他微笑道：「我在他的外表以外，還可以曉得他過去曾經做過木工，性好鼻煙，是共濟會的一員，到過中國，近來勤於寫東西。」

威爾森忽然仰起頭來，將報紙攤在他的膝上，目光專注在福爾摩斯身上說道：「你怎麼能曉得我的經歷呀？你的話，竟像福音一般準確。因爲我確實曾經做過木工的。」福爾摩斯道：「你的右手比左手大得多，這分明是右手用力過多的證據

威爾森忽然仰起頭來，將報紙攤在他的膝上。

了。」惠爾森道：「那麼，怎知我喜歡鼻煙呢？」福爾摩斯道：「你的手指和鼻孔，都沾著黃色的斑痕，所以一望而知你是好吸鼻煙的人。」

「但是我近來多寫作，你又怎樣知道的呢？」

「你右手的袖口上約有五吋是閃閃發光的，顯然是摩擦而成，左邊的袖下，也平而有光，可知是在書桌上壓積成這個樣子的。我將兩個特徵串連起來，所以曉得你近來多寫作。」威爾森道：「你又怎麼知道我到過中國呢？」福爾摩斯道：「你的左腕上刺有魚紋，這種淺紅鱗片的花紋，只有中國有。我對於花紋形式素來有研究，並且還著書論說，此外還有你錶鍊上面掛的那個中國古錢可作證，所以就顯而易見了。」

威爾森便大笑道：「唉！我其實從沒到過中國。我起先以爲你是聰明不可一世，現在卻覺得並不是這樣的。」

福爾摩斯不覺愕然道：「華生，這推論竟錯誤，多言必敗，若長此以往，我的名譽恐怕要保不住了。威爾森先生，你所找的廣告，已經發現了嗎？」

威爾森伸出他粗而紅的手指，指著那報紙道：「在這裡，華生醫生，你不妨自己讀吧！」

我便將報上的廣告唸道：

「赤髮團廣告：本會承受美國賓夕法尼亞州已故伊奇基亞・霍普金斯遺言，辦理此會，成績卓著。現在會裡有一空職，薪給每禮拜四鎊金幣。若有赤髮的人，年齡在二十一歲以上，身體強健，願入本會的，可以在星期一上午十一時，親自到艦隊街教皇庭七號本會事務所，向鄧肯・羅斯接洽。」

我讀了兩遍，卻依舊感到莫名其妙。便詫異道：「這是什麼意思？」

福爾摩斯那時將他的座椅向後移，露出得意的神色，答道：「華生，這則廣告很特別，是不是？威爾森先生，請你將你的家世，和這會與你的關係，一一告知我們，不要遺漏。」他又對我道：「醫生，請你先瞧這報紙的年月。」

我道：「已經瞧過了，是一八九〇年四月二十七號的『朝日紀事報』，距離現在已經快兩個月了。」

福爾摩斯道：「很好！現在請威爾森先生繼續說下去。」

威爾森便續言道：「我叫傑貝茲，開一家當鋪在柯柏格廣場，生意本就是很清淡，如今益發不佳，只夠供給我一個人的吃住。我本來有兩個夥計，現在已經辭掉一個了，所留的是一個少年，他的薪水只要別人的一半，因爲他的目的，本是爲學習而來的。」福爾摩斯道：「這少年叫什麼名字呢？」「他叫文森特・司保丁。他並不是眞的很年輕，我並不曉得他確實的年齡。他做事很能幹，就他的能力說起來，給他二倍的薪水都不過份。但是他得到現在的數目，既已表示滿足，我又何必多給他錢呢。」

福爾摩斯道：「那麼，你的運氣很好啊，

能夠得到這廉價的夥件。這少年可有奇特的嗜好呢？」

威爾森道：「他也有奇癖，喜歡攝影。稍有閒暇，就帶著攝影機到處攝影，回來便躲在地窖裡沖洗他的照片。那樣子就好比狡兎進穴一般。但是除這事外，他沒有其他的弊病，他是一個好工人。」

福爾摩斯道：「他現在仍舊在你店中嗎？」

威爾森道：「是啊，此外還有一個女郎，年方十四，爲我們張羅餐飯和洗滌衣服。我沒有家室，我們僅不過這三人罷了。所以日常生活很平靜，雖然不富有，不過不愁沒屋住，也不欠債，原是很安逸的。那裡曉得有這不幸的事出現呢？那天恰是八星期前的今天，司保丁忽然拿了一頁新聞紙進來，對著我道：『威爾森先生，赤髮團中又有出缺的人了。我實在恨我父母生我的時候，不將赤紅的頭髮生在我的頭上。』我便問他道：『你在說些什麼？』司保丁便現出詫異的神色，說道：『啊！你也是赤髮的人，怎麼不曉得這事？今天有一則廣告，你可以自己去讀，就是這個了。』他在說話的當兒，以粗大的手指，指著我所拿的報紙。又繼續說道：『這機關是一個美國的富翁伊奇基亞・霍普金斯所創立的。這人生下來便是赤髮，所以非常同情赤髮的人，他死了以後，遺產豐富，都交給受託的人，遺囑上指明立這赤髮團，凡有赤髮的人，一律給他們卹金，並且非常豐厚。入這團的雖然每年所得不過二百餘鎊，但是事輕而俸厚，即便兼職，也不礙事的。這種機會是很難得的。威爾森先生，現在會裡又出一缺，你如果去，必定中選，因爲你的頭髮紅赤如火啊。』福爾摩斯先生，我老實告訴你，那時我店中恰巧財政困窘，很想另謀一個機會，月入一二十鎊，在日用上也可以不擔憂了。所以我不禁心動了起來，問他道：『司保丁，世上赤髮的人多極了，你怎能料定我能入選呢？』司保丁道：『這雖然不一定，但我聽說他們選擇得很嚴，髮必要紅赤有光，並且須已成年的人，又規定是倫敦人，因爲這個富翁的發跡是在倫敦，所以必須要倫敦人，方才有膺選的資格，也表示他不忘本啊。但是你如果當選，那麼，這裡的事便沒有閒暇親自料理，也是很不便的。』我聽了這話，心裡便完全被金錢所盤據了，所以也不再計較別的，便命司保丁暫停營業一天，立刻一同到艦隊街。司保丁聽見有一天的休息，也非常高興，連忙帶我去。數分鐘後，到了那裡，見教皇庭上，應徵的人們已如潮湧一般了。無論什麼國籍的，什麼種族的人都有，就連頭頂上稍稍有幾根赤髮的，也莫不聚集在那裡。所以大殿上面，好似變成了一個水果籃，無數的人，各色都有，深蜜色、深紅色，好像是檸檬、橘子，眞是光怪陸離，奇異萬狀。但是想要找一個髮色純赤而有光澤的人，卻眞像司保丁所說，竟找不出一個。那時司保丁自告奮勇，捉著我的手臂，努力向人叢裡鑽進去，直到階前滴水簷下，便有梯級二道，一上一下，摩肩推背而行，多如過江之鯽。那些一級一級地走上去的，都欣欣然有希望的神色，但是另一邊走下來的，垂頭喪氣，懊喪得不得了。司保丁便引我從衆人中而上，走進一間辦公室裡。」

他說到這裡，暫時休息一會。福爾摩斯便猛吸鼻煙，以淸醒他的腦筋。

福爾摩斯道：「你的經歷很有趣，請你說

下去吧。」

威爾森道：「那時我瞧見室中只有一張桌子和兩張椅子，桌子後面坐的，是一個瘦小的人，他的頭髮比我紅得更厲害。這時應試的，還有許多人，都鵠立著待他點試。但是這人的目光很尖銳，即使應試人的頭髮，紅得像燒紅的炭一般，他也挑出毛病而黜退他。因此要當選，也不是一件容易的事。等到輪到我時，他對我大加青睞，似有許可之意。我們入門之後，他便起身將門關上，以便密談。司保丁便鞠躬說道：『這是傑貝茲・威爾森先生，特地來補缺的。』那人聽了這話，便前來左右側著頭瞧看我的頭髮。這樣看了很久，我不由得羞澀而惴懼。過了一會兒，他忽然握住我的手道賀，說道：『你實在沒有可挑毛病的地方了，但請恕我冒昧，我還要再審察一番。』他說話的當兒，忽然直跳起來，用力將我的頭髮扯了一下，髮根幾乎被他拉掉。我痛極了，

他忽然向我握手道賀

幾乎要號哭起來。那人笑道：『你眼淚都快出來了，那當然可以入選了。』又拍著我的肩頭道：『傑貝茲・威爾森先生，請你原諒我，這也是我們應有的手續，因為我們已經有二次受人欺騙，他們的頭髮是用顏色染紅的，當時竟被他們朦混過去，所以此刻不得不採取這個步驟。』說完，他便開了門，高聲向許多等候的

人說道：『我們已經選好了，大家可散去了。』這話一出，庭上的許多人立刻都散盡，赤髮的人只剩我和主試者二個人了。那人對著我道：『我名叫鄧肯・羅斯，也是受伊奇基亞遺惠的人，我已在這團裡多年了。威爾森先生，你可有妻室？』我答他說：『沒有。』鄧肯・羅斯忽然面現憂色，以手頻頻搔著他的紅髮，又道：『這該如何是好？因爲團裡的宗旨是要維護、生育赤髮的人，讓他遍滿天下。你沒妻室，豈非和本團宗旨違背了？』我聽了這話，不覺大驚。因爲沒有妻室而失卻這絕好的機會，豈不可惜。幸而他略一思索，似有可以通融的意思。又說道：『若在他人，必定拒絕了。我因爲你的頭髮好，不妨帶你過去，因爲要找一個髮赤像你的人，也不容易啊。但是你什麼時候可以來上班呢？』我道：『這卻是難題了，我所開的當舖許多事都要親自料理。』我的夥計司保丁拍著胸脯，說道：『威爾森先生，你不要憂愁，店中的事有我擔當。我可以代你做一切的事的。』我道：『那麼，我的工作時間是什麼時候呢？』勞斯道：『十時至二時，不過四小時罷了。』福爾摩斯先生，你當然曉得開當舖的，都在將近黃昏的時候才開始營業，尤其是禮拜四、五，因爲這兩天是給付薪資的前二天。所以我想利用早晨去做事，我的夥計又可靠，這也不妨礙什麼。我因答道：『好的！薪水多少？』『一星期四鎊。』我又道：『職務呢？』『你的職務很簡單。』『做的是什麼事？』他道：『必須按時而至，不得請假。』我又問道：『所做的事，究竟是什麼？』『只要你手抄百科全書。但紙筆須自備，那邊供給桌椅。明天能夠準時到嗎？』我答道：『當然可以。』『那麼，威爾森先生，再會。現在我再向你道賀，你得到一個這樣重要的職位，實在是運氣很好。』他向我鞠躬，送我出來。我和我的夥計回去時，不知說些什麼才好，心中只覺得我自己很幸運，非常快樂。這件事我思忖了一天，到了晚上，我得意的熱度降低了許多，因我仔細思考，覺得這件事太離奇了，若非戲弄，未免近於欺詐，不過我始終想不出有什麼目的，因爲那人所說有這樣一種奇怪的遺囑，實在是不容易讓人相信的，何況出了如此的代價，卻做這抄寫百科全書的小事，也覺得有些滑稽。司保丁卻仍設法鼓勵我，我到臨睡的時候，已決意不去做這一件事，可是到了次日早晨，我又想不如姑且去瞧瞧，因此，我買了一瓶價值一便士的墨水、一枝鵝毛筆和七張長闊的紙，便動身往教皇庭去。那時我見這事非常順利，並無疑竇，這是出我意外且驚喜的，室中已給我預備了一張桌子，鄧肯・羅斯先生正在那裡等我開始工作。他叫我從A字母抄起，隨即出門而去，但他還不時進來，瞧我是否在那裡工作，到了兩點鐘時，他便和我道別，又稱讚我所抄寫的字數很多，結束時，他就將那辦公室鎖好。福爾摩斯先生，這樣一天一天的過去，到了星期六那天，那經理進來，把四鎊金幣給我，那就是我一星期工作的代價。第二個星期的情形和第一個星期相同，第三個星期也是如此。每天早晨，我十點鐘到那裡，下午兩點鐘時我便辭別出來，鄧肯・羅斯先生進來瞧察我的次數也逐漸的減少，後來只在早晨進來一次，不久，他竟完全不進來了，但我仍不敢擅自從辦公室中出來，怕他隨時要進來抽查，因爲這職務既不費力，所得又大，我實在不想冒險失掉。照這樣子過了八個星期，我把百科全書的A字母一部，幾乎都抄好了，預料不久便可抄到B字母了。那時買紙的錢已花去不少，抄好的稿紙，也差不多裝滿了一個書架。可是，這整件事卻突然結束了。」

福爾摩斯問道：「結束了？」

威爾森道：「正是，先生，就在今天早晨。今晨我照樣在十點鐘時到那裡，忽見辦公室的門關著上鎖，門的中間釘著一塊紙板，這紙我已取來，你自己瞧吧。」

他取出一塊白色的硬紙板來，大約有一張便箋那麼大小，紙板上寫著幾個字道：

「赤髮團已解散了，一八九〇年，十月九日。」

歇洛克．福爾摩斯和我二人把這紙板仔細察驗了一會兒，同時又瞧著威爾森懊惱的面容，不一會，我們覺得這事實在滑稽至極，禁不住縱聲而笑。

我們的主顧見狀，臉上忽變得通紅，直達耳根。他嘴裡喃喃地說道：「我不覺得這裡面有什麼好笑啊！你們如果除了笑我以外，沒有別的幫助我的方法，那我儘可往別處去。」

福爾摩斯呼道：「不，不。」這時那人正要從椅子上站起來，福爾摩斯推他重新坐下，又道：「我無論如何，決不願錯過你的案子，這實在是一件新鮮而奇特的事，但你如果能夠原諒我，我老實說，這裡面確實有幾分滑稽的地方。現在請告訴我，你發現了這張紙板以後，又做過什麼事？」

「先生，我詫異著躊躇了一會，一時不知道怎樣才好。接著，我去隔壁的辦公室詢問，竟沒有一個人知道。後來我去見屋主人，他是一個會計師，住在屋子的最下一層。我問他是否知道關於赤髮團的事情，他說他從來不知道有這樣一個團體。於是我又問他那個鄧肯·羅斯先生是什麼樣的人，他回答這個姓名他也不曾聽過，我道：『那麼，我就問住在第四號的那個紳士。』『什麼，可是問那紅頭髮的人嗎？』『是啊。』他道：『啊，這個人叫威廉·莫里斯，是一個律師，他因新屋子還沒有裝修完畢，因此暫時租我的屋子。他昨天已經搬出去了。』『那麼，我到那裡去找他呢？』『你可到他的新辦事處去，他曾把地址告訴我。正是，在這裡，是愛德華王街十七號，那地方靠近聖保羅教堂。』福爾摩斯先生，我得了這個消息，便找到那地方去。可是到了那個地址，卻是一間護膝的製造廠，沒有人聽過什麼威廉·莫里斯先生，或是鄧肯·羅斯先生。」

福爾摩斯問道：「那麼，以後怎麼樣呢？」

「我回到柯柏格廣場自己舖裡，和我的夥計商量，但他也無能爲力，只說我若能稍待，也許可以從郵信上得到什麼消息。福爾摩斯先生，這當然不是上上之策，我實不願束手無策的失去這一個職位，我聽說你是善於幫人解決困難的，因此就趕到你這裡來了。」

福爾摩斯說道：「你這樣處理，也足見你的聰明，你的案子很特殊，我很樂意擔任。我從你所說的話中推想，這件事外表雖很平淡，但也許有什麼嚴重的後果呢！」

傑貝茲·威爾森道：「那當眞是很嚴重的！我已失掉了一星期四鎊金幣的收入了啊！」

福爾摩斯道：「就你個人而論，你對於這個奇特的會，似不會有什麼怨意，因你的確已得到了三十多鎊的意外收入，並且你即將抄完了A字一部，那麼，你所得到的智識也必不少，你沒有什麼損失啊！」

「先生，當眞沒有損失，但我必須查究一下，他們是什麼樣的人？並且這件事假使眞是戲弄，他們戲弄我又有什麼目的？因爲這戲弄的代價不小，他們已花了三十二鎊哩。」

福爾摩斯道：「這幾點我們可設法幫你弄清楚的。威爾森先生，現在有一兩個問題問你，這個引起你注意廣告的夥計，已和你相處多少時候了呢？」「當那則廣告刊登時，他已進我的舖裡將近一個月。」「他怎樣進來的呢？」「他也是應我的廣告來的。」「應你的廣告來的，只有他一個人嗎？」「不，有十多個人。」「那麼，你爲什麼獨選取他呢？」「因爲他很靈敏，並且所索的薪水低廉。」「不錯，實際上他只取半薪。但這個文森特·司保丁的樣子怎樣？」「他是一個身材短小、反應靈敏的人，雖然已過了三十歲，臉上並無鬚髭，他的額角上有一個受酸素所留的斑痕。」

福爾摩斯聽了，似很驚動的樣子，說道：「我早想到如此，你可曾瞧見他的耳朵是穿過耳洞的呢？」「先生，的確有的，他告訴我，他小時候有一個吉普賽人幫他穿的。」

福爾摩斯又把身子仰靠著椅子，似深思的樣子。一會，又問道：「他此刻可仍在你舖中呢？」「先生，正是，我才剛和他分別呢。」「那麼，你不在舖中的時候，可也照常交易呢？」「照常交易的，但在早晨的時候，我舖子的生意是很清淡的。」「威爾森先生，好了。我也許在一兩天中，能夠爲你解決這件案子。今天是星期六，到下星期一，這件事大約就可以結束了。」

那客人去後，福爾摩斯忽向我道：「華生，你以爲這件事怎樣？」我坦白答道：「我想不出什麼，這眞是一件神祕的事情。」福爾摩斯道：「就常例而論，越是表面奇怪的事，實際上越不見得怎樣神祕。可是那些平淡無奇的案子，結果卻往往困人腦筋。正像一個普通人的面孔，反不容易辨認一般。但這事我卻應急速進行哩。」我道：「那麼，你打算怎麼辦呢？」他答道：「第一個辦法，先抽個煙，這是一件要抽三斗煙的疑案。我請你在五十分鐘內，不要和我談話。」說完，他的身子就蜷伏在椅中，兩膝曲起，幾乎和他的鷹鉤鼻相觸，他的眼睛閉著似已睡去。嘴裡卻啣著那黑色陶製的煙斗，好像什麼奇怪的鳥嘴。我因靜坐的緣故，也禁不住閉目打盹。忽然，我被他從椅子上跳起來的聲音驚醒，見他正把他的煙斗放到爐簷上去，瞧他的樣子，分明意志已決。

他說道：「今日下午薩拉沙提將在詹姆斯音樂廳表演。華生，你看怎樣？你的病人可能寬放你數小時嗎？」我道：「我今天沒有什麼事情，我的診所本來就不算怎麼忙的。」

福爾摩斯聽了這話，接口道：「那麼，快戴了你的帽子走吧。我先要進城去，我們可在路上就餐。我見那節目單上，德國音樂的節目很多，這恰投我所好。因我對德國音樂，比對義大利或法國音樂更喜歡，因爲德國音樂是發人深省的，我正需要內省。現在快走吧。」

我們坐了地鐵，到了長老門，從那裡步行到柯柏格廣場，距離很近。一會兒，我們已到了那奇事發生的地點。那是一個破舊狹隘的地方。四面都是兩層樓的磚屋，中央有一方小小的草地，草地的四周圍著低欄，中間有幾棵垂萎的矮樹，因著那不和諧的氣候和濃厚的煤灰，那樹木似乎已抵抗不住。在那屋子的一角，釘著三個鍍金的球，和一塊棕色的招牌，上面寫著白色的「傑貝茲・威爾森」字樣。我們知道這就是我們那位赤髮主顧的當舖了。歇洛克・福爾摩斯就在那裡站住，仔細向那屋子瞧察，忽見他眼睛閃閃有光。一會兒，他緩緩走到街上，接著又重新退到屋角，他的眼光仍瞧在那許多屋子上面，最後，他又走到那當舖的門前，忽用他的手杖，用力在門前的側徑上擊了幾下，才上前去敲門。不久，便有一個面容光潔，態度敏慧的少年開門出來，似作勢要我們進去。

福爾摩斯說道：「對不起，我要請問你，從這裡怎樣到海濱去？」

那少年迅速答道：「第三個路口右轉，第四個路口再左轉。」說完，就關了門進去。

我們離開這當舖，走到街上，福爾摩斯向我道：「他是一個聰明人。據我的判斷，他在倫敦可算是第四個最靈敏的人，若說他的敢爲無懼的精神，則應列居第三位。我對這個人的過去，略知一二。」

我道：「我也覺得這個威爾森的夥伴，與這赤髮團一定很有關係。我也確信你剛才向他問路的目的，無非要瞧瞧他罷了。」福爾摩斯道：「不是瞧他。」「那麼，你瞧什麼？」「瞧他褲子的膝蓋。」「那麼，你又瞧到了什麼呢？」「我已瞧見了我所要瞧的。」「你又爲什麼用手杖擊側徑呢？」「我親愛的醫生，此刻是靜察的時候，不是談話的時候。我們這時正像留在敵國的間諜，我們對於柯柏格廣場的情形已知道了，現在我們應設法探究那隱伏的內幕了。」

我們邊說邊走，到了柯柏格廣場的轉角。正見街道突然變寬，景象和先前的完全兩樣，正像一幅油畫的正面和背面一樣不同。那是一條車馬往來的要道，路上來來往往的車輛，絡繹不絕，兩旁側徑上的行人也摩肩接踵。那些店舖，屋子非常高大，裝飾又很富麗，比起我們剛才在柯柏格廣場瞧見的那種破舊的景象，是絕對不相同了。

福爾摩斯立在轉角上。眼睛瞧著那一排店舖，說道：「讓我瞧瞧，我應當把這裡的屋子辨認一下，認識倫敦，是我最喜歡研究的。這是馬鐵麥的煙舖，隔壁是一家賣報紙的小店；再過去是城鄉銀行的柯柏格支行，銀行隔壁是一家餐館，再隔一家是麥克法蘭馬車製造廠。那裡已到轉角，另有一條橫路分隔了。醫生，我們的工作已經完了。現在我們應該休息一下。我們先去吃三明治，喝一杯咖啡，然後再往音樂廳，聽曼妙和諧的樂聲。那裡不會有紅頭髮的主顧，拿他的謎團來煩擾我們了。」

我的朋友其實是一個熱情的音樂家，他不但有演奏的技巧，而且還有特殊的譜曲本領。那天午後，他坐在音樂廳的包廂之中，心中充滿了愉快。他細長的手指，時常隨著樂聲打拍子，臉上一直帶笑容，眼光也顯得安詳而入夢的樣子。這時他已不像是一個機敏活潑，捕兇破奸的大偵探福爾摩斯了。他其實有兩種不同的性格，時常交替出現，因此，我常覺得他的興奮和敏捷的力量，大概就是他閒靜而富詩意的態度的反動。因我常見他在空閒的當兒，往往好幾天蜷伏在扶手椅中，沈溺在他喜歡的詩籍和書籍裡，顯得非常懶散，可是隔了幾天，他的精神又亢奮起來，那時他的特殊的理智和他的直覺，便能處於同等的地位。故而在不熟悉他的人看來，覺得他的性情態度，往往迥異尋常，那末免要覺得詫異和厭憎了。那天下午，我見他在詹姆斯音樂廳裡顯得非常陶醉，想到此，覺得那個他所要偵查的人，卻恐怕要厄運臨頭了。

我們出去的時候，他向我道：「華生，我想你此刻必定是要回家了。」我道：「是啊，我應回去了。」他道：「但我還得做幾個鐘頭的事。須知這件柯柏格廣場的事情很嚴重的。」「怎樣嚴重？」「我料想有一件嚴重的犯罪，此刻正在計議進行中，我確信我們還能夠從中阻止。但今天是星期六，這就是更困難的一點，今天晚上我還須你幫忙呢。」「在什麼時候？」「十點鐘就已夠早了。」「那麼，今晚十點鐘我準時到貝克街來。」「很好，啊！醫生，這件事也許有些危險，因此請把你的軍用手槍帶來。」他揮了揮手，便回身走去，不多久，已走入人群之中，瞧不見了。

我自信我若和我的鄰居們比較起來，不見得比他們愚笨，但我和歇洛克・福爾摩斯比起來，卻始終覺得我的智力遠不如他。例如這一件事，凡他所聽的，我也聽見了，他所瞧見的，我也一樣瞧見的。但聽他的口氣，顯出他不但明瞭這件事的經過，還知道未來的變化。可是在我心中，只覺得這件事非常奇怪而混亂罷了。我回到了肯辛頓路自己寓中，便把這件事回想了一遍，從那紅髮的主顧所講的抄寫百科全書起，直到我們親自到柯柏格廣場去爲止。我覺得他臨別時的幾句話，實不容易推解。他約了我要往那裡去呢？我們要幹些什麼事呀？並且我爲什麼要帶了武器去呢？我記得福爾摩斯說過，那個面容光潔的當鋪夥計是一個非常人物，他也許要幹出驚人的事來。我試從這一點推想，卻也始終想不出什麼，便把這件事放一旁，專待晚上解決。

我從家裡動身的時候，已是九點一刻了。我穿過了公園，從牛津街折向貝克街前進。到了福爾摩斯的寓前，見門口有兩輛自拉韁的馬車等著。我走進門口，聽見上面有談話的聲音，到了樓上，我見福爾摩斯正和兩個人談話。其中一個我認識，是彼得・瓊司，他是警局裡的偵探，另一個瘦高的人，面容嚴肅，身上穿著華貴的衣服，旁邊還有一頂有光澤的帽子。

福爾摩斯正扣著他短外衣的鈕子，又取了他一根行獵時所用的粗杖，忽回頭說道：「哈！我們的隊伍已到齊了。華生，我想你應該認識蘇格蘭警場的瓊司先生的。這一位我給你介紹，他是梅列衛先生。他今晚也是和我們一塊兒去冒險的。」

瓊司說：「醫生，我們又要一塊兒去行獵了。我們這位朋友，對於追趕的任務最擅長。他所需要的是一隻有經驗的警犬，這樣，他便不怕罪徒脫逃了。」

那梅列衛先生悻悻然道：「我希望我們的追趕不要徒勞無功。」

警探瓊司答道：「先生，你儘可信任這一位福爾摩斯先生。他有他自己的一套辦案方法，這方法我敢冒昧的說一句，雖是太虛幻太理論化了，但他有成爲名偵探所要有的特質。這並不是誇張，他對修爾特謀殺案，和阿克拉盜寶案所有的理解，比我們官家偵探更爲正確。」

那梅列衛插口道：「瓊司先生，你既然這

樣說，那就好了。不過我今天錯過了玩紙牌的機會。二十七年來，這還是第一個星期六不玩紙牌。」

歇洛克・福爾摩斯道：「我想你今晚還是可以賭，並且所下的注金，比你以前所下的更大而且場面更加驚心動魄。梅列衛先生，我敢說你今夜下的注金，約有三萬鎊左右。瓊司先生，這事與你也有很大關係，你可以逮到你所要捕捉的人了。」

瓊司道：「約翰・克雷是一個謀殺犯、竊盜犯、詐欺犯，他的確很厲害的。梅列衛先生，你可也知道這個人呢？他年紀雖輕，但兇惡的奸謀卻首屈一指，因此，我想把這個人逮住，比逮捕倫敦中任何的罪犯都重要。約翰・克雷出身很好，他的祖父是一個公爵，他自己也曾進過伊頓公學和牛津大學。他的腦子和他的手同樣敏捷，我們雖時常發現他犯案的形跡，卻不知道從那裡去捉他。他神通廣大，能在這個星期在蘇格蘭破壞一張兒童床，又在第二星期中集了款子，在康瓦爾造一間孤兒院。我已偵查他好幾年了，至今卻還不曾瞧見過他哩。」

福爾摩斯道：「那麼，我希望今夜把這個人介紹給你。我和這一位約翰・克雷先生也有過一兩次接觸，因此你說他在他的職業上首屈一指，我也贊成。現在已過十點了，我們應立即動身。你們兩位可乘第一輛馬車先走，我和華生醫生可坐第二輛跟來。」

歇洛克・福爾摩斯上車以後，並不多談。他背靠著車座，嘴裡哼著他在那天下午聽過的曲調。我們馬蹄噠噠的向前行，不久，便進了法靈頓街。

我的朋友忽向我道：「我們離目的地已近

了。這個梅列衛是銀行的董事長，他個人很注意這件事情。至於那個瓊司，你也知道的。他在他的職業上，雖然不很伶俐，但他像獵狗一般勇敢，又像龍蝦的箝子，一箝到什麼東西，再也不肯放鬆。因此我叫他同來。現在到了，他們的車子已在那裡等我們了。」我們這時，又到了那天早晨到過的車水馬龍的地方，我們先把車子打發走，隨即跟著梅列衛先生一同走下一條狹小的通道。他又開了一扇側門，領我們進去。側門裡面有一條小小的走廊，走廊的盡處，有一扇很大的鐵門，那門也開著。進了門口，便有一道向下的石階，再下去些，另有一扇大門，梅列衛先生站定了，點了一盞燈，隨即領我們走進一條黑暗而充滿泥土氣的通道。後來又開了第三扇門，才走進了一個地下室或地窖，那地室的面積很大，四周堆滿了大簍和箱子。

福爾摩斯把燈舉起，向四面瞧察，說道：「此刻我們離地面已遠，所以向上是沒法穿透的。」

梅列衛先生道：「不錯，向下也是不容易的。」說時以他的手杖擊著那下面的石板，忽然詫異地道：「什麼，怎麼是空洞的聲音？」

福爾摩斯嚴切說道：「對不起，我請你略略安靜些。你這樣子恐怕要壞了我們的大事。現在我請你坐在那一個箱子上，暫時不要干預我們。」

梅列衛果依言坐在一個大箱子上，但他臉上很覺不快。福爾摩斯這時跪在地上，手裡執了燈，和一面放大鏡，很仔細地察驗那石板中間的隙縫。數秒鐘後，似已滿意，便站起來，把放大鏡放入袋中。

他道：「我們至少還須等一個鐘頭。我料他們在那當舖主人入睡以前，不會有什麼動作。等到他一入睡，那麼，他們自然會立刻動手了。因爲他們動手得越早，逃走時越加從容。醫生，我們現在正處在倫敦城鄉銀行支部的地窖中。這位梅列衛先生就是這家銀行董事部的主席。他可以解說給你聽，那些倫敦的罪徒，爲什麼對這個地窖特感興趣？」

那銀行董事附耳告訴我道：「全是爲了我們的法國金幣，我們已得到了好幾次警告，有幾個罪徒覬覦我們的金幣，也許要乘隙來襲劫。」我道：「法國金幣嗎？」「正是，我們在幾個月前，爲鞏固我們的準備金起見，向法蘭西銀行借了三萬拿破崙金幣。但我們借到以後，不曾流用出去，因此外面傳說，那金幣至今仍原箱不動的藏在我們的地窖之中。現在我坐的這個大箱子中裝著鉛箱，鉛箱內就藏著二千個金幣。因爲近來我們分行中存儲的現款比過去更多，因此沒有流通出去的必要了。」

福爾摩斯說道：「現在你可以明白了。我想在這一小時內，就要發生事情了。我們不得不先準備起來。梅列衛先生，我想我們應把燈罩起來了。」梅列衛道：「那麼，我們坐在黑暗中嗎？」福爾摩斯道：「我想必須如此。我袋中帶著一副紙牌，本想趁這空坐的時候讓你玩一下子。但現在我覺得我們對方的計畫非常周全，我們實不能冒險在這裡留著火光。現在第一步應選擇我們的藏身位置。這些人都是膽大妄爲的暴徒，我們雖可以趁他們不備時動手，但若非處處謹愼，難免要受到他們的傷害。我可藏在這一個箱子後面，你們也可匿伏在其他箱子後面，等到我把火光一亮，你們就立刻圍攏過來。華生，他們如果開槍，你也不用疑惑，不妨立即將他們打倒。」

我依言走到一個木箱後面，取出了我的手槍，擱在木箱上面。福爾摩斯又將他手裡的燈罩住了燈光，我們就完全陷入黑暗之中。這樣的黑暗，我從前不曾經歷過。這時我嗅到金屬著熱的氣味，知道燈火仍舊點著。隨時可以照耀出來。我們這樣等候，竟使我的神經感覺不安，這地窖中很潮濕，又在沈黑之中，寂靜無聲，越發覺得難過。

福爾摩斯低聲道：「他們只有一條退路，就是從柯柏格廣場的屋子裡出去，瓊司，我想你已經照著我的請求佈署了吧？」瓊司答道：「我已派了兩個警察、一個巡官，守在那當鋪的前門。」福爾摩斯道：「那麼，我們已把一切通道都堵住了，再也不怕他們脫逃。現在我們應當靜默著等待了。」

於是我們又恢復了靜寂。這樣的等待讓人覺得時間漫長，事後計算，只等了一個小時十五分鐘，但在等候的當兒，似覺得我們已度過了漫漫長夜，不久就要天亮。我因不敢擅易位置，四肢都覺得疼痛僵硬，但我的神經卻充分緊張，我的聽覺也特別敏銳，不但能夠聽到我同伴緩和的呼吸，連瓊司粗大的鼻息，和那銀行董事歎喟似的吸氣聲音，也都聽得清清楚楚。從我的位置，本可以瞧見地窖中的四角，但在黑暗之中，我的視覺竟完全失去效用。忽然間，我的眼睛，陡地瞧見一絲微光。

起初只是從鋪地的石縫中射出來的一星子微光，接著光線逐漸變長，不久便成了一條黃色的光線。再隔一會，忽見石板開了隙縫，有一隻白得像女子的手從縫中伸出，摸索著。那手伸到了石板上面，大約一兩分鐘，忽又縮了下去，那光線也同時消失，只有初現時的一星微光，仍從石縫中透出。

我正自詫異，爲什麼忽又退下。可是一會兒，又聽見石板移動的聲音，一刹那間，有一塊闊大的白石已被翻開在一邊，顯出一個方形的洞口，明晃晃的燈光就從這洞口裡射出。我定眼細瞧，見一個修剃光潔的少年的面容從洞口裡探頭出來。他似乎向地窖的四邊瞧了一下。就把燈放下，用兩手撐在洞口，逐漸將身子昇起，先見兩肩，次見腰部，最後將一隻脚跨了上來，隔一會，他已全身站在洞邊。那時洞中還有一個同伴，那少年又把他拉了上來。那同伴的身材也和少年一般瘦小，面容灰白，頭上卻滿披紅髮。

那少年低聲道：「這裡很安靜，我們可以從容動手了。你的鑿子和袋子在那裡呢？哎喲！不好了，阿爾奇，跳，快跳！別的我來應付吧。」

這時候歇洛克・福爾摩斯早已跳躍而出，奔過去一把將少年的硬領抓住。他的同伴便奮命向洞中跳去，同時我聽見衣裳被撕破的聲音，原來瓊司只抓住了那逃走的人的襯衫。我又見燈光中有一種金屬物一閃，知道是手槍的管子，但福爾摩斯的獵杖舉得更快，早在那人的腕上擊了一下，鏘然一聲，那手槍便落到了石板上了。

福爾摩斯說道：「約翰・克雷，抵抗是沒有用的，你休想逃走了。」

克雷果然不再掙扎，冷然答道：「不錯，我也知道了。但我想我的朋友，一定可以安然脫身。你們只撕碎了他的一件襯衫啊！」福爾摩斯道：「你且慢替他得意。有三個人正在門口等他呢。」克雷道：「當眞嗎？你做事確實很精密，我應向你道喜。」福爾摩斯答道：「我也要向你稱頌的。你的赤髮團的計畫的確是很新穎而有效。」瓊司也挿口道：「你和你的同伴，不久就可以會面的。他下洞的舉動，實在比我更敏捷。你把手伸出來。」

那犯人的兩手上了手拷以後，又冷冷然說道：「我請你不要讓你齷齪的手碰到我。你應知道我是有王族的血統的。你稱呼我的時候，也請你用『先生』和『請』的字樣。」

瓊司張大了眼睛，吃吃地竊笑，說道：「很好。那麼，先生，現在請你從石階上走上去，外面有車子等著，以便把尊駕送到警局裡去。」

約翰·克雷莊容答道：「這種說法倒還合適些。」說完，便向我們三個人鞠了一個躬，隨即回身走上石階。

我們這時也跟著他們從地窖中上來。那銀行董事梅列衛說道：「福爾摩斯先生，我不知道銀行應當怎樣酬謝和報答你，因爲像這樣的盜劫案子，在我的經歷中還是第一次。幸而被你偵知，並且用如此簡潔了當的手段破案。實在不能不教人佩服的。」

福爾摩斯道：「我和這位約翰·克雷先生，本來也有一兩件小事要和他算帳。至於我在這件事上所花的一些小小費用，我可以請銀行補償的。除此以外，我得到了這一次奇特的經驗，又聽到了赤髮團的有趣故事，那便儘夠做我的報酬了。」

我們回到了貝克街時，已將近天明。福爾摩斯斟了兩杯威士忌酒加蘇打，給我和他同飲。他向我說道：「華生，你可以知道，這案子在起初的當兒，我們聽了那奇怪的赤髮團的廣告，接著那位不很聰明的當舖主人又被聘用擔任抄寫百科全書的工作，那便可明白這裡面的目的，無非要叫這個威爾森每天離開他的舖子幾個小時罷了。這樣差遣的方法，看來本是很奇怪的，但就實際而論，實在也難得有更好的方法。我想大概是因克雷的同黨的頭髮是赤紅色的，因此，就想出這個赤髮團的把戲，做他們的誘餌，引他上鉤。你想他們既打算盜劫巨款，這數十鎊的數目，又有什麼損失呢？他們起初一面登了廣告，一面租了一處暫時的辦公室，於是一個人假充赤髮團的代表，另一個人便竭力勸威爾森去應徵。後來他們的方法奏效，使威爾森每天早晨不在他的舖中。從一開始我聽威爾森說起他的夥計只要求半薪，便知道他所以要得這個職位，內中定是有什麼特殊的目的。」

我道：「但你又怎能猜知他的目的呢？」

福爾摩斯道：「假使那屋中有什麼女子，那麼，我的猜想，第一著當然要想到曖昧關係上去。可是那裡並無女子，這自然不成問題了。我又想到威爾森的當舖，營業既小，屋中又沒有什麼巨價的東西，若說他們費了這樣的計謀，下了如許的本錢，目的在覬覦威爾森本人，實在不近情理。這樣，可知他們的目的一定在那當舖以外。但究竟是什麼呢？我記得威爾森說，他的夥伴喜歡照相，因此時常往地窖裡去。唉！這個地窖，就是這一團亂絲中惟一的頭緒了！於是我就偵察這個詭祕夥計的狀況，才知這個人就是倫敦罪徒中最冷靜而大膽的人物。試想他在地窖中有什麼勾當——這勾當他必須每天工作數小時，並且歷時兩個月之久。那麼，這究竟有什麼作用呢？我推想到這裡，覺得除了挖通一個地道往別的屋子裡去，再也想不出別的理由。當我們往那當鋪附近檢勘的時候，我已想到了這層。你見我把手杖在側徑上擊了幾下，似很詫異。那是因我要確知那地窖的通道，究竟是通向前面去的，還是後面去的。我知道那地道並不通往前面。接著，我按門鈴，那夥計果真開門出來。我和這個人雖已交涉過幾次，卻彼此不曾見過面。但當時我並不要瞧他的面貌，我要瞧的是他的膝蓋。你也許也曾瞧見，他褲子的膝蓋部分是多麼縐且髒，由此可見得他每天鑿地道的工作，實在是很忙碌的。但是還有一個疑點，就是他鑿通到那裡去呢？我走到轉角上，瞧見那城鄉銀行的支行，就和那當鋪的屋子毗連著。於是我便自信我的問題已解決了。等到我們從音樂廳裡出來，你回家去，我便往蘇格蘭警場和瓊司接洽，又一同去見那銀行的董事長。至於以後的結果你都親眼看見了。」

我問道：「那麼，你又怎樣知道他們要在今夜動手呢？」

福爾摩斯道：「第一步，那赤髮團的辦事處既已收歇，可見他們已沒有使威爾森外出的必要，換句話說，就是他們鑿地道的工作已完成了。但他們必須儘快進行，否則那地道也許被人發覺，或是那銀行中的金幣要移往別處，那不免要前功盡棄。今天星期六，自然很適宜動手，因為他們如果得手以後，至少須在一天後才會被發覺，那麼，他們自然也可以從容不迫地逃遁，因此種種理由，我料想他們定在今夜動手。」

我不禁讚歎地道：「啊，你的猜想的確切

中情理，這是一條很長的推理之路，但每一環節，卻都是互相接連的。」

他打了一個哈欠，答道：「這事總算可以打發我的無聊。我常覺得我的生活枯燥乏味，因此設法改善我這平淡無聊的景況。這些問題在我的改善計畫上，的確有些助益的。」我道：「你就好像在和人家賽跑，此刻已得到了錦標了。」他聳了一聳肩，說道：「這總算有趣，並且對社會也有些小小的幫助吧！」

湖畔慘劇（原名 The Boscombe Valley Mystery）

一天早晨，我和我妻子正在用早餐的當兒，女傭拿了一封電報進來。那電報是歇洛克·福爾摩斯發的，電報上說：

「華生你可有一兩天的空閒時間，和我一同到倫敦的西部去一探波斯克姆慘劇呢？那邊的風景和空氣都很好。假使你答應同去，請於上午十一點十五分的時候在柏亭頓車站相會。」

讀完了這電報，我妻問我道：「親愛的，你意下如何？你願意去嗎？」

我笑著回答她道：「這倒有些不能決定，因爲這裡候診的人很多，恐怕不能脫身呢！」

她道：「安特路瑟當然可以代替你的，並且你近來的臉色蒼白，如果能夠換一下環境，呼吸新鮮空氣，倒也是好事。而且還有福爾摩斯先生與你做伴，你是常常注意他的案子的，沿途必然可以添上不少的樂趣呢。」

我答道：「不錯，我既因他的案子而得到我的愛妻，此次若拒絕不去，未免太不知好歹了。但我若眞的要去，得快些預備行裝，因爲現在已經十點三刻，只剩半個鐘頭了。」

我從前在阿富汗軍營裡的時候，曾經到戰線上好幾次，所以對於整理行裝非常有經驗且異常神速的。況且我應用的東西也很簡單，不到幾分鐘，我便已準備妥當，坐著車趕到柏亭頓車站。那時福爾摩斯已經在月臺上等候了，他穿了一件灰色旅行大衣，戴上一頂旅行用的藍布帽。太陽光照著他的身軀，越顯得他的影兒瘦且長。

他瞧見我，便和我握手道：「華生，你果然如約而至，我眞是高興。因爲你來了，我好像添了一個心腹，那邊助手雖然很多，但是或者見解不同，或者持論偏激，都靠不住的。華生，你上去佔住了兩個靠角的座位，我去買車票。」他說完便走到票櫃那邊去了。

他的行李很簡單，除了一個提箱外，只有一大束的報紙，上了火車之後，他便將報紙解開，一一披閱。閱後將報紙扭成團，往行李架上一擲，道：「華生，你可曉得這次暗殺案的詳情？」

我道：「我近來已經好多天沒看報紙，一點都不知道。」

「我現在正需你的幫助，我先將這案件告訴你，因爲近來倫敦報紙對於這案的記載不甚詳細，所以我收集了許多近期的報紙，加以周密的推測。從這許多報紙裡，會覺得這案子很簡單，但是卻又很難了解。」

我笑道：「你的話有些兒矛盾了。事實既是簡單，那麼，解決起來應該很快，怎說困難呢？」

「這話倒是實在。須知案情越簡單平淡，越難著手。這案子的情節也如此，大家都說死者的兒子有重大的嫌疑。」

我道：「那麼，這是一樁謀殺案了。」他點點頭道：「依據一般輿論說起來，是這樣推測。但是我在沒有著手偵察之前，也不敢武斷。我先將我所知道的說給你聽吧。」

那時火車已經行過雷丁站了，他閉目養神了一會兒便開言道：「我所說的波斯克姆是一個極小的村落，距洛斯很近。那鎭上的大地主叫做約翰・湯納，他曾經在澳洲營商，之後成了一個大富翁。數年前剛回國，他有一處田莊叫哈瑟利，租給查理士·麥卡錫先生。他也是從澳洲歸來的，他們本就熟識，現在同居一地，自然更加親密。假使論起財產來，自然約翰富有得多，但是他倆的友誼卻是平等的，一點也沒有什麼賓主之別。查理士只有一個兒子，今年十八歲，約翰沒有兒子，卻有一個女兒，和小麥卡錫同年。因為二老都是鰥夫，二老雖住在那裡，但是和鄰近人家很少往來，所以鄉里間也不常瞧見二老的蹤跡。但在賽馬場裡，卻往往可以碰見他們。查理士·麥卡錫的家裡有兩個傭人，是一男一女，約翰家裡的奴僕則有五六人，以上所說的，都是我考查而得到有關他們家庭裡的事情，現在要說到那件事了。發生慘劇的那一天是六月三日，就是上禮拜一。麥卡錫先生約在午後三點，從他的哈瑟利田莊步行到波斯克姆湖去。那湖的面積小得和池塘差不多，原是波斯克姆谷中的泉流匯成的。那天上午時分，老人還到過洛斯鎮去。在下午臨走的當兒，他對他僕人交待幾句，便急忙前去，因為三點鐘時，在那裡有一個要緊的約會，誰知道這一赴約便再也沒有回來了！」

我道：「湖畔和老人的家，相距有很遠嗎？」

「不遠，從哈瑟利田莊到波斯克姆湖畔不過四分之一英哩。當時曾經有一個不知名的老婦人和一個男子威廉·克勞特，瞧見老人一個人踽踽獨行。威廉這人便是約翰先生的獵夫，他說道：『那天下午，的確瞧見查理士的兒子詹姆斯·麥卡錫，手裡拿了一柄獵槍，跟在他父親的背後，但是距離得很遠，當時他並不介意，後來等到慘案發生之後，方才覺得那天小麥卡錫跟隨在乃父後面，實在是讓人覺得有可疑的地方。』那不知名的老婦所說的只不過是親見查理士走過罷了，沒有一些足以供參證的資料。」

我道：「此外，就沒有人瞧見麥卡錫嗎？」

「有的，有一個十四歲的小女孩，名叫貝辛絲・莫蘭。她的父親便是幫約翰老人管理田產的人。依據女孩所說，她在湖畔拾取柴草時，親眼瞧見麥卡錫父子在深林裡面爭吵得很厲害，並且又瞧見小麥卡錫擎起了槍柄，像要從上擊下的樣子，所以她大爲恐慌，立即奔回去稟告父母。但是她的話還沒稟告完，那小麥卡錫已經飛奔而至，很急促地說，他的父親已經死在深林裡，他特地來招人前去，移回老人的屍體。他說話的時候，非常倉皇，獵槍與帽子也都沒有了，右手袖口上，並且染有殷紅的血跡。但是當時許多人，也沒工夫注意他，便跟著他前去。到了那裡，見老人已經僵臥在湖畔的草地上，腦後受重創，是被極笨重的器械，像是槍柄般的東西所擊傷的。離開屍身幾步遠的草地上，有一枝獵槍在那裡，經警方深入調查後，證據確鑿，於是就將詹姆斯捉進監牢裡去，現在將要判決他弒父的重罪了。」

我道：「證據既然這般確切，那麼這少年一定死定了。」

他笑道：「華生，你也是這麼說嗎？但是證據這東西是不可靠的。假使你的心是針對這人的，那麼，這人就變成證據的集矢了。但是假使你另轉一念，這證據有時也可以指向別人啊。我們要研究的地方，便在這個上頭了。更何況他們村裡，有許多人認爲小麥卡錫是無罪的，而梅麗・湯納小姐尤其堅持此論。所以特地請了雷斯特拉替他偵探這案的眞兇犯。這人便是在『血字的研究』一案裡曾經和我們同事過的。現在他也因爲這事很棘手，所以轉來求我相助。因此便有兩個中年人，連早餐也沒吃，每小時飛奔五十英哩而來，你曉得這兩個人嗎？——便是福爾摩斯和華生了。」

我道：「我擔心這案件證據確鑿，等你到那邊，他的罪名早已經定下了。」

「華生，天下的事，往往有因爲證據極明顯，而事實卻相反的。我現在到那兒，必定盡我推理的能力，或許能在雷斯特拉所不能明瞭的地方別有所得，以證實這事，而使這已經判定的案子全被推翻。這種果敢毅決的行爲，雷斯特拉恐怕不但夢想不到，也許也不能領會。華生，你很了解我，當然不會覺得我以上的一番話很誇張。現在試設一例，更可以證明我語非妄。譬如我從沒到過你的臥室裡去，然而能夠曉得，你房裡的窗，位置必定在右手邊。華生，我試問你，這一點那雷斯特拉可也夢想得到嗎？」

我驚異道：「福爾摩斯，你眞是神仙！這事並非像上次我在路上遇到下雨般有明顯特徵，你也能曉得，這眞奇了！」

他笑道：「這有什麼奇，因爲你的臉上其實有特徵，可以令我一望而知啊！」

我便將手在臉部遍摸一回，很詫異地問道：「果眞有嗎？」

他又微笑道：「你是喜歡潔淨的，常常自己刮鬍子。凡是自己刮鬍子，必定要借著從窗裡進來的光線。因爲你右頰比左頰較光滑的緣故，所以我曉得你們的窗，位置是在右邊。這雖是一個小小的例子，但是探案的竅門，就全在這上頭啊。」

他說到這裡，又接著談起那案道：「這事還有可以討論的兩大點，便是警察捉小麥卡錫去的時候，並不是在當場，而在他已經回去之後。並且當警察拘捕他時，這少年還自己說，這是罪有應得。他後來雖然有一番表白的言語，但是已經衆口一詞，說他曾經供認其罪行。所以檢察官也毫無異議地判他逆倫罪。」

我道：「這麼說來，少年弒父當然無疑了。因爲他自己說了『罪有應得』這一句話，已經和口供差不多了。」

「那是你大大的誤會了，我認爲一天的陰雲濃霧裡，只有這句話，可以算是一線光明呢！假使他在被捕的時候，有驚慌的神情，或作不平的言語，那麼倒有可疑之點了。因爲那些驚慌和不平的神情，只有奸人能夠作僞的。現在他坦然自認，說『罪有應得』。那麼，足見他胸懷率直，並沒畏罪的表示。大概這一句話是追悔的語氣罷了。你忘了貝辛絲的話嗎？他在深林裡面，曾經和他父親爭執，甚至搏鬥，因此知道他所說的『罪有應得』是指這時候的事情，並非是殺人之罪啊。他能夠說這句話，可以斷定他是一個胸襟誠實的人。若非這樣，我就不會答應他們到這裡來了。」

我搖頭道：「但是我總覺得這事很難挽回了。因爲，有些案子的證據比這事件還少，卻仍可證實這人是殺人犯。這情形已經見過好幾次了。」

他道：「不錯，有時無罪的證據比這案更多，而被冤屈受刑的，也不少呢！」

我道：「那麼，這少年自己的供詞是怎樣說的呢？」

福爾摩斯道：「這少年的口供，並不利於他自己，但有一兩個要點，卻有研究的價值。這就是他的供詞，你自己讀吧。」

他說話的當兒，從許多報紙裡揀出一張交給我。標題上是寫著「詹姆斯·麥卡錫的供詞」，下文便是：

「這三天裡，我都在勃理斯托爾，剛於上禮拜一（即三日）回來，那時我父親已經到洛斯去了，女僕對我說，他和男僕約翰·喬柏一起去的。歇了許久，我在窗裡望見我父親坐著車子回來，但是一下車，立即轉身匆匆而去，他到那裡去，我一點也不知道。後來我因爲一個人悶得慌，就拿了一枝獵槍，沿著波斯克姆湖畔走去，想到養兔場去射兔取樂的。途中遇見威廉·克勞特，他供詞所說的話，一點也沒錯，但他說我追隨我父親後面，那是誤會了，因爲我實在不知道我父親正在前面行走。距離湖畔一百碼的遠近，突然聽見我父親高喝『古伊！』這是我們父子間相呼的暗號，我遂立刻奔向前去。那時我父親正在湖畔踱步，瞧見我到那邊，忽然大驚，很震怒地問我爲什麼到這裡，起初還只是爭吵，後來幾乎動武，硬是不許我留在那兒。我曉得我父親正在盛怒，忙轉身打算回去。但是還沒有走到一百五十碼的距離，突然聽見慘厲的呼號聲，我又立即返身奔到那裡，這時我父親已經遍身浴血了，我遂將槍丟掉，扶起我父親，又按摩他的胸膛，但是他已氣絕，不能再救。我跪在我父親身旁，約有三分鐘光景，然後再奔到湯納先生的管理田產的人家裡求助。以後的事，庭上已經明白，我也不再囉嗦。但是我父親的性情，我也不能隱諱，他實在是很孤僻而不受人歡迎的人，不過和人家也沒有深仇宿怨，現在卻慘死，我也不曉得這裡頭的曲折。

驗屍官：那麼，你父親將死的時候，可有什麼話嗎？

少年：沒有，只聽見他極細微的呼了一聲「雷特」罷了。

驗屍官：那麼，你曉得他呼「雷特」的意思嗎？

少年：不曉得，或者臨死時候的錯亂言語，也未可知。

驗屍官：夠了，但是你和你父親爲什麼爭吵？

少年：這我卻不願說。

驗屍官：你假使不說，我恐怕要勉強你說了。

少年：我實在不能說啊，但你可以相信我，這是和慘案絲毫沒有關係的。

驗屍官：有沒有關係，必須由庭上決定。你假使不肯說，那麼，你於此案的進行，更有重大的嫌疑了。

少年：任便怎樣，這是我不願說的。

驗屍官：那麼，他既沒瞧見你，怎會發出『古伊』的暗號給你？並且他本不知你已從勃理斯托爾回來了啊？這又是什麼道理？

少年詹姆斯沈吟了好一會，說：這我卻不知道。

驗屍官：你在第二次進深林的時候，除受傷的人外，其他可還有看見什麼沒有？

少年：沒有可以確定指實的。

驗屍官：這話什麼意思？

少年：我只見一個灰色東西，類似一件大衣。離開我所站立的地方大約十二碼，距樹林的盡頭也是十二碼。

驗屍官：這東西後來還在嗎？

少年：等到我轉身去看，已經沒有了。

驗屍官：你沒瞧見有他人拿去嗎？

少年詹姆斯：我當時急於要看我的父親，所以不及細瞧啊！」

詹姆斯的口供到此已告完畢。我便將報紙丟在一旁道：「福爾摩斯，就驗屍官的問答觀察起來，小麥卡錫的嫌疑實在重大，而他父親高呼的『古伊』和『雷特』，以及詹姆斯不肯說出爭吵的原因，實在都令人懷疑啊！這許多可疑之點，都可以證實這逆倫案的罪名，而不利於小麥卡錫也著實有餘呢。」

我說到這裡，福爾摩斯忽微笑道：「華生，你和驗屍官都不惜心力替這少年指出於他不利的事。但是依我看來，照你的意思說，也是矛盾極的。因爲你認爲這少年本有很好的理由可脫罪，後又爲這少年沒貫徹其說辭而可惜，這不矛盾嗎？」我道：「這是什麼話？」他笑道：「你的意思是認爲這少年既已承認和他父親爭吵，卻不肯將爲什麼爭吵的緣故明白宣布，既然不便宣布，那麼，何妨假託遮飾呢？這是你所可惜他沒貫徹的理由。但是一想他的口供，如『古伊』和『雷特』、大衣等類，又不覺想到這少年的想像力豐富，方才能夠揑造出這種種言辭來欺騙衆人。華生，你眞的有這兩個想法嗎？」我也笑道：「幾乎又被你猜到了！」他道：「你不曉得這二個想法，都是誤點啊。現在我著手的第一步，就是深信詹姆斯無罪，一切不要懷疑到他身上。我們現在不要談這事了，還是在斯溫登進餐吧。再過二十分鐘，便可以到目的地了。」

火車過了斯溫登站，橫渡塞文河而過，突然一片湖光山色，彷彿活動的繡布一般，胸襟也頓時一暢。四點鐘後，那風景秀美的洛斯鎮已經漸漸地看得見了，四周綠樹參天，結成極濃的一重碧幕。等到近波斯克姆的時候，就有紅瓦鱗鱗，隱約地從萬綠叢中露出來，鄉村的風景眞是饒有天趣啊！火車到月臺之後，便有個瘦小的人前來迎接，他穿了灰色衣服，皮靴的統高得幾乎齊膝。他雖然打扮成村人的模樣，但是他銳利的目光，彷彿鼠子般的狡黠，使人一望而知他就是蘇格蘭當地的偵探雷斯特拉了。他見了我們，略一攀談，大家便上了馬車，直到海福特旅館，這旅館雖不甚大，卻很潔淨。

下了馬車，福爾摩斯一進旅館的門，便靠在短榻上，狂吸他的煙。雷斯特拉道：「福爾摩斯，我曉得你辦事極迅速。現在車子已經代你預備好了，何不就到犯罪的現場去，作一番觀察呢？」他笑道：「朋友，我做事的快慢全在於溫度表。」雷斯特拉奇怪道：「福爾摩斯，你的話怎講啊？」他又笑道：「我且向你說明了吧。你且瞧一瞧溫度表怎樣？」「二十九度，沒有風。」他道：「那就是了，現在天氣晴朗、空氣清新，這裡的床榻又比一般鄉村旅店裡汚穢不整潔的地方好上幾倍，所以不如暫緩一些兒進行，讓我好舒舒服服地吸一會煙。我想你預備的馬車，今夜還用不著哩。」

雷斯特拉笑道：「福爾摩斯，我曉得你從報紙上瞧見的記載，已經能夠推斷一切了。我也說這案很明確，只有梅麗小姐卻還一口咬定他是冤枉的。她久聞你的大名，所以便囑我請你來，請問你的意見。事實上證據已充分，麥卡錫的罪狀，也不必再行搜羅了。」他說到這裡，忽然側著耳朵道：「你們沒聽見女郎的馬車已經到門前了嗎？」那時果然有細碎的腳步聲，逐漸地由遠而近。

門開了，有一個很美麗的女郎站在門旁邊。雙目淺藍，像藍寶石一般，遠遠地望去，好像有微波在她目眶裡動盪著，雙頰嫩紅，從憂懼中露出她秀媚的態度。她的舉止落落大方，她略略向四周一瞧，便問我友道：「福爾摩斯先生，你能來此，我很高興。詹姆斯的無罪，你當然也能夠深信的。因爲我和他從小在一起長大，所以曉得他的爲人。他的性情很溫厚，就連一隻蒼蠅也不忍殘殺，何況是一個人，又是他的父親呢？但是一個人那裡能夠一點也沒有過錯，詹姆斯一生的過失，我曉得的最詳細，不過都是極細微的事情，不足以供這案的研究的。」

福爾摩斯道：「湯納小姐，你不必憂急，這事我當然盡我的力量替他澄清。」

梅麗道：「那麼，你已讀過他的供詞了嗎？可已尋出了一兩個要點，能夠相信詹姆斯無罪了呢？」

福爾摩斯點了點頭，答道：「我覺得這一點確有可能性。」

女郎回過頭，很輕蔑地瞧著雷斯特拉道：「你聽見福爾摩斯先生的話了嗎？他給了我幾分希望！」。

雷斯特拉聳了聳肩，笑道：「我擔心福爾摩斯所下的斷語，未免過於迅速吧。」

梅麗道：「福爾摩斯先生的話是很確實的。詹姆斯實不曾幹這一件事，至於和他父親爭吵的原因，他之所以不肯對驗屍官說，實在因爲和我有許多關係的緣故。」

福爾摩斯道：「但願小姐不要隱藏，請你說給我聽。」

梅麗低下了頭，答道：「現在事情已急，我也不能再隱瞞了。因爲麥卡錫父子起初本很和樂，後來爲了我的緣故，所以常常爭吵。詹姆斯和我像兄妹一般親愛，就是他的父親，也很希望我當他的媳婦。但是詹姆斯自己卻以爲涉世還淺，不願早娶，所以常常和老人衝突。老人性情很暴躁，有時竟要動武，但是詹姆斯始終不肯違抗，每逢老人動怒的時候，便遠遠地避開去。」

福爾摩斯道：「那麼，你自己的父親，也贊成這事嗎？」

「不贊成，除了麥卡錫先生，可說沒有一個贊成我們倆早婚的。」女郎說到這裡，低垂了頭，紅著臉兒，搓著衣角，顯出羞答答的神情。

福爾摩斯道：「那麼，我明天能夠見一見你的父親嗎？」「假使醫生許可，當然可以相見。」福爾摩斯奇怪道：「醫生！怎麼？你父親病了嗎？」女郎道：「我父親已病了多年，近來因麥卡錫的惡耗，病情越加嚴重。因爲我父親生平沒有朋友，只有和老麥卡錫是知交，並且從前在維多利亞也共事過，所以交情更是親密，一聽見他慘死，不覺痛傷老友，而病情加重，據醫生說，我父親已神經極度衰弱了。」

福爾摩斯道：「在維多利亞嗎？這和本案有很重要的關係了。」

梅麗道：「正是，我父親曾經和老麥卡錫在那裡開過金礦。」

福爾摩斯道：「謝謝你的見告，現在須到

監獄裡去看看詹姆斯先生，這事我誓爲姑娘出力，願你不要憂急。」

梅麗道：「我因你的安慰，彷彿已經得到赦書一般。你見詹姆斯時，請代言我確信他無罪。現在我回去了，因爲我父親正在病中，雖然有韋羅特醫生的看護，但是我終究不能長時間離開的。」說罷鞠躬而去。

雷斯特拉稍一沈吟，便正色道：「福爾摩斯，我眞爲你丟臉，你怎麼欺騙一個女孩兒，讓她空抱著希望？假使這事終歸失敗，那麼她心裡的痛苦，將要如何呢？我雖然不能算是一個慈悲的人，但是你卻確實是個殘酷不仁的人啊！」

福爾摩斯邊笑邊拍他的肩道：「我友，您好仁慈啊！現在我當然從你的命，謹慎做事。我要和你一同到牢獄裡去，瞧一瞧小麥卡錫的現況。我的好友，你有探獄證嗎？」「有的，但只有適用我和你二個人的。」福爾摩斯道：「足夠了，我們可以乘火車到海福特。今夜大概還來得及見他。華生，現在有勞你等候了，但我也不過離開這兒兩三個小時罷了。」

我便和他們一塊兒到了車站，等他們登車去後，我就在小鎮的街上散步，呼吸些清鮮的空氣。後來回到旅館，取出袖珍小說閱讀，藉此消磨時光。但是那小說中的敍述，讓人覺得淺顯沒有趣味，和

我取出一本袖珍小說來閱讀

我們現在所探的事，相去實在很遠。因此，我不覺重覆回想到小麥卡錫所供的言詞。假使他的口供屬實，那麼，在他離開父親之後，和因呼聲回來以前，究竟有什麼可怖的變端發生呢？後又想到老人的死狀，以及他的傷痕。若以我醫學上的智識推測起來，不曉得能不能夠多得些端倪？我想到這裡，就拉鈴喚侍者，命他將村裡的星期報取來，這其間果然有一則記載著老人的死狀，極是詳細。據醫生報告說，他後腦受傷極重，顱骨已碎，絕對是被笨重的器械擊碎的。我便自想，就這一點而言，實在可以讓這少年卸罪。因爲據貝辛絲說，他父子倆互爭的時候，是面對面站著的。那麼，創傷怎會在後面呢？這雖然不足以就當做充分的證據，但是待會兒我也得和福爾摩斯說明才是。其次，我又想起老人臨死的話，他所說的「雷特」到底是什麼意思？因爲老人的死，是死於重傷，不是病死的。那裡會說囈語？或者他所說的是要解釋他被殺的原因，但是已經來不及，他的話便中斷了。然而那灰色的東西又是什麼呢？如果眞是一件大衣，先是兇犯在無意中遺失，復又趁人不備，便來拿去的嗎？那麼，這人可說是眞大膽了。這事委實離奇至極，難怪雷斯特拉和驗屍官都認爲詹姆斯・麥卡錫是胡說，但是福爾摩斯生平不會說假話的，並且他敏銳的腦筋，也強人一等。他既然假定少年沒罪，可知少年決不是犯罪的人了。那麼，眞正的兇手，到底是那一個人呢？

我想到這裡，彷彿像一隻小船駛在大海裡面，茫無邊岸可尋。於是便閉目休息，等到張開眼時，福爾摩斯已站在我面前了，但不見雷斯特拉，想是已經回他的旅社去了。

福爾摩斯坐下來說道：「華生，今夜雲層很高，當然不會下雨。波斯克姆湖畔的種種犯罪跡象，我希望在沒下雨以前，先到那裡去考察一下。但是這案子必須用全副精神去幹的，稍微有些疏忽，便要掛一漏萬，故而我不敢在長途勞頓後做這事。華生，我已經瞧見小麥卡錫了。」我道：「關於這案，他對你可有什麼話說？」福爾摩斯道：「沒有，我起先以爲他一定曉得犯罪的人，而故意隱瞞這個人。現在方才明白,他也是毫不知曉,正和我們一樣呢！但是這少年果眞是一個極忠誠的人。」

我道：「但是有關這人的性情，我卻大不贊同。因爲像梅麗・湯納小姐這樣姣好，他竟拒絕不娶，他到底是什麼意思呢？」

「老友，你不曉得這裡面實有不可告人的隱痛在啊！事實上他愛女郎的熱度，已經達到沸點，只不過爲了一件不得已的事情，所以不得不勉強壓住他的愛意。兩年以前，女郎還在學校裡讀書，小麥卡錫還沒有深悉她的芳心，故而他心裡並沒女郎這人。那時他濫用情愛——這原是少年人的通病，和一個酒店裡的女郎互相愛好，私下還訂定婚約。後來他和湯納小姐接近，卻已後悔不及。他心裡並非不愛湯納小姐，只不過被法律所限，已經不由他自主了。那天樹林裡面，父子倆所以爭吵，就是爲了這點。但此刻轉禍爲福,他反而得到了好處,詹姆斯自從進了監獄之後，這酒吧女郎以爲他必定要被處死刑，就寫信給他和他決裂。並說她已經另和一個百慕達船廠裡的幹事發生戀愛了。因此，小麥卡錫以前所感受的痛苦，便從此解脫了。現在我們應該研究的有二大疑點：一是老人在湖畔，所約的究竟是什麼人？還有老人喚『古伊』究竟是什麼道理？因爲老人在那時，還不知道他的兒子回來了呢！這二個疑點，實在是全案的關鍵，我簡直百思不得其解啊！華生，時候不早了，現在姑且安眠，別的事明天談吧。」

次日果然應了福爾摩斯的預料，天氣晴朗。鐘鳴九下，雷斯特拉來了，我們三人便一起坐著馬車，到哈瑟利田莊去。經過波斯克姆湖時，雷斯特拉露出惋惜的神情說：「現在得到一個極不幸的消息！湯納老人病得十分厲害，他的生命似已絕望了。」福爾摩斯道：「他年紀老了嗎？」「可不是呢，大約有六十歲了。但他的身體是當他在別地方時就壞，故已病了好久，他和麥卡錫非但是老友，並且還是麥卡錫的恩人。哈瑟利的一頃莊田，本來都是湯納的產業，因麥卡錫窮，所以便將這莊田給他耕種，且不收租費的。」福爾摩斯道：「這事很值得我們研究。」雷斯特拉道：「是啊！湯納待麥卡錫的好，全鎮的人都稱讚他的。」

「那麥卡錫既然是個很窮的人，並且受了湯納的恩惠，還不曉得報恩，反要強迫湯納的女兒下嫁給他做媳婦，並且又很急於要他兒子成婚，好像這樣可以壓制湯納父女似的，這又是什麼緣故呢？」

雷斯特拉轉動他的目光，對我微笑，並且譏訕福爾摩斯道：「我認爲猜想的事情，實在對事實毫無裨益的，因爲事實決不是猜想所能達到的啊！」

福爾摩斯也笑道：「這話很對，可是假設爲事實之母，事實沒有不從假設上發生的。」

雷斯特拉又作譏笑的言語道：「然而我的假設認爲殺死老麥卡錫的便是小麥卡錫。就是參照事實，也是這樣。你卻一定要丟卻正路不走，未免自討苦吃吧。」

福爾摩斯也不和他辯論，將手向外邊一指道：「我曉得已經到了哈瑟利了。」

我一瞧果真到了。那裡有一片廣場，四周圍著樹木，蔚成翠綠，牆上攀爬著無數的古藤，苔蘚斑駁，形狀極陰森，彷彿告訴人家，這屋的主人剛遭慘死。我們下了車，福爾摩斯便去敲門，那裡面好像一個人也沒有，等了半天，才見有一個女僕開門而出。福爾摩斯便命她將那天麥卡錫父子所著的鞋給他。女僕答應了，取出鞋來，福爾摩斯把鞋子比對了一會，才命她引導著，照當日老麥卡錫所走的路，向波斯克姆湖畔走去，這路是一條小徑，淺淺的碧草，顏色很是好看。

福爾摩斯那時忽然改了常態，額上的青筋也突了出來，眼睛裡射出了奇異的光采。有時伏地而嗅，這樣子很像獵狗在偵探野兔。不一會兒，到了一處四周都是蘆荻的小湖旁邊。湖的北面，萬樹青蔥裡，露出的屋頂，便是湯納先生的住宅，南面便是哈瑟利田莊的房屋，有的隱，有的現，因為距離已經遠了。那時我們所立足的地方，只有一片淺草，地上也最潮濕，這便是老人被殺的地點了。屍體的痕跡，還彷彿可以瞧見，因

女僕答應了，取出鞋來。

爲那裡還留著移屍人的足印。就我所見，只得到這幾個腳印，但福爾摩斯卻還在那裡細心觀察。

停了一會，他道：「雷斯特拉，你到過湖邊來的，做什麼呢？」

雷斯特拉道：「是的，我曾經到湖邊來，用手杖撥水，想得到那兇器。——」他頓了一會，又很驚異地道：「但是這還是前天的事，你怎麼知道的？」

福爾摩斯微微歎息道：「唉！我沒空和你說，你的足印從屍體旁直到湖邊，雖是笨人，也能夠辨別出來，還要問嗎？」他說完了話，忽然自語道：「假使沒有搬屍體的人的足印雜湊在一起，那麼，我還更容易著手些哩。」福爾摩斯便將雨衣鋪在地上，匍匐著以顯微鏡細細觀察地上不甚顯明的痕跡。又說道：「這是小麥卡錫來時的足跡，遠處輕而近處重，大概因爲瞧見了他父親而恐慌吧？這是他回去時的足跡，但只見足尖，不見足跟，輕捷得很。這是第二次奔過來的足跡，和麥卡錫在這徘徊的足印。從此看來，小麥卡錫的供詞是確實的。這是搬屍體的人的足跡。持重物走路，所以足跟比足尖來得重，並且有一個人倒著走呢。這是什麼痕跡，哦！大概是父子互爭時，小麥卡錫將槍頓地，所以這樣的。但是這又是那個人的靴印呢？靴頭是方的，從北向南走，停在這裡，又很快地奔回去，再躡足到前面，跳躍而去。從這點看來，這人大概便是兇手了，躡足再來時，想來便是取回那件大衣了。」他話才說完，便站起來，奔向樹林裡面去，就瞧見一個很明顯的足印，印在濕泥上面，樹林的盡頭還有一棵大檜樹，枝葉蒼翠，福爾摩斯便貼身在樹上，細細考察地上所有的枯枝敗葉，並且還從樹後貼身於地，視察樹旁邊的碎石，又撮起一掬灰沙，用一個信封盛了。最後還輕輕地吹起口哨，這模樣是他在滿意時所常表現的。他瞧見我在一旁，便道：「華生，這事實在有趣。那一間灰色的小屋，大概便是貝辛絲・莫蘭的住處，我就前去訪問她一下。你們請在這裡稍待一會兒。」

我們都點頭答應，福爾摩斯便回身而去。十分鐘後，他含笑回來，對我們揮著手，說道：「走吧。」於是我們三人就上車而行。途中，他將樹旁拾到的石塊，拿給雷斯特拉看，道：「你瞧！這東西很値得研究？現在我已經斷定，殺老人的便是這塊石頭。」雷斯特拉很驚訝道：「石頭恐怕不會殺人吧？」「是啊。不過人家用它殺人罷了。這石頭很重，石所在的下面，又有很長的草，可見這石頭放置在那裡還沒多久；而且附近也沒泥印可以容納這石。那麼，可知這一塊石頭一定不是這深林裡的東西，也不是偶然被人踢動而翻起來的。」雷斯特拉道：「那麼，這東西和本案到底有什麼關係？」福爾摩斯道：「這石絕對是被人帶來的。那老人的傷口又和這塊石頭的大小相吻合，怎麼說是沒關係呢。」「那麼，兇手到底是誰呢？」「這人很高大，做事慣用左手，右足稍跛，著極厚的獵靴，常常吸印度雪茄，且使用煙嘴，身邊帶有一柄極鈍的刀，著一件灰色大衣，寬大得異乎尋常。除此之外，還有特別之處極多，但是以上所說的，已經足夠我們捕捉他了。」

雷斯特拉微微撇著他的嘴道：「你的假設好極了。但是恐怕一般陪審官不及你這樣富於想像，那又怎樣？」福爾摩斯道：「這些你可以不必問，我的事由我做，你的事由你做。我明早因爲另有別的事，想搭車回倫敦了。」「你探案就此半途中止了嗎？」福爾摩斯很得意地道：「罪人已經得到，我的職務已盡，你只要瞧見專用左手和跛右足的人，捉他就是了，還有什麼別的問題呢？」雷斯特拉道：「這麼大的鎮落，人口又這麼多，你叫我挨戶去尋找嗎？」福爾摩斯道：「我不再和你多講。現在已經到寓所了，你可以下車休息。待會兒我或許有信寄給你，你且等著吧。」雷斯特拉沒有話說，便悻悻然告辭而去。

我們也坐著車回來，那時午餐已備好，福爾摩斯沈默且多思，他忽地呼我道：「華生，這事我實在不知怎樣處置才好。你坐了，我有話和你講，你且給我一點意見。」我道：「你請說吧！」他道：「據小麥卡錫所說，足以供研究的只有兩點，這兩點也是大衆所注意的。但是我因此而爲他脫罪，人家反因此將他入罪，簡直做兩種極端不同的見解，這兩點是什麼呢？便是他父親所呼的『古伊』和『雷特』了。但你應知老人臨死的時候，所說的必定不止這幾句，不過小麥卡錫只聽見他喊這兩句罷了。」我道：「現在你且對我說，他所呼『古伊』，到底是什麼用意？」「他在樹林裡呼『古伊』，必不是呼他的兒子，我曉得他是在喊他所約的人。因爲『古伊』這句話，是澳洲人見面時通用的口語，所以我在這點上得到一個假定，假定他所約的人必定也曾旅行過澳洲的。」我點頭道：「這見解很切合，現在請你解釋『雷特』的意義。」

福爾摩斯便取出一張維多利亞的地圖，這是他昨夜發電到布里斯托爾去要來的。他攤開來，將手指指著一處，說道：「你且讀此。」我讀道：「『阿雷特』(Arat)。」他舉起了手，又道：「你且再讀著。」我道：「那麼，是巴勒雷特(Ballarat)了。」他道：「這便是老人臨死時所呼的了。但是聲音輕微，所以少年只聽見『雷特』的尾音。老人的意思，大概是要告訴他的兒子，殺他的便是巴勒雷特地方的某人，但因爲氣力夠不上，所以接不下去了。」我道：「你的推想眞是奇妙極了！」他道：「這道理很淺顯，但是我們偵探的範圍便可以從此縮小。參以小麥卡錫所說,和我方才所得到的，這人必定是從巴勒雷特來的澳洲人，著灰色的大衣，慣用左手，右足是跛的，身材又很高大，並且就住在本地，並非從他處來的。因爲這裡是湯納的私地，陌生人不容易暗地裡跑進來的。」我道：「是啊！」

他繼續說道：「那人身材高大，不難從他的舉步闊大上推測出來，他所著的靴，也可從足印上推想而知。」我道：「那麼右足跛，和慣用左手這兩種印象，又是從那一方面印證出來的呢？」他道：「這也很容易明白，因爲考察他的足印，常常左深而右淺，這表示他右脚較沒力氣,是以左脚使力,這顯見他右足跛了。」我道：「那麼,怎曉得他慣用左手呢？」「那是我從警局的驗屍報告上曉得的，因爲他的傷痕是在左邊腦部。這兇手既是從後方來的，那後面的人若擎起手，擲向在他前面的人，傷處應該在右邊。因爲大部分的人，拿東西必定用右手。現在老人的傷處是在左邊，假使在正面，那是右手所擊的，現在在後面，便知這一定是左手所擊了。我想那人所以用左手，想必右手是殘廢的。並且我還能確定，當麥卡錫父子互爭的時候，那人一定躲身在榆樹的後面，因爲我曾經在樹的下面尋著些煙灰，我對於煙灰的研究是很深的，而且還著有專論，說明煙斗草和雪茄、捲煙的灰，辨別起來，有一百四十種之多。而現在的煙灰卻是印度雪茄的煙頭，和鹿特丹地方所製造的不同。」我道：「那麼，你怎知道有煙嘴呢？」他道：「我還拾到煙頭，那尖頭上並沒口啣過的痕跡，由此可知。並且煙頭是用刀切的，所以又曉得他身上常帶切煙的刀，但那刀卻鈍極的，因爲所切的煙頭不很整齊。」我道：「聽了你的話，差不多和明燈一般，洞澈表裡，我代小麥卡錫慶祝再生了！然而那老人，卻大大的不幸，這罪犯恐怕便是……」

我說到這裡，侍者推門進來道：「約翰．湯納先生來訪。」門開了，老人便傴僂著走進來，身材極高大，右腳稍跛，髮硬眉濃，鼻子下面，有一條藍色的痕跡。我推測老人已病入膏肓，不久於人世了。

福爾摩斯扶他坐下，說道：「你已得到了我的信了？我想與其我去見你，還不如你自己來好些。現在你對於小麥卡錫的事，你打算怎樣處理呢？」

老人便道：「可憐的孩子，竟無過受罪，但是我早已定下決心，假使這孩子的冤屈得不到澄清時，那麼我必定……」

他歇了好一會兒，又續道：「先生，我曉得你已經都知道我的隱祕了。我也不敢瞞你，但是我所以不肯自首，實在因爲風燭殘年，不想在牢獄裡斷送這老命啊！」

福爾摩斯道：「你既是坦白無私的人，現在希望你將這事的始末一一解釋清楚，我記錄下來。我的朋友華生在這兒可以作證人，並且還要求你在最後簽字。」

老人道：「我也曉得我這身體，不久便要辭世了，我也不妨將這事告訴你，使得你可以徹底明白。這事雖然經歷的年代很久了，但是我可以在片刻間講完它。查理士．麥卡錫這人，簡直是個人面獸心的人。以前我在維多利亞的巴勒拉特開礦，那時我年輕膽壯，血氣也旺，鄙薄礦事不肯做，便流爲強盜。同黨共有六人，我把黨名稱做巴勒拉特黨，我自己也改名巴勒拉特的黑傑克，黨裡因爲我最驍勇善戰，所以大家都推我做頭目，直到現在，巴勒拉特黨的名稱殖民地的人民都還知道。一天，有一輛黃金運送車路過，我們便上前攔劫，保護這車的有六人，和我們勢均力敵。但是互相開槍後，他們死了四人，我們也只剩下三人，後來又將這二人殺死，就三人均分這車的重金，這時那邊的車夫卻沒有死，這人便是麥卡錫，那時我若殺掉了他，也不致有今天的事了，但是當時我忽然心腸一軟，竟放了他，我對他仁慈，那知他恩將仇報，簡直是一個小人呢！之後，我富有了，便改邪歸正，到了英國。起初也沒有人懷疑過我，我就娶了妻子，不久便得一女，就是我親愛的梅麗了。不到幾年，我妻子死了，我女雖小，但是她嬌嫩的手兒，比任何東西更能指引我走向正路，所以我極想行善，以補償往日的不義，那時我已經懺悔前非，我的生活也另闢新途了。一天，我有事到外地，路過攝政街，碰到了麥卡錫父子，那時他已經落魄如乞丐一般，身上沒衣，足上沒履。他見了我，就拍著我的肩頭道：『老友，我和我的兒子可以跟你去嗎？你做了好久的富人，論理當然不會忘記我的。你答應嗎？假使不肯，那麼，等著瞧了！』我聽了他這一番話，認出他就是當年的車夫。我因怕他報警，忙帶他一同回去，將哈瑟利田莊一區給他。可是從此以後，我便沒有安寧的日子了，凡麥卡錫所要的，像地產、金錢、房屋，我都不敢違抗，因爲麥卡錫已經看透我，因爲我怕以前的劣跡給我女兒知道，這一點實在比給警察知道還嚴重呢。因爲這個緣由，他便得寸進尺，不怕我反抗。等到他兒子和我女兒都長大了，竟要我女兒嫁給他做媳婦，他這兒子呢，我並不討厭，但是這梟獍一般的父親，我實在不忍我女兒有這種公公。所以我約他那日在湖邊會面，決議這事。等我到那裡時，他們父子倆正在爭吵。老麥卡錫出言粗鄙，他看待我女兒，簡直像一隻母狗一般，毫無輕重。但是我愛我女甚於明珠，怎肯給這傖奴奪去？現在我活在世上，他尚且這樣，倘若我死了，我女兒豈不是如墮入火坑一般嗎？福爾摩斯先生，我轉念到此，殺他的意念便非常堅定。我回去拿一枚礦石，向他的頭顱拋去，那時他大呼的聲音被他的兒子聽見了，便反奔進林。……福爾摩斯先生，這事我雖死也不懊悔，因爲我已經風燭殘年，活在世上的時間也有限了，雖然犯罪，我也不怕，就算麥卡錫再活過來，我也必定會再殺死他的，現在我的話已說完了。」他說到這裡，便向我取筆，簽字在我所記錄的紙上。

福爾摩斯沈吟道：「如果詹姆斯．麥卡錫先生的事能夠靠口舌辯白，讓他脫罪，那我也必不將你所幹的事讓衆人知曉，否則，我不得不將這紙呈給法庭，以脫詹姆斯無妄之罪。」

老人顫巍巍站起來，正色道：「那麼，我聽

候你的處置吧。願上帝祝福我們！再會。」

大審的日期到了，福爾摩斯爲詹姆斯辯護，因爲種種的證據都確定兇手是另外一人，果然讓他獲釋。七個月後，老人病死。詹姆斯和女郎也就正式結婚了。但是這二人始終不曉得他們的父親間，竟有這一椿重大的祕密。

橘核案(原名 The Five Orange Pips)

當我審視自一八八二年至一八九〇年中，我所紀錄有關歇洛克・福爾摩斯探案的資料時，發覺竟然多如雪片，使人目眩。那幾件要留，那幾件不要留，倒是一件難事。這許多案件，有驚奇的，有平淡的，有些只有起頭而沒有結果的，有些大半已得了假設，卻沒有事實證明，所以都沒有結果。

一八八七年中的許多案子大半都是這樣。像陳列室奇案、假乞丐會、英國塞維船失蹤案，最後則是柏德・烏華島奇遇和康伯惠爾毒殺案，尤其是最後的一案，我還記得，歇洛克・福爾摩斯因爲替死者的錶上發條，才證明那錶在兩小時前曾被上過發條，因此證明死者是在那兩小時中就寢的——這實在是全案中極重要的一點。這些事我過些日子再寫出來，現在我所要記載的是情節更奇特的一案。

這是九月底，從赤道來的大風，吹出不尋常的聲音。終日大風狂吼，雨點打在窗上，就是住在倫敦的中心，聽見了這風雨聲，也不免產生恐懼。那尖銳的聲音，好像是什麼不馴的野獸從禁錮的鐵籠中發出來的。到了夜裡，風吹得更加厲害，宛如小兒的夜哭。歇洛克・福爾摩斯默坐在火爐的旁邊，翻閱那舊案的記載。當時我坐在他的對面，讀羅塞爾所著的航海小說。窗外的大風怒吼，如海濤鼓蕩，幾和書中的潮聲合而爲一，加上外面的雨聲，更像飄飄搖搖的航行一般。我的妻子去拜訪她的姑母，因此我有機會再到貝克街來做幾天的客人。

我看著我的同伴，說道：「咦？竟有門鈴聲。今夜誰會到此？恐怕是你的朋友？」他答道：「除非是你自己的朋友，我是沒有。我決不教朋友們在這大風大雨中冒險而來。」我道：「那麼，或者是主顧。」他道：「這麼說，一定是很緊急的案子。若沒有意外之事，何必在這樣的日子，這樣的時間來呢？但我想也許是房東太太的客人。」

歇洛克．福爾摩斯的看法錯了，因爲脚步聲已走過走道，門上又有敲門聲。他伸出他的手，把燈推在一邊，面向那預備讓來客坐的空椅說道：「請進來！」

進來的人是一個少年，年紀在二十二歲以上，態度很莊重，不過臉色有些灰白，眼睛佈滿了血絲，似有倦意，一望可知是有很大憂患的人。雨衣上有淋漓的水點，他手裡拿的雨傘上也滿佈雨水，這都證明他是冒著大風雨來的，他藉著燈光深深地注視福爾摩斯。

他抬起頭說道：「我先向你們道歉，我希望我沒有驚擾你們。我很惶恐，因爲我帶了大風雨的寒氣，進你們溫暖的房間裡來了。」

福爾摩斯道：「請你把雨衣和雨傘給我，放在火爐邊，一會兒就可以乾的。我看您是從西南方來的。」「是啊，從霍山來。」福爾摩斯道：「我見你的靴尖有灰白的泥堊混合物，這很顯明可看出你從那裡來。」來客道：「我來有所請教。」「這倒很容易。」「還要求幫助。」「這卻不是非常容易的事了。」來客道：「福爾摩斯先生，我久聞你的大名。我從康特格斯少校那裡聽見你曾在坦克維爾俱樂部案中，幫助過他。」「是啊，那時他因賭博受人毀謗。」

「他說你不論何事都能解決。」福爾摩斯微笑道：「他未免說得太誇張了。」來客道：「你不用客氣。你從不曾失敗過的。」福爾摩斯道：「我曾失敗四次——三次敗給男子，一次敗給女子。」「但和你成功的次數比較起來，又怎樣呢？」「這倒確實，我大部分是成功的。」「那麼，希望你對於我的事也是這樣。」「我請你將椅子拉近火爐些，把你的事向我說明。」來客道：「這不是一件尋常的事。」福爾摩斯道：「會到我這裡來，當然不是尋常事。我這裡是最後訴訟庭。」來客道：「但我有一問，你一生所有的經驗，和所見聞的事，可有比我家庭所遭遇的事，更神祕和更出乎意料的？」福爾摩斯道：「你很能引起我的興趣，請你先大概告訴我，之後我可以逐細問你。」

這少年把椅子拉近些，伸出他的靴，在爐火邊烘。說道：「我的名字叫約翰・歐彭蕭。但是我自己的事和這奇事很少關連的。這是一件遺留下來的懸案，若要告訴你些事實上的情形，必須先把我的家世說明。我的祖父有兩個兒子——就是我的叔父伊立亞和我的父親約瑟。我的父親在康萬特里有一家小廠，當自行車發明的時候，他曾把廠擴充。他是歐彭蕭耐久橡皮輪發明的第一人，他的營業進入了狀況後，便把專利權賣給了別人，即退休靠家產過日子。我的叔父伊立亞在年輕時移民到美洲，在佛羅里達經營開墾的事業，據說他在那裡做得非常順利，戰爭的時候，他在傑克森隊裡當兵，後來在胡德將軍麾下升了上校。當李將軍敗退時，軍隊解散，我的叔父又回到開墾地去，繼續住了三四年。大約在一八六九年或一八七〇年，他回到歐洲，在近霍山的蘇薩克斯買了地產。他在美洲也有很大的產業，他放棄的原因，就因他不喜歡和黑人雜居。他對於美國將要把選舉權給黑人，很不以爲然。他是一個喜歡孤獨的人，可怕而暴燥，每逢發怒的時候，還時常說出粗鄙的話。他住在霍山的幾年中，從不曾見他進城過。他有一個花園，有三四塊田地，圍繞著他的住宅。他有時在園裡散散步，但有時卻常數星期深居在房裡，足不出戶。他喜歡喝白蘭地和抽煙，但他不喜群體生活，也不喜交友，就是和他自己的兄弟也不相往來。他獨喜歡我，第一次見到我的時候，我不過十二歲。我記得是一八七八年，他回英國已八九年了。他要我父親讓我和他同住，他是非常愛我的。他空閒的時候常教我下棋和飲酒，他派我做和僕役、商人們交涉的代表，所以我十六歲時就儼然是屋中的主人。我管理全宅的鎖鑰，只要不觸犯他，他任我喜歡到那裡，就到那裡，並喜歡怎樣做，就怎樣做，不過有一例外。他有一間祕室，是閣樓中的一間木屋，他很鄭重地鎖著，誰也不許進去的。我有小孩般好奇的個性，所以常從鎖孔裡張探，但只見幾件破箱舊袱，並沒有別的重要東西。那天——一八八三年的三月中，有一封貼外國郵票的信放在桌上。他收到外來的信，確是一件奇特的事。因爲他的錢都是現款支付，不用匯票，此外不論什麼朋友，他都沒有。他取起那封信，說道：『從印度來的，本地治里郵局的印章！這是怎麼一回事？』他立刻拆開來，忽有五個小橘核從信封中落了出來，掉在他檯上的鋪布上，使我見了發笑。但是我的笑聲剛出於唇間，他的臉色大變，咧著嘴，眼睛發呆，臉色也變白。他凝視著那信封，忽然尖聲喊道：『ＫＫＫ，我的天啊！我的天啊！罪孽已追到我了。』我喊道：「叔父，這是什麼？」他說：『死！』他就站起來，回到房裡去休息，我卻心中忐忑不定。我拿起這信封，看見在信封反面塗膠水的地方有三個紅墨

他凝視著那封信，忽然失聲驚喊。

水寫的K字。信封內除了五個乾核外，就沒有什麼了。這是什麼意思呢？我離開了早餐的桌子，當我上樓的時候，見他又下樓，一手拿了生鏽的鑰匙——這一定是頂樓房間的，一隻手拿了一個小銅匣子，像是放錢用的。他立誓道：『他們喜歡怎樣做，就怎樣做，但是我仍會擊敗他們。』又向我道：『吩咐瑪莉，今天我房裡的火爐要生火，去請霍山律師福特姆來。』我照他的吩咐去做了。當律師到的時候，我請他走進房裡去。爐火燒得很亮，在火塊上有一片黑色的紙灰，隨火勢飛起來。爐旁邊放了一個銅匣，匣中是空的。當我注視這匣時，見蓋上印著K字，和我早晨在信封上所見的相同。我的叔父向我說道：『約翰，我願你來做我遺囑的證人。我把我的產業和一切有利無利的東西，都歸給我的哥哥，就是你的父親，將來當然也都要遺留給你的。假使你能夠很平安地享有，那是最好。假使你覺得不能，那你聽我的忠告，你就送給你的仇人吧。我很憂愁，我送給你這種有福有禍的東西，將來究竟怎樣，我不知道。現在你在福特姆先生給你的一張紙上，好好的簽字吧。』我照他的話簽了字，律

師把遺囑收還。這一件意外的事，使我有很深刻的印象，我在腦海裡往來尋思，卻想不出什麼。過了幾星期，並沒什麼意外發生，我也漸漸淡忘了這件事。然而，我叔父的態度卻大變，他酒喝得比以前多，對於任何事情完全不加注意。大半的光陰，都耗費在房間裡。他把自己鎖在房裡，有時候喝醉了，從室中奔出去，手裡拿了手槍，奔到園裡，發狂般地大喊說：『我誰也不怕！不要說人，就是惡鬼也不怕。』這樣的發了一會狂，他又飛一般地奔回房去，把門鎖了，又上了門，好像一個人一時能自己壯膽，卻不能抵擋他靈魂上的恐懼。在這種情形下，我見他的面孔，就是在天氣冷的日子，也有濕淋淋反光的汗點，這是這事最後的情形了，福爾摩斯先生，請忍耐點聽。有一天夜裡，他喝得酩酊大醉，奔了出去，竟沒有回來。後來我們找到他的時候，見他跌在一個滿浮綠萍的小池塘裡，面孔向下。但尋不出兇手的痕跡，池水也只有兩呎深。因此，陪審官因著他平日的古怪，就斷定他是自殺，但我知道他從沒有想死的念頭。大概是在他發狂出去時，不小心跌死的。這件事過了，我的父親就得到了遺產繼承權，那時在銀行有一萬四千鎊的存款。」

福爾摩斯說道：「我聽你說的確實很奇怪。現在請你把你叔父自殺和他得信的日子告訴我。」少年道：「這封信是一八八三年三月十日送到的。他的死期是七星期後，五月二日的夜裡。」「謝謝你，請你繼續講下去。」

少年道：「當我父親接管霍山財產，我請他把平日常鎖的頂樓檢查一下。我們在那裡找出那個銅匣子，裡邊的東西都燒壞了。蓋子的裡面有一張小紙，紙上寫三個K字，下面寫著

『信札、紀錄、收據和名冊』等字樣。從這裡可以看出被歐彭簫上校燒燬的東西的性質。此外，其餘的東西都不甚重要，有許多像日記的紙，散在地上，都是我叔父自己記錄戰爭的功績，他們稱讚他是勇敢的兵士。別的是記錄南美洲幾省改組的事，他對於北方釋放黑奴的政策非常反對。這是在一八八四年的事，我父親住到霍山後，都還算平安，一直到一八八五年一月，在元旦後的第四天，我聽見我父親很奇怪地大叫一聲，那時我們一起坐在早餐桌旁，他一手拿著一個剛拆的信封，一手卻托著五個乾橘核。之前他聽我講上校得信後持槍狂奔的故事，他覺得很好笑，但此刻也很奇怪，上校同樣的事，竟也在他自己身上發生了。他說道：『什麼？約翰，這是什麼意思呢？』那時我的心發麻，說道：『這是KKK。』他看了看信封的內層喊道：『眞是這樣，這裡有同樣的字。但是上面寫的是什麼？』我從他的肩頭上瞧去，讀道：『把文件放在日規臺上。』他問道：『什麼文件？什麼日規臺？』我說道：『園中的日規臺，沒有別的。但是文件定是已燒燬了。』他鼓足勇氣，說道：『我們是在文明的國度裡，決不會有這種禍苗。這東西從那裡來的？』我瞧瞧郵局印章，說道：『敦堤來的。』他說道：『這是一種尋開心的惡作劇。日規臺和文件，什麼意思呢？我對於這無意義的事，決定不加理會。』我說道：『我要去報警。』『那只會被取笑，沒有什麼事的。』『那麼，讓我去做一下再講？』『不要，我禁止你做這種無意義的事，不必多事。』我知道和他辯論是徒然的，因爲他是一個非常固執的人。我便走開了，心裡卻暗想這也許是預兆吧？來信後的第三天，我父親離家去尋訪他的老友佛里波迪少校，他是管理樸治堂山炮臺的人。我對於他的外出，高興得很，以爲他離了家，也就離了惡禍，其實我卻想錯了。在他離家的第二天，我接到少校的電報，教我到他那裡去，說我父親失足墮坑，救起來頭已碎了，來不及施救。我連忙趕到那裡，他早已離我長逝。據說他在黃昏的時候從費爾哈姆歸來，掉在鉛礦的深坑裡，那些糊塗的陪審官竟也斷定說失足而死。我細細地推想和死因有關係的事實，但也不能證實是出於謀殺，一則無爭鬥，二則無足印，也沒有人在路上看見有盜劫的事。我眞是憂悶得很。於是我就成了繼承產業的人了。你是不是要問我爲什麼還要繼承？我想這不祥的財產不能放棄的，給了別人，禍害也要累害人家，還是我自己擔當吧。這是一八八五年的一月，離我父親去世，已過了兩年八個月了。在這時期中，我很快活地住在霍山，希望那禍根離了我的家庭，上代的事，從此結束了。不料安樂的日子不長，昨天早上，我叔父和我父親所遭遇的事，竟又降臨在我身上了。」

這時那少年從衣袋裡摸出一個摺縐的信封，和五個乾橘核放在桌上。繼續說道：「這是信封，郵局的印章是倫敦——東部。內容和我父親接到的一樣。就是三個『KKK』和『放在日規臺上』一句話。」

福爾摩斯問道：「你接信後做過什麼？」

「什麼也沒有。」福爾摩斯道：「什麼也有沒？」他以慘白的手托著他的臉，說道：「老實對你說，我覺得毫無希望了。我眞像一隻可憐的小兔，被一條兇猛的毒蛇凝視著一般，我想沒有防禦和抵抗的方法了。」歇洛克·福爾摩斯道：

「嘖！嘖！先生，你一定要去做，否則你眞要完蛋了。除了你自己能救你外，沒有別的了，不能再緩了。」那少年道：「我已經去報警。」「啊！」「但是他們聽了我的話，只是笑。似乎他們以爲這幾封信都是胡鬧作耍的，我父親和叔父的死，只是偶然巧合，和這恐嚇信沒有關係的。」福爾摩斯揮了揮手，喊道：「那些沒用的東西！」那少年道：「他們答應派一個警察守在我的屋裡。」「今夜他也同你來嗎？」「沒有，我教他守在我屋裡的。」

福爾摩斯把握拳的手向上一伸，說道：「爲什麼你現在才來？以前爲什麼不來？」「我不知道。今天我講給康特格斯少校聽，才接受他的建議到這裡來。」「這是你接信的第二天了。我們應當在此之前採取行動。我想你必須趕緊照信上所說的做，此外沒有辦法了。」

約翰·歐彭蕭說道：「還有一件事。」他說時從衣袋裡拿出一張汚紙，放在桌上。又道：「我還有幾句話。我叔父燒紙的時候，我見燒的紙形很小。這一張紙是在他房裡地板上拾到的，我想也是和他燒去的紙同樣的。這像是他個人日記的一頁，字跡確定是我叔父的。」

福爾摩斯把燈移近些，我們低了頭向紙上細看，紙邊參差不齊，顯見是從書上扯下來的。紙上面寫「一八六九年三月」。下面是：

「四日，哈德遜來，同樣的政見。七日，寄核給麥克里、派拉莫和聖安斯丁的約翰·史溫。九日，麥克里除去。十日，約翰·史溫除去。十二日，探望派拉莫，一切順利。」

福爾摩斯把紙摺了，拿給我們的來客說道：「謝謝你！時間緊迫，不必多說了。你快點回去，照所說的去做吧。」「我要做什麼呢？」

「只有一件事要做。並且應立刻去做。你把給我們看的紙頭放在銅匣裡，另附一張字條，說明其餘的紙都被你的叔父燒燬了。放了這兩張紙之後，就把銅盒放在日規臺上。知道嗎？」

「完全懂了。」福爾摩斯道：「現在不必想報仇的方法。我想我們可靠著法律得勝，但我們的網還須組織，他們的網卻已經織好了。故而第一要避開那害你的禍害，第二步探明祕密的事，然後再懲戒這一班惡黨。」少年站起來穿了外衣，說道：「謝謝你，你給我新的生命和希望。我決計照你的話去做。」福爾摩斯道：「路上趕緊些，不要耽誤。眼前須小心保護你自己，因爲我深信你此刻的處境很危險。你打算怎樣回去？」「從滑鐵盧乘火車。」「現在不到九點鐘，街上還熱鬧。我希望你路上平安。然而你自己不能不特別保護你自己。」少年道：「我帶著防身武器的。」「那最好，明天我就可著手研究你這件事了。」「那麼，我們在霍山相見吧！」「不，你的祕密事發生在倫敦，我想在這裡偵探。」「那麼我隔一兩天再來報告銅匣和紙頭的消息。你的吩咐，我必常放在腦裡。」他和我們握手道別。外面的風依舊狂吼般地吹著，雨也很粗重地打在窗上，這奇怪的故事印入我們腦中，眞像大海中吹起的一陣怒濤，現在已漸漸恢復了。

歇洛克·福爾摩斯低下了頭，沈默了一會，他的眼睛注視著爐火。過了一會兒，他點著了煙斗，背靠著椅子，那煙斗冒出來的煙圈，徐徐地升上天花板去。最後，他說道：「華生，我想以前的案件，沒有比這件事更離奇了。」「恐怕除了『四個簽名』以外，這事要算最離奇了。」「不錯，『四個簽名』案要除外的。照我看這約翰・歐彭蕭的情形，比歐爾托更加危險。」我問道：「但是你對他的危險，有什麼見解呢？」他回答道：「那危險的性質已是沒有疑問了。」「那麼，是什麼呢？誰是ＫＫＫ，爲什麼要害那可憐的家庭呢？」

歇洛克・福爾摩斯閉上眼睛，把手放在椅子的把手上。他說道：「大凡一個理想的推理家，只要得到案中事實的百分之一，就可以推想起由和結果。就像生物學專家居維葉，尋著了一根獸骨就能夠描繪出這種野獸全身的形狀，毫無誤差，這是很難的事。我一身所應用的智識，也努力學習入於精的一路。每有一件案子，我憑著發現的事實，雖一時不能得到結果，但藉此推想起因，卻足夠了。華生，我還記得我們認識的時候，你曾說出我的局限性。」

我帶笑回答道：「是啊。我記得。我記錄的也很奇特。我說你對哲學、天文學、政治學的智識等於零分；植物學，懂而不精；地質學很精深，就實際的情形說來，倫敦五十哩以內的地方，掬一塊小泥來，你也能辨得出自那裡來的；解剖學也熟悉，但沒有條理；化學的智識很獨特；此外提琴、拳術、擊劍、角力和法律學等，都很精明；而且也是一個嗜好板煙和古柯鹼的專家。以上，都是我對你分析的大概。」

福爾摩斯聽到最後一句，不禁微笑起來。他道：「我現在要說的，以前已和你說過，就是人們所應用的工具，都應該藏在腦裡，其次藏在書架上，要用的時候，就可拿出來用。像這種案件，就應當拿書架上的工具，現在請你把書架上百科全書的K部給我，謝謝你，我們當先推想這事。第一，歐彭蕭上校定有特別的原因，才會離開美洲，拋棄富饒的佛羅里達，住在倫敦寂寞的鄉村。並且他抵英後和人斷絕來往，其中必也有可疑的地方。或許上校離美是因有人把他驅逐，或者見了一種東西懼怕，那麼他怕的是誰？我們可以用這幾封信測度一番。你有注意到信上的郵局印章嗎？」我道：「第一封是從本地治里；第二封從敦堤；第三封從倫敦寄來。」他道：「都從倫敦的東部寄來。你對於這一點有什麼見解？」「那三處地方都近海，寫信的人恐怕是住在船上的。」「對，我們已經得到了線索了。毫無疑惑，那寫信的人都是在船上。那麼，我們再想別點。本地治里寄出的那次，從發信到接信人死，有七個禮拜的日子；從敦堤發信的那一案卻只有三四天工夫，這有什麼問題呢？」「一定是前一案的路程遠些的緣故。」「但是那第二信也經長距離而來的。」「那麼，我想不出了。」

他道：「我們可以假設：發信人坐的是帆船。倘使他們乘郵船趕路，那麼人和信必定同時到。現在相差有七個禮拜，可知所乘的船，一定比郵船遲七禮拜。」我道：「這是可能的。」他道：「還有一層。你看約瑟的死，就在接信後的第三日，就因敦堤離倫敦比較近。現在這一封信是倫敦發的，時間更緊急了。所以我教小歐彭蕭趕快防禦，須知倫敦東部距離霍山比敦堤更加近了。」我喊道：「好上帝！他們如此逼迫，究竟爲了什麼呢？」他道：「歐彭蕭所存的文件，定是船上人視爲重要的。我想他們的人數一定在一人以上，若一個人決不能連害兩人，而讓別人完全看不出暗殺。他們之中一定有很細心而鎭靜的人。那文件是他們的把柄，所以要害死有文件的人。ＫＫＫ恐怕是一種會名的縮寫。」「但是什麼會呢？」歇洛克・

福爾摩斯俯身向前，低聲道：「你沒聽過三K黨(Ku Klux Klan)嗎？」「我沒有聽過。」

福爾摩斯把書翻開，放在膝上。他說道：「這裡記載著三K黨。這個字沒有意義，只是借一種拔槍的聲音而定的。這祕密黨會是由退伍的士兵所組成，南北戰爭後，先在南方幾州成立，後來各處蔓延得很快，都組織分會，像田納西、路易斯安那、卡羅萊納和佛羅里達等州都有，目的是反對黑人有選舉權。凡反對他們的，不是暗殺，就是逼出境界。此會好殺人，每次殺人先寄橡葉，或西瓜子，或乾橘核，做爲警告，接這種東西的人，必遭離奇的暗殺。政府雖想禁止，但沒有什麼效果。一八六九年，這黨會忽自行解散，現在雖還有幾起殺人的事，但不像以前多見了。」

福爾摩斯把書放了，說道：「現在你可知道伊立亞・歐彭蕭所以回英的原因了。黨會的解散，可能與歐彭蕭的離開互爲因果。他回來時一定帶了會中的祕密文件，他所燬的文件或許就是，也未可知。這幾張紙，在不知道的人看起來，當然沒有什麼意思，但實際上卻不知關係多少人的性命，所以黨人日夜尋找，不怕勞苦，一定要把東西取回，方肯罷休。若不能取得那祕密文件，便設計謀殺拿文件的人，使他不能洩漏。」「那麼，我們所見的紙上，記的是——」「當然和我們所推想的相同。倘我的記憶不差，那紙上記著送橘核給甲、乙和丙，——那就是送警告給他們。那麼甲和乙除去，或離開了那地方，就算他們成功了，最後又去探望丙，我擔心丙的結果也是不吉利的。好啊！華生醫生，我想在那黑暗地方放進些火光，我相信小歐彭蕭的惟一機會就是照我說的快去實行。今夜沒有什麼可說或可做，請你把提琴給我，讓我把這奇祕的事情暫時拋在腦後。」

第二天早晨已放晴了，太陽放出強烈的光來，穿透那籠罩著大城的霧幕。我下樓時，歇洛克・福爾摩斯已在那裡用早餐了。

他說道：「不好意思，我沒等你。我料這歐彭蕭一案，要使我忙一天了。」我問道：「你的步驟是怎樣？」「這須等我第一次探詢後而定。我也許要到霍山去。」「你不是要先到城裡去嗎？」「是啊，我先要在城裡探查。你按一按鈴，那女僕便可把你的咖啡送來了。」

當我等待的時候，把桌上未拆開的晨報打開一看。我見了一節標題，不覺打了一寒噤。我喊道：「福爾摩斯，你太遲了。」他把杯子放下，說道：「啊！我就擔心這樣。怎麼樣了。」他語調雖很平靜，但我看他的神情已很激動了。

我的視線投注在那歐彭蕭的名字和「滑鐵廬橋的悲劇」標題上。這就是新聞的記載：「昨夜八九點鐘之間，H區的柯克警察在滑鐵廬守崗，忽聽見有人呼救和落水的聲音。當時十分黑暗，又大風大雨，一時難以施救。但警訊一發，水上警察都實行撈救。後來終於找到一具屍體，是一個少年，名叫約翰・歐彭蕭，住在霍山，這是從他袋裡的信封上得知的。據勢推測，他似要趕滑鐵廬車站末一班車，但因天色昏暗，他又性急，不辨路徑，便失足墮河。身上並無傷痕，無疑的，是一件偶然意外事件。」

我們靜坐了幾分鐘，福爾摩斯注視著爐火，非常沮喪。

最後，他說道：「這件事太傷我的自尊了。現在它已變成我個人的事了。願上帝幫助我，我定要撲滅此輩惡賊。論情，他來求我幫助他，我應該使他避免死亡……」他說到這裡，從椅上站起來，在室裡踱來踱去，他臉上浮現紅暈，他的兩手一會兒緊握，一會兒又鬆開。

福爾摩斯注視著爐火，非常沮喪。

最後，他說道：「他們眞是狡猾的惡魔，他們怎麼把他推下去的呢？那河岸並不是通往車站的路。橋上的行人，大概也很擁擠，況且這樣的黑夜，更是好機會。好的，華生，我們看誰是勝利者。現在我要出去了！」「到警局裡去嗎？」「不是，我自己要做警察。若等我織好網，他們早就逃走了，但眼前卻還來得及。」

這一天我仍繼續看診。我到貝克街時已是晚上，但歇洛克・福爾摩斯還沒回來。他回來的時候，約近十點鐘了。面孔很慘白而憔悴。他走到餐桌旁，在麵包上扯了一片，張口一塞，又飲了一口冰水送下。

我道：「你餓了。」他道：「餓了，我忘記吃了。吃了早餐以後，再也沒有吃東西。」「不曾吃？」「一點都不曾吃。我沒有工夫想到吃。」「那麼，情況怎樣了？」「還好。」我道：「你有線索了？」他道：「他們在我掌握之中了。小歐彭蕭諒不致永遠沒有報仇的一日。華生，讓我們用他們的方法處治他們，你看好嗎？」「什麼意思？」

他在碗裡拿了一個橘子，把橘皮和橘肉扯碎了，又把核散在桌上。他揀了五粒，放進信封裡。在信封口上寫道：「歐洛克．福爾摩斯代歐彭蕭執行。」接著，他又把信封封了，上面寫著：喬治亞州薩瓦納，孤星號帆船，詹姆斯．高亨船長收。

他呵呵笑道：「當他到海口時，這信還要等他咧！這信恐要使他一夜不能安眠。他定會認為他的命運要像歐彭蕭一樣了。」

我問道：「高亨船長是誰呀？」他答道：「惡賊的領袖。我要把餘黨都捉住，但是他卻是第一個該捉住的。」「那麼，你怎麼知道的呢？」他從袋裡摸出一束紙頭，滿紙寫的是日期和名字。說道：「我一整天都耗費在勞埃氏的駐冊局和舊報堆上。我在輪船公司調查一八八三年一月和二月裡。本地里治入口船戶的冊籍。總計有三十六艘，只有一艘引起我注意，就是孤星。冊中雖寫著來自倫敦，我卻知道是美國的船，因為孤星是美國的州名。」「我想就是德克薩斯州。」「我不能確定，但是我知道這船定和美國有關係的。」

我又問道：「以後怎樣？」他道：「我又尋敦堤的記載，見一八八五年一月。孤星號的船名又在，這樣，我的推想就證實了。接著我去調查倫敦海口近日的船隻。」「怎樣？」他道：「孤星號帆船是上禮拜到的。我因此趕到艾伯特船埠，但孤星號已經趁了早往薩瓦納去了。我電詢格來山，據說船已過了多時，因吹的是東風，船行得極快，此刻當然已過了古德溫斯，行近懷特島了。」「後來你又怎麼樣呢？」「哈，全在我掌握中了。他和兩個同伴是船中惟一的美國人，其餘的是荷蘭人和德國人，我又知道昨夜那三人一起下船。這是我從一個船埠工人那裡所得的消息。我料那帆船到薩瓦納的時候，郵船的信早已送到，海底電報也早向警署報告，一定可以捉住了那三個惡賊。」

天下的事體，大都有出人意料之外的，約翰·歐彭蕭的兇手始終沒有接到橘核，當然也沒有被捕。這年赤帶的風非常兇猛。我們久候薩瓦納孤星號的消息，卻遲遲不至。後來方才聽說，有一艘船沉在大西洋的某礁石上，有一根斷桅，桅上有孤星兩字，除此之外，再也沒有孤星號的消息了。

倫敦之丐（原名 The Man with the Twisted Lip）

艾薩・威烈是故聖喬治大學神學院院長、神學博士伊萊亞斯・威烈的弟弟，他有很大的鴉片癮。據我所知道，他的煙癮是以前讀書時所得到的一種怪念頭。他在大學的時候，讀了德・昆西所著的論夢遊的書，他就把鴉片抹在捲煙上吸，以爲這樣能夠得到和夢遊一樣的效果。但是他所得到的，和許多人所得到的一樣，就是容易上癮，很難戒掉，因此，做了好幾年鴉片煙的奴隸。現在我見他面黃肌瘦，如病獸一般的蜷伏著，當年的丰采早已不復見。

有一夜——是一八八九年的六月——門鈴大響。大約人們都在打哈欠，看時鐘，預備睡覺的時候。我從椅子上站起來，我的妻子把手裡的針線放下，臉上微微露出厭煩的樣子，說道：「想必是求診的病人！你又要出去了。」我緊蹙了眉尖，因爲我已疲倦了一天，方才回來。

我們聽見門開了，幾聲很急的談話，和油漆布地毯上很重的脚步聲。接著我們內室的門推開了，一位婦女著深色的衣服，戴了黑面紗，走進房間來。

她說道：「請你們原諒我，這樣的時候來。」說罷，忽然奔到我妻子面前，把手臂放在我妻子的頸上，伏在肩上，哭道：「啊！我的處境危險！我希望得到一些幫助。」

我的妻子把她的面紗揭起來，說道：「怎麼？是凱特・威烈嗎？你嚇我啊！凱特，我沒想到你會來，誰知竟是你。」

「我不知道怎樣才好，所以到你這裡來。」這是常有的事了。她有了煩心的事，總到我妻子這裡來，好像海鳥飛到燈塔上一般。

「你來，我很歡迎。現在，你可以喝些酒或水。安靜坐在這裡，把事情講出來。我可教約翰去睡。」

「啊，不，不要走。我正需要醫生的指教和幫助。是關於艾薩的事，他兩天沒回家了。爲了這件事，我非常驚駭。」

她講她丈夫的險事，不是初次，我是她的醫生，我太太是她的老同學、好朋友。所以她很爽直地講。我們也時常安慰她。但是她知道她丈夫在那裡嗎？我們能夠幫她找回來嗎？這卻是一個疑問。就情勢上看去，是可能的。她得到很確實的消息說，他發煙癮的時候，常常到倫敦東區的煙窟裡去。有一天他在那裡，直到深夜才回來。但是現在已過了四十八個小時，卻還留在那煙窟裡，呑雲吐霧，呼吸著毒氣。她料定若往上桑丹路的「黃金旅館」裡去，總可以尋著他的。但是一個年輕的女子如何能夠到這種地方，把她的丈夫從流氓的包圍裡領出來呢？

這時只有一個法子可以使他出來。她若不是要我保護她到那地方去，又爲什麼要到這裡來呢？並且我是艾薩．威烈的醫藥顧問，我有權力照顧他的身體。我又想不如我單獨去找他，也許能夠處置得好些。我因此答應她，倘使他果眞在她所說的地方，兩小時內，定可以把她的丈夫送回來。於是，在十分鐘內，我離開了坐椅，和充滿快樂氣氛的房間，坐了馬車，一直向東區駛去。這時我心想，這件事很有趣味，不知道有怎樣的變化。

我冒險的第一步，並不十分困難。上桑丹路是一條狹弄，在高大的船埠之後，橫在泰晤士河的北岸，倫敦橋的西邊。但我所要找尋的目標卻在穢氣撲鼻的酒肆和煙肆中間。到了那裡，我吩咐司機等著，我從石級走下去，越走越低，好像進了地窖，直到一扇門前。那裡有一盞油燈，發出暗淡的光來，我尋見了門把，走進一間低矮而狹長的房間。裡面充滿著濃厚黃褐色的鴉片浮煙，排列著許多木榻，好像移民船的前部。

黑煙中間，可以看見許多身體，橫直不一地臥著，有的彎著腰，有的低著頭，屈著膝，頭倒在後面，胸部向上。這時這些人萎靡無神的眼睛都注視著新進來的人。室中除了黑影之外，有一圈圈紅色的光環，有時亮，有時暗。這是大家裝好煙在吸吮的情形。這些人一個個都仆臥著，一聲不響，但是有幾個嘰哩呱啦在那裡談話，聲音卻很低微，並且神情很奇怪，他們的談話好比山鬼夜噓一般。但大部分都寂靜無聲，似各人轉各人的念頭，不很注意臥在鄰榻上人的言語。在房間的盡端，有一銅鍋，下燒著炭，另外有一張三腳木凳，上面坐著一個身長的老人，兩手托著下顎，手臂擱在椅子

一張三腳木凳上坐著一個身長的老人

的把手上，呆呆地向著火看。

我進去的時候，有一個馬來侍者，急忙把一副煙具給我，又將置煙膏的東西，放在空位的榻上。

我說道：「謝謝你，我不是來抽煙的。這裡有我的朋友艾薩·威烈先生，我要和他講話。」

這時，在我的右邊有人移動身子，發出聲音。我向黑暗中看去，見威烈面孔慘白，肌肉凹陷，雙頰成了深潭。目光無神地向我看著。

他說道：「我的上帝！你是華生。」他的瞳目細小像針一般，他的聲音，孱弱得很。他道：「華生，什麼時候了？」我道：「近十一點鐘。」「什麼日子？」「六月十九日，禮拜五。」「幾天了？我以爲是禮拜三。今天是禮拜三，你爲什麼要騙我？」他忽把手捧住面孔，抽抽咽咽地哭了。我道：「我告訴你。今天是禮拜五了。朋友，你的妻子等了你兩天了，你應該覺得慚愧。」他道：「我也這麼覺得。但是我有些錯亂了。華生，因爲我在這裡只有幾小時，三筒煙，四筒煙——我記不得多少了，但是我和你一同回去，我不願凱特——可憐的小凱特擔心。你的手伸過來！你有坐車子來嗎？」「是啊，我有車子等著。」「那麼，我要坐車子回去了。但是我還欠著煙錢，不知道欠了多少。華生，我看不出顏色了，我一點也沒辦法照顧自己。」

那兩邊臥著的人的中間，空著一條狹路，我經過時恐慌得很，並且已聞足了鴉片的煙氣。我對那經理看了一看，當我走過坐在銅鍋前的長人旁邊的當兒，我覺得衣服上被人一扯，聽見有人低聲道：「走過去，再回過頭來看我。」這話我聽得很清楚，因此向下一看，想是在我旁邊的那個老人說的，這時他仍舊靜坐著，瘦而枯寂，一枝煙槍在他兩膝間搖動，他的手指也鬆弛無力。我走前兩步，向後面看去。我驚詫的呼聲，險些兒奪口喊出，幸虧我自制能力還強。他已經把身體轉過來，除了我，誰也不能認出他的面孔。他的樣子一變，皺紋化去，枯悴的眼睛又烱烱有神，兀坐在火旁，凝視著我，這不是歇洛克・福爾摩斯嗎？他慢慢地走近來時，又轉過半面對著那一班人看了一看，恢復他萎靡不振的樣子。

我低聲道：「福爾摩斯！你到地獄裡來做什麼呢？」

他答道：「你說話的聲音越低越好。我的聽覺很好，我願救出你昏迷的朋友，我很想和你談一下。」我道：「我有一輛小馬車在外邊。」他道：「請你把他送回去，因爲他容易受愚。我拜託你吩咐馬車夫送信給你的妻子，說是你和我在一起。倘使你願意在外面等我，我五分鐘內就會出來了。」

要拒絕歇洛克・福爾摩斯的請求是非常困難的，因爲他說的都很確實，而且明確。我覺得威烈到了車裡，我的責任可算完全終了了，至於其餘的事，既有我的朋友合作，那是再好沒有了。在幾分鐘裡，我把字條寫好，付了威烈的煙帳，扶他上了車，看那車子從黑暗裡駛去。不久，有一個小黑影從煙窟裡出來，他就是歇洛克・福爾摩斯。我和他就向街道上走去。他駝著背，脚步蹣跚，走過了兩條街。剎時他向四周一望，身子忽往前一蹤，放聲大笑，笑得幾乎出淚。

他說道：「華生，我想你以爲我除了注射『古柯鹼』以外，又染上抽鴉片煙的嗜好了。

從你醫學的眼光看起來，或許要認爲是可能的。」我道：「我非常訝異，怎麼會在那裡看到你。」「但是還沒有比我見到你更奇怪。」我道：「我是去找一個朋友的。」他道：「我卻是去找一個仇人。」「一個仇人嗎？」「是啊，是我的仇人之一。華生，簡單地說，我要在這種地方偵探一件離奇的案件。我在煙窟裡一小時，原是很危險的。妖魔之窟的主人——暴徒拉斯格，曾經立誓要生吃我的肉，算是報仇。這旅館的後面，近保羅碼頭的地方，有一個地窟的門，如果門會說話，定要說出那雲昏月黑的深夜，有人經過它那裡，幹過許多慘事。」

我道：「什麼！你不是說殺人吧？」「哎，是殺人。華生，倘使有人出一千金鎊的賞金，我們可以成爲富翁了。因爲有許多悲慘的惡魔，都死在這窟裡，這是河邊的殺人魔窟。我怕萊維爾・聖克萊進了這窟，就不能生還了。但是我們的陷阱一定要設在這裡。」他把他的兩根手指放在唇間，吹出尖銳的口哨聲。遠處也響起同樣的口哨聲，過了一會兒，有車輪軋軋和馬蹄噠噠的聲音。

一部高大的雙輪二座馬車，從黑暗中衝過來，車上的燈射出兩道金黃的光來。這時福爾摩斯說道：「華生，你和我一起去吧。你願意嗎？」我道：「你可有用得著我的地方？」「啊，知己的同伴，你常有助我的地方。在松柏居中，我的房間裡有兩張床，我們可以住。」「松柏居？」「是啊，那是聖克萊先生的住宅。自從我偵查此案，我就住在那裡。」「那麼，在什麼地方呢？」「近肯特郡李村，有七英哩的路程。」「但是我卻一無所知啊。」「你當然不知道。現在你就可明白了。上車吧！約翰，你可以走了，不麻煩你了。這裡有半克郎給你。明天十一點鐘來見我。」

他把鞭子在馬身上抽了一下，我們就衝過泥沙路。所經過的路，越來越寬，過了一座橋，橋下的水很污濁。街上除了磚石泥灰堆積之外，警察笨重的脚步聲和酗酒狂徒的狂喊聲，破壞了寂靜的空氣。一塊黑雲慢慢地從天上移過，幾顆小星在雲的空隙裡放出閃爍的光來。福爾摩斯很鎮靜地控韁駕車，他的頭低到胸前，疲倦得什麼似的，我坐在他旁邊，默想這新鮮問題究竟是怎麼一回事？卻又不敢問他，恐怕擾亂他的思緒。我們行過了幾哩路，方才到村郊的盡處。他身體一震，肩頭一聳，把煙斗點著，看他的神情，充滿著心滿意足，處置得宜的感覺。

他說道：「華生，你倒有極好的靜默功夫，這樣做同伴是沒有意思的。照我說起來，有人和我講話，是一件最好的事。我不知道，當她在門口迎接我的時候，我該對這可愛的少婦說什麼話才好呢？」

「你恐怕忘記了，我對於這件事，還完全不知道哩。」

「好，在尚未到李村之前，我把這案件的實情講給你聽。這件事初看是很簡單，但是我一點也沒有把握。這裡一定有許多線索，然而我抓不到頭緒。現在我把這案件很簡單地講給你聽。華生，也許旁觀者清，你可以給我一些新點子。」「你就講吧。」

「幾年前——一八八四年的五月——李村上忽然來了一個遠客，姓名是萊維爾·聖克萊，是一個富有的人。他愛好風景，就在村上租賃了一所別墅，一切生活都很舒服，他和鄰居也很和睦。他在一八八七年，娶了本地釀酒師的女兒爲妻，現在已生了兩個小孩了。他沒有職業，但在幾個公司裡都有股份。每天早晨，他照例進城去，傍晚在五點十四分時從坎農街歸家。聖克萊先生今年三十七歲，是一個溫和的人，是一個盡責的丈夫，也是一個慈愛的父親，凡和他有交際的人，都認爲他是一個好朋友，他的負債不過八十八鎊十先令，但他在市鄉銀行裡的存款卻有二百二十鎊。由此可知，他經濟方面是完全不成問題的。上禮拜一，萊維爾·聖克萊先生進城去，比平常日子早些。他在臨行的時候，還答應買些玩具回來給孩子們。那天，他的妻子在他出外沒多久，接到一封電報，說所要的包裹已寄到，可以到『亞伯丁』輪船公司領取。華生，倘使你熟悉倫敦，你一定知道『亞伯丁』公司是在佛斯諾街上。那是上桑丹路的支路，就是今夜你碰著我的地方。聖克萊太太用了中餐，就進城去。四點三十五分時，她走過上桑丹路向車站走去。你聽明白了嗎？」

「聽得很清楚。」

「你還記得吧。禮拜一的天氣很熱。聖克萊太太很慢地走著，四下張望，想找一輛車。她向上桑丹路走去，忽聽見有人喊一聲，她向上一看，卻見她的丈夫在二樓的窗口向下對她瞧。那窗開著，她的確看見他慘白的面孔。他對她揮揮手，忽然退後，似乎他後面有極大的力量拉住他，才使他這樣的。有一點她看得很清楚，就是他進城時所著的黑色衣服還穿在他身上，所有的領結和硬領，卻都不知去向了。她想一定出了岔子了。就走下石級——就是今夜你尋著我的那個煙窟的石級——奔過前面的房間，走到扶梯那裡，在扶梯下，她碰到暴徒拉斯格，就是我剛說的。他把她推出去，還有他的助手戴姆，也一起拒絕她，將她推到街上。她充滿了狐疑和恐懼，奔到路上，幸好在佛斯諾街上碰著了一隊警察。她把經過的事告訴了他們，有一個巡官和兩個警察和她過去，一起走進聖克萊先生待過的房間裡去。到了那裡，卻不見他的影蹤。這樓上，除了一個齷齪不堪、衣衫襤褸的跛者以外，沒有別的人了。他和拉斯格兩人都說今天下午，前面的房間裡沒有人來過。巡官無法判定是怎麼一回事，沒有證據，不能搜索。正在這時，聖克萊太太忽然大喊一聲，見一個劈碎的木匣放在檯上。匣裡的東西都是玩具，那就是聖克萊先生答允買給孩子們的。這東西發現了以後，跛者忽露出驚駭的樣子來。警察們方才覺得事態嚴重，就很詳細地檢查各房間。前半間是休憩室，後面是臥室，

開窗而望是一個碼頭的後面。碼頭和臥室的窗之間，是一條狹河，退潮的時候是乾涸的，但是漲潮的時候有半呎深的水。臥室的窗很寬，是從下面開的。窗檻的上方有些血跡，臥室的地板上也有幾點血，前面垂幕的後面，又尋出萊維爾·聖克萊先生的全套衣服，獨缺了一件外衣。他的靴子、襪子、帽子和錶──都在那裡。衣服上看不出有爭鬥的痕跡，也沒有萊維爾·聖克萊先生所在的線索。他一定是從窗子出去的，窗檻上的血污足以表示他是從這窗子出去的，但他決不可能游泳逃生，因爲這慘劇發生的時候，正是潮水最高的時刻。現在看起來，那兩個在裡邊的人，和這案件一定有關係。那拉斯格是有名的惡徒，但是照聖克萊太太說，他丈夫在窗口出現的幾秒中，他是在扶梯那裡，不像是主兇，但是從犯卻是無疑的。他

爭辯說沒有和他的租戶休彭設計這件事，他也得不到什麼好處。至於那跛者，住在煙窟的二樓，他是最後一個親眼看見萊維爾·聖克萊遭遇的人。他叫休彭，只要是在城裡，他的面孔誰都認識的。他是靠乞食爲業，爲了防警察的干涉，他常假說做蠟火柴生意。離開針線街不遠，在左手邊的一個牆角，就是他日常游息的地方。他常盤著腿，地上鋪了一塊東西，上面放些火柴，過路的人，見他怪可憐的，布施就有如雨露般落到他面前的皮帽裡；在他們是恩惠，在他卻是金錢。我曾經好幾次注意過他，覺得他的收入的確很可觀。他的面貌你也看見過，非常的特別，走過他身邊的人，誰都要對他望一望的。一堆橘色的頭髮，灰白色的臉上還有一個可憎的大疤，伸縮的時候，上嘴唇向外翻上來，哈巴狗般的下巴，和一雙深凹的黑眼，顯得和他的頭髮有一些不協調。這些，都顯出他和別人的不同。而且他很喜歡講話，路人問他，他就隨口回答，口才很好。這人就是我們所要研究的，他是煙窟的租戶，也就是最後一個親眼看見我們所要找的人。」

我說道：「但是一個跛腳的人如何能夠抵抗一個身強力壯的人呢？」

「他走起路來雖是跛足，但是在別的方面卻是一個強健有力的漢子。華生，你是有醫藥經驗的，你當知道一隻脚不行，往往可以從其他的地方得到補償。」「請你把這件事繼續講下去。」

「聖克萊太太見了窗檻上的血跡，很是驚恐。警察們預備了馬車護送她回家，因爲她在那裡，對查察上沒有幫助的。警探巴登是主辦勘查這案件的人，他已前前後後詳細查察過了，卻沒有一點突破。他當時沒立刻把休彭逮捕，實在是一大錯誤。但是這錯誤現在已彌補了，因爲他已被捉到警局裡去了。不過還沒有什麼證據可以定他的罪。他的右邊衣袖上有些血跡，這是確實的，但是他指出他右手第四指的指甲被刮破，表明血是從這裡來的。還有一點，他說他曾在窗口站過，和手指受傷的時候差不多，故而顯而易見那窗口的血跡也是同一來源的。他不承認看見聖克萊先生和發現衣服在他的房間裡。照聖克萊太太的話，她的確看見她丈夫在窗口。他說這是她發癲或是做夢。休彭此刻押在警署裡，警察們仍在查辦這件事，將來定有水落石出的希望。他們先在泥岸上搜尋，等潮水退了，又到河中去尋找，找到萊維爾・聖克萊的外衣，卻沒找到萊維爾・聖克萊，那衣服給潮水捲住了。你想他們在衣袋中尋到些什麼？」「我猜不出。」

「我知道你猜不著的。兩隻袋裡裝滿了便士和半便士——四百二十一個便士，和二百七十個半便士。難怪不會被潮水沖去。但是人體又是另一回事。碼頭和旅館房屋之間，有一可怕的漩流。看來袋裡的東西，恰正抵住了潮水的流沖。」

「但是我知道別的衣服在房間裡，難道他身上只穿一件外衣嗎？」

「不是，先生，這件事有其他可能。我們假定休彭把萊維爾・聖克萊推出窗去，但沒有人親眼看見，那麼，他又將怎樣呢？那時他勢必想到剝下的衣服，便把外衣丟在河裡。他怕衣服浮而不沈，就想把有重量的東西放在袋裡，使衣服沈下河底去。但是忽然聽見扶梯上的脚步聲，他知道聖克萊太太想上樓，但已被拉斯格擋住。但一時間非常緊急，他立刻奔到密室裡，拿了銅錢，就用銅錢放在袋裡，把衣服沈下河去。他把外衣沉了，正想把其餘的也一起沉去，但已聽見下面的脚步聲，他剛關好窗，警察就來了。」「這的確是可能的。」

「是啊，我們姑且如此假設，我已告訴你，休彭已捉到警署裡去，但還不能定罪。大家知道他是以求乞爲業的，生活好像很淸白。現在這件案子中所要解決的問題就是，萊維爾·聖克萊在煙窟裡做些什麼？在那裡他遭遇些什麼？現在他在那裡？他的失蹤和休彭有無關係？這幾個問題都是立刻要解決的。我以前所探過的案件，沒有一件像這案件，起初簡單後來卻越覺複雜困難的。」

當歇洛克·福爾摩斯講這奇異案件的時候，我們的車子已過外城，高大的房屋，愈退愈後，我們漸進了村莊。在他剛講完的時候，車已行過兩村，微微的燈光從窗裡射出來。

我的同伴道：「我們是在李村的外圍了。我們雖行短距離的路，卻穿過了三個郡，從密特爾·撒克司出發，經過薩里的一角，最後到了肯特郡。看見那邊樹林裡的燈光嗎？那就是松柏居，燈旁坐著一個婦女，恐怕她敏銳的耳朵已經聽見我們馬蹄噠噠的聲音了。」

我問道：「那麼，你爲什麼不在貝克街辦事呢？」

「因爲有許多事要在這裡調查。聖克萊太太很和氣的，讓出兩間房間，給我休息，你也可以休息，她見了你必也會熱忱的歡迎你。，我在得到她丈夫的消息以前，不想去見她，我們到了。」

我們到了一幢大別墅的前面。有一個馬夫

奔出來，立在馬前，我跟了福爾摩斯跳下車來，走上通入別墅的小通道。等我們走近的時候，門開了，門口站著一個年輕美麗的婦女。穿著輕紗的衣裳，頸間和腕上，裹著透明蓬鬆的薄紗。她背著燈光，一手放在門上，一手半舉著，她的身體微微往前彎，充滿著懇切的眼神，嘴唇微張，似乎有什話要說。

她說道：「好嗎？怎麼樣？」她見我們兩個人來了，似覺快樂起來，但見我的同伴搖了搖頭，聳了聳肩，她又滿面憂容，希望的神色立刻不見了。問道：「沒有好消息嗎？」福爾摩斯道：「沒有。」「沒有壞消息嗎？」「也沒有。」「感謝上帝。請進來，你今天奔波了一天，一定很疲倦了。」福爾摩斯向她介紹道：「他是我的朋友，華生醫生。他在我許多探案中有極大的幫助。今天有一個很巧的機會，他和我同來，助我考查這一件案件。」她和我很熱忱地握手道：「我很高興見到你。我想你會諒解，我因爲遭遇了這不測的事，所以招待不週。」我說道：「親愛的夫人，我和他是老朋友，不必這樣客氣。倘有什麼事，不論你的或我朋友的，我都很願意幫忙。」

我們走進燈光明亮的餐室，桌上已端上了餐點，她說道：「歇洛克・福爾摩斯先生，現在我想問你一二個平常的問題，請你也明白的回答我。」他道：「當然，夫人。」「你不必擔心我的感受怎樣。我不會歇斯底里，也不會昏倒的。我只願聽你眞確的意見。」他道：「指那方面呢？」「你認爲萊維爾還活著嗎？」

我看歇洛克・福爾摩斯似被問題難住了。她站在地氈上，眼睛望著他，他退後向搖椅裡坐下。她重說道：「老實說吧！」他道：「老實說，那麼，夫人，我不……」「你想他是死了？」「我是這樣想。」「被殺嗎？」「我不敢這麼說，或許如此。」「他那一天死的呢？」「禮拜一。」「那麼，福爾摩斯先生，這事值得研究了。今天我還接到他的信，這是怎麼一回事呢？」

歇洛克・福爾摩斯好似給電擊般，從椅子上跳起來，驚喊道：「什麼！」

「是啊，今天。」她站著發笑，手裡拿著一張紙。他道：「我可以看嗎？」「當然。」

他從她手裡接過來，放在桌上鋪平，把燈移近些，細細地看著。我離了我的椅子，從他肩頭看過去，眼光注視在紙上。見那信封很粗劣，郵票上是格來山的郵戳，日子是今天，或說是前一天，因爲時間已過半夜了。

福爾摩斯喃喃道：「夫人，這信封上字跡粗野，一定不是你丈夫的筆跡。」「當然不是，裡邊的卻是。」「我想寫信封的人，是問了別人，方才知道這裡的地址。」「你怎麼知道的呢？」「你看這姓名是黑色墨水寫的。其餘地址的墨水是灰色的，顯見是用吸水紙吸過的。倘使姓名和地址一起寫，一起吸，那麼，墨水的顏色是一樣的。這人寫了姓名，在寫地址之前，卻遲疑了一下，顯而易見是他不熟悉的緣故。當然，這是瑣碎的事，但是細微的事，有時卻是重要的關鍵。現在我們先看那信。哈！這裡還有附寄的東西！」「是啊，這是一個戒指。他的印戒。」「你能確定這是你丈夫的筆跡嗎？」「他的筆跡的一種。」「一種？」「他若寫得匆忙些兒，便和平常的筆跡不同，我卻還能認得。」

福爾摩斯唸那信道：『親愛的，不要驚駭，萬事都平安。但有一極大的錯誤，須稍費時間彌補。忍耐地等著——萊維爾』這是用鉛筆寫的，寫在一張八開的小書襯紙上，並沒有紋印。咦！今天從格來山寄的，寄信的人，大拇指很髒的。嘿！信封貼合的地方被一個嚼煙葉的人吮過。你的確沒有疑惑，這是你丈夫的筆跡嗎？」她道：「沒錯。萊維爾是寫這類口氣的信的。」他道：「他們今天在格來山付郵的。好了，聖克萊太太，雲破天開了，但是我還不敢說危險期已經過去了。」「福爾摩斯先生，但是他一定還活著的。」「若這不是狡猾的僞造手筆，目的要使我們走入歧途，你的話當然近情理。至於那戒指實沒有辦法證明什麼。這或者從他手指上拿下的。」「不，不，這是，……這是他自己眞正的手跡！」他道：「很好。但是也有可能禮拜一寫好，到今天才寄。」「這是可能的。」「倘使是這樣，這幾天裡恐另有事變。」「啊，福爾摩斯先生，你不要使我寒心。

我知道他會安然無事的。我和他心靈相通，倘使有惡魔到他身上，我一定會知道的。禮拜一那天，他在臥室裡割破了手指，我心裡便覺得奇怪，立刻奔上樓去，果然就有這個小小的意外。你想我對於這小事尙且有感應，難道對於死亡的大事卻反痲木了嗎？」福爾摩斯道：「我是見多識廣了，知道婦女的感應，比推理家的推論更有價値。在這封信上，你有很強的證據足以證實你的想法。但是若你的丈夫還活著，能夠寫信，爲什麼又離開你，不回來呢？」「我不知道，我想不出來。」「禮拜一他離開你的時候，沒有什麼話嗎？」「沒有什麼話。」「你見他在上桑丹路，你可覺得奇怪？」「非常奇怪。」「窗是開著的？」「是啊。」「那麼，他一定喊你了。」「他大概有喊。」「據我所知，他不過不淸楚地大喊一聲。」「是啊。」「向你求救，是嗎？」「是呀。他還揮他的手。」「但是這也可能是驚訝的喊聲。他驟然瞧見了你，便用手招你。」「這是可能的。」「你想他是被人拖到後面去的嗎？」「他是在窗口突然不見的。」「或者他是跳向後面去的。你不見別的人在那房間裡嗎？」「沒有，但休彭這可怕的人承認在那裡，拉斯格是在扶梯下。」「是的。照你所見，你丈夫身上所穿的，就是他本來的衣服嗎？」「但是沒有硬領和領帶。我清楚地看見他露出頭頸。」「他曾說過上桑丹路嗎？」「從不曾說過。」「他曾給過你抽鴉片煙的東西看嗎？」「從來沒有。」「謝謝你，聖克萊太太。這幾點都是我要明白的幾處重要地方。我們要吃些東西，然後睡覺了。因爲明天我們還有一天的奔波忙碌呢。」

我們下榻的地方，是一間極寬敞又很舒適的雙人臥室。我輾轉不寐，因爲我經過了這紛亂的黃昏。歇洛克·福爾摩斯這個人，腦海裡有了不能解決的問題，往往幾天幾星期不想休息的。他總是重複推想案情，然後與事實印證。又從各方面思考，直到他尋著了些線索，或相信他所見的事實是理由充足的，那才約略休息一下。現在我見他預備整夜默坐了。他脫了外衣和背心，穿上一件很大的藍色長袍，把床上枕頭，沙發上和扶手椅上的坐墊整理了一下。他在房裡踱了一會，把墊褥和枕頭，疊成東方式沙發的形狀，盤膝坐在上面，身前放了一盎斯的板煙，和一匣火柴。我從暗淡的燈光裡，見他默默地坐著，一根煙斗啣在唇間，他的眼睛注視著天花板上的一角，縷縷的青煙從煙斗中出來。我細看他燈火照著的面孔，覺得有一種莊嚴的態度，令人不可侵犯。他這樣靜默地坐著，我卻漸漸睡著了。不久，忽有呼聲，傳入我耳裡，使我驚醒，定神一看，只見夏天的陽光已照亮全室了。那煙斗仍在他的唇間，輕煙繚繞而上，房間裡充滿了濃厚的煙味。原來前夜他預備的板煙都已抽完了。

他問道：「醒了嗎，華生？」我道：「醒了。」「出去乘一下車子吧。」「好。」「那麼，快著衣裳。此刻什麼人都沒醒，但我知道馬夫睡的地方，我們可把車弄出來。」他說話的時候，咯咯而笑，他的眼睛也閃閃有光，這種樣子，和他昨夜沈默的推理家已判若兩人。

我著衣裳的時候，看我的錶，才四點二十五分，知道那時還早，誰也不會起身的。一會兒，福爾摩斯進來說：「馬夫已把馬鞍裝好，我卻還沒有裝束完畢呢。」

他一邊穿靴子，一邊說道：「我想試驗我自己的一個小定例。華生，你是站在歐洲惟一的笨漢面前。我應當受人一踢，踢到查林格洛斯去。但是我想現在幸虧我找到全案的關鍵了。」我笑道：「在那裡呢？」他回答道：「在浴室裡。」他見我滿面狐疑，繼續道：「啊，是啊，我不是說笑話。我剛到浴室去，已拿了出來，放在這一隻袋裡了。來，來，朋友，我們試試看這關鍵對不對。」

我們極安靜地走下樓梯去，走到那燦爛的陽光下。我們的馬車已在路上，馬夫控轡等著。我們倆就跳上了車，向倫敦路走去。路上偶爾有幾輛車載著蔬菜，但是兩邊的村莊卻還寂靜無聲，沒有一絲生氣，正像夢中的城市一般。

福爾摩斯把馬鞭打一下，那馬放開四蹄，努力地前奔。他說道：「這是案件中的幾個主要點。我覺得我像鼢鼠般的盲目，但是幸而後來已能明瞭，總比永遠不明瞭的好些。」

在城市裡，我們行過薩里附近的街道時，見那些早起的人，睡眼朦朧地在窗口遠望。馬車馳過滑鐵盧橋，衝上威靈頓街，然後向右轉，來到弓街。歇洛克·福爾摩斯是警署中的人所認識的。我們在警署門前下車，門口的兩個警察向他行禮，一個來控轡，一個就引導我們進去。

福爾摩斯問道：「今天是誰值班？」「先生，是稽查員勃拉斯特理。」福爾摩斯呼道：「啊，勃拉斯特理，你好？」這時有一個碩大的稽查員，戴一頂尖頂便帽，正向石子路上走來。福爾摩斯又道：「勃拉斯特理，我要和你談一下話。」「好，福爾摩斯先生，請到我辦公室裡去。」

一間小小的辦公室，桌上放著一本極大極厚的書，牆上裝著一具電話，那稽查坐在他寫字檯旁邊。問道：「福爾摩斯先生，我能夠做些什麼呀？」「我要見乞丐休彭——他現在因爲李村萊維爾·聖克萊先生失蹤一案，正被拘禁著。」「是啊。他是被關在這裡，預備再審。」「你把他拘在這裡嗎？」「在監牢裡。」「他可安靜呢？」「啊，倒並不吵鬧，但是實在是太髒了。」「汚穢不堪嗎？」「是啊，我們只能把他的手洗滌一下。他的面孔黑得像鍋底一般。大審定罪以後，照例犯人要洗一次澡，我想，倘使你見了他，也要說他必須洗澡了。」

福爾摩斯道：「我很想見他。」「你要見他嗎？那很容易。請到這裡來，你手裡的袋子放在這裡吧。」「我想拿去。」

「好。請你往這裡來。」他引導我們到一條通路上，開了上閂的門，走下樓梯，到了刷著白粉的迴廊裡，兩邊都是矮門，他又說道：「右邊第三號，這裡就是了！」他把門上的洞門推開，向裡邊探著。「他正在睡覺，你可以看得很清楚。」

我們倆都向裡面窺探。見那犯人的面孔正對我們，昏沈沈地睡著，呼吸的聲音很大。他是一個中等身材的人，右頰上有一大疤，自額到右頰。上唇被瘢痕所牽住，像乾橘皮一般的仰翻著，以致露出三個牙齒。頭髮帶些紅色，蓋住他的額角，因積垢太多，成了醬色，面孔也是這樣的顏色。他身上的衣服片片破碎，裡邊著了雜色的襯衣，的確像稽查所說的，污穢不堪。

那稽查員說道：「他不是一個很美觀的人吧？」

福爾摩斯說道：「他當然要洗一洗。我帶了洗滌的東西來了。」他一邊說，一邊打開他的袋子，拿出一樣東西，我見了嚇一跳，是一塊極大的洗澡海綿。

那稽查哈哈大笑道：「哈！哈！你未免太滑稽了。」

他一邊說一邊打開他的袋子

「倘使你願意把門打開，我們立刻可以將他改頭換面，另成一種樣兒。」

稽查員道：「好啊，我不妨遵命。」他說時拿出一串鑰匙來。又道：「我看他不像是弓街監牢中的主顧，你想對嗎？」他說著把鑰匙插進鎖孔，旋開了門，我們便躡足而進。那睡著的犯人，翻了一個身，又鼾聲大作。福爾摩斯俯身到水瓶那裡，把海綿打濕，在犯人的面孔上重重地自上至下擦了兩次。

他忽大喊道：「讓我來向你們介紹。這是肯特郡李村松柏居的萊維爾．聖克萊先生！」

我生平從沒有見過這樣的奇事。那人的面孔，經海棉一擦，好像樹上剝下了樹皮一般，醬色都不見了！大瘢也不見了！做出冷笑樣子的嘴唇也不翻了！福爾摩斯又把他的紅頭髮拔掉，讓他坐在榻上，結果成了一個慘白愁容的人了。他頭上有光澤的黑髮，平滑的皮膚，都和先前完全兩樣。他揩揩他的眼睛，睡眼朦朧地對我的朋友看著。忽然，他打了一寒噤，喊了一聲，便把他的面孔伏倒在枕頭上面。

稽查員喊道：「天啊！這當眞就是那失蹤的人了，我曾經見過他的照片的。」

那犯人轉身過來，說道：「是啊，那你又能控告我什麼罪呢？」

稽查員大笑道：「因爲你藏匿了萊維爾．聖克萊先生——哦，除非他們要以自殺未遂來處理你，否則你是沒有罪的。唉，我在警署裡服務了二十七年，這種事卻少見。」

「倘使我是萊維爾．聖克萊先生，那麼，你們把我關在這裡，就是違法了。」

福爾摩斯道：「你沒有犯罪，但是有一項極大的錯誤。你應該信任你的妻子，實不該瞞著她，驚嚇她。」

那犯人呻吟道：「不關我的妻子，而是爲

了孩子。上帝救我，使他們不致爲了父親受莫大的恥辱。我的天啊！事情已被揭發了！我應該怎麼辦？」

歇洛克・福爾摩斯靠近去坐在他的榻上，輕輕地向他肩上拍了一下，說道：「倘使把這案子交法庭來辦，你是難逃公論，大損名譽的。但是，如果你能讓警署覺得事情沒有嚴重到需要控告你，那麼，這件事就不會公諸於世。我能擔保勃拉斯特理先生把你的話記下來後，只須報告上司，這案件就不必交法庭辦理了。」

那犯人很誠懇地說道：「上帝保佑你們。我寧可被關，或被處決，也不願宣布這窮困的祕密，讓我的孩子們受人譏笑。你們是初次聽我講家世的人，我的父親是吉司非爾特地方的校長，我在那裡受過良好的教育，我年輕時喜愛外出遊歷，曾當過演員，後來又做倫敦一家晚報的記者。一天，報館的主筆希望有一些關於都會中乞丐的報導，我就自薦擔任。於是我的冒險事業開始了。我想若要得到乞丐的確實生活情形，非得親身做一次乞丐不可，我當演員的時候，化裝的本領很好，原是小有名氣的，現在我利用這項本領，把顏色塗在臉上，裝成令人憐憫的樣子。我在臉上黏上一個假的疤痕，把一邊的嘴唇翻起，貼上些肉色的硬骨，頭上帶了紅色的假髮，穿上合適的衣服，找城市中的熱鬧地方做我的駐紮地點，表面上是一個賣火柴的人，其實是一個乞丐。我做這件事，只花七小時的工夫，晚上回到家裡，我很驚訝，因爲所得的錢竟有二十多個先令，我就寫了一篇報導，描述乞丐生活的情形，之後也沒再去管這件事情。直到有一天我的朋友負債，我是保人，債權人要我賠償二十五鎊，我因沒那麼多錢，才轉了這個念頭。我向債權人懇求緩期，又向經理請了假，化裝成乞丐，在城裡行乞，十天之內，我有錢了，就還淸了債。你們試想，我天天執筆，搜索枯腸，一禮拜只到手兩鎊，現在我坐在地上，面孔上塗些東西，把帽子放在地上，所得的卻比平時多好幾倍。名譽和金錢，在我腦海裡大大地爭鬥了一番，然而金錢到底占了上風。我因此放棄記者的生活，天天坐在我選定的牆角裡求人發慈悲，讓我的帽子裝滿錢。只有一個人知道我的祕密，他是煙窟的主人，我常常住在上桑丹路的，我每天早晨從那裡出來，裝成汚穢的乞丐，到了夜裡，就恢復原狀，換了好衣服出城去。我付給拉斯格高額的房租，所以他不會洩漏我的祕密。不久，我已積了一筆巨款。我不是說，倫敦的乞丐個個每年都能夠掙到七百鎊——比我所得的平均數還少些——那是因爲我有特別的本領，十分讓人憐憫，嘴巴又甜，和我講話，我沒有不能回答的，城裡的人，都知道我品行很好。天天有大批的便士和一些的金鎊積在我的帽子裡，那天若只有兩鎊到手，那我便覺得這一天未免太苦了。我漸漸有錢了，我的慾望也變大了；我在鄉村裡買了一間房子，娶了妻子，但是我眞正的職業誰也不知道。我親愛的妻子只知道我在城裡有職業，她完全不知實情，上禮拜一白天我做完了事，在煙窟的樓上換好了衣服，正向窗外望著，忽讓我大吃一驚。我看見我的妻子站在街上，她呆呆地看著我。我驚異地喊了一聲，以兩臂掩住我的臉，我奔到我的心腹朋友拉斯格那裡，教他阻止任何人上來。我聽到她在樓下的聲音，知道她一時不能上來。我立刻把我身上的衣服脫下，著上乞丐的裝束，又把顏色塗上，假髮戴上。我妻子的眼睛是很尖銳的，但也看不出我的僞裝。我想這房間一定會被搜查，這些衣服會露出破綻。因此我把窗子打開，因用力太猛，早晨刀傷的創口又破裂了。我拿了我的外衣，外衣袋裡放著剛從帽子裡倒出來的便士。我把外衣從窗裡丟出去，沈在泰晤士河中。其餘的衣服，我也想繼續的丟入河中，這時忽然有幾個警察奔上樓來，幾分鐘後，我已被他們捉住了，說我是殺死萊維爾·聖克萊先生的兇手。我不知道還有什麼要我說明的，我知道我妻子擔心得很，我把戒指脫下，趁警察不在的時候，草草地寫了一封信，一起交給拉斯格，教他寄給我的妻子，教她不要恐慌。」

福爾摩斯道：「這張字條昨天才到。」「天啊！她已經盼了一星期了。」

稽查員勃拉斯特理說道：「警察看守著拉斯格，他很難把信寄出去，大概他轉交他的某個水手顧客代寄的，不料那人忘了幾天才寄出。」福爾摩斯點頭道：「說得有理，我也覺得如此。但是可曾有什麼人來，干涉過你的行乞嗎？」「好幾次了，但是罰幾個錢，於我有什麼影響呢？」

勃拉斯特理說道：「但現在應該停止了，以後不許再有休彭的蹤跡出現在倫敦市中。」「我願發誓。以後決不再幹了。」「此案我想不必再追究了，倘再追究，不免要眞相畢露了。福爾摩斯先生，我們很感激你探明了這案。我很想知道你怎樣得到如此正確的結果。」

我的朋友說道：「我能得到這結果，是靠著靜坐五個鐘頭和抽一盎斯的煙絲。華生，我想，現在乘車回貝克街，恰是用早餐的時候。」

藍色寶石（原名 Blue Carbuncle）

耶誕節後的第二天，我到我的朋友福爾摩斯家裡去拜賀佳節。他斜臥在沙發上，穿著紫色的睡衣，長垂及地，身邊堆著幾張晨報，很凌亂，恰似剛才讀過，榻旁有一木椅，椅子背上掛著一頂破舊的硬胎呢帽，帽上有好幾處裂縫，幾乎不能再戴了，椅墊上還放著顯微鏡和夾箝，照此看來，大概他又在那裡察驗這頂破帽了。我道：「你正忙呢，我來打擾你了。」

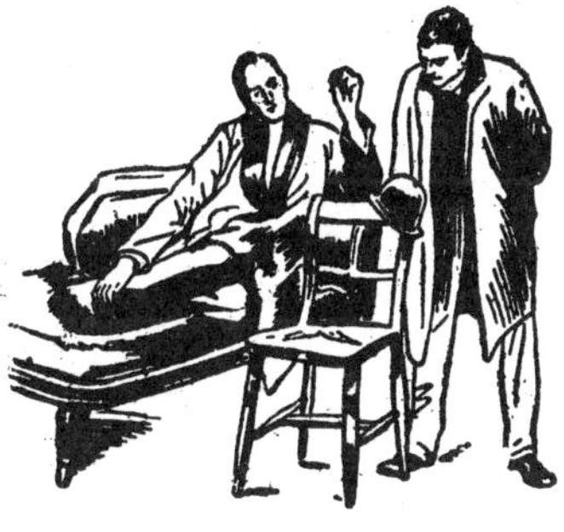

椅背上掛著一頂破舊的呢帽

他道：「沒事，我正想要有個朋友來和我一同商量，這事很瑣碎。」說時他翹起他的拇指，指著那頂破帽，又道：「但也有幾處並不是沒有興味，很吸引人的呢。」

我在椅子上坐下，又在火爐邊伸手取暖。因爲那時天氣很冷，寒風敲窗，窗上水氣都凝結成冰柱。我說道：「這件東西或許和什麼命案相關，引導你找出祕密，讓犯人無所遁逃，可不是嗎？」福爾摩斯笑道：「不，不，無關犯罪。你想，這兒聚集四百萬的人民，熙熙攘攘，在這個很小的地方爭逐，人事複雜，自然難免有離奇的事情發生，但並不一定是犯罪的。我們先前已有過這種經驗了。」我道：「這也對，我已記錄過你前次探獲的六件案子，其中三案無關犯罪。」他道：「的確，你說的是指愛琳·亞德勒的信和照片的事、梅麗小姐的事情，還有倫敦之丐的那一回事嗎？我相信這件小事，和他們一樣是沒有罪的。你知道代理商彼得生嗎？」我道：「知道的。」他道：「這東西便是他帶來的。」我道：「這帽是他戴的嗎？」他道：「不是，不是，這是他拾到的，那帽子的主人不知道是誰。但請你不要當是一頂破帽看，它是很能啓發人智的。我先告訴你這帽子從何處來。它是在聖誕節的早晨，與一隻很好的肥鵝一同送來，不過此時那鵝早已烤好在彼得生的火爐前了。聖誕節凌晨四點鐘時，天色未明，彼得生——你知道他是一個誠實的人——從俱樂部回家，走過托特納姆街，在煤氣燈光中，瞧見有一個很高的男子，一步一步慢慢地走在他的前面，肩上還背著一隻白鵝，將近古奇路時，忽然有幾個惡徒奔過來，最後一個人舉拳向那人猛擊，將他頭上的帽子打落，一齊把他圍住。那人急了，忙舉起他的手杖來自衛，向上一陣亂打，竟把那路旁店家的玻璃窗打得粉碎。彼得生見了，奔過去想要幫助那人抗敵。不料那人因爲敲碎了窗，心中已有些恐懼，又見他穿著制服跑來，好像是警察，所以將鵝拋了，舉脚便奔，逃到托特納姆街後面的小路上去，轉瞬便不知去向。那些惡徒見彼得生前來，也就逃去，只留他一人在街上，還有一頂破帽子和一隻聖誕節的鵝，算是彼得生戰勝後的戰利品了。」

我道：「他應該物歸原主的啊。」他道：「我親愛的朋友，問題就在這裡。因爲在鵝的脚上，綁著一塊小紙牌，寫上『亨利·貝克太太收』，而且帽子上有也 H.B.兩個縮寫字樣，可是在我們倫敦城裡，不知有幾千家姓貝克的人，而且姓貝克的人裡頭，名叫亨利的也有好幾百人。所以若要物歸原主，確是不容易的。」我道：「那麼，彼得生怎麼辦呢？」「在聖誕節的上午，他便帶了帽子和那隻鵝到我這裡來。因他知道我對於很小的問題也喜歡研究。那隻鵝本留在我處，雖然今天早上天氣很冷，但也不宜再擱置，最好還是把牠吃了，所以彼得生就把牠帶走了。但這帽子仍留在我這裡細察，看看怎樣能還給那失主。最可笑的，那個不知姓名的男子，卻已失去了聖誕節的一頓佳餚哩。」「他可曾登過失物廣告嗎？」「不曾。」「那麼，你又如何找到他的下落呢？」「不過盡力細察罷了。」「從他的帽子上細察嗎？」「正是。」我道：「恐怕你在那裡說笑話了，像這樣一頂破舊的呢帽，你能得到什麼呢？」「靠我的顯微鏡、我的老技術，你該知道的。請你試試看，可看出一二呢？」

　　我將帽子取到手裡，翻覆細看。見那帽子是普通形式的，硬胎圓頂，已經很舊了，紅綢的夾裡，也已褪色，並沒有製造者的標記。只有福爾摩斯找到的縮寫的H.B.二字，寫在一邊。帽邊有小孔穿透，但鬆緊帶已經掉了，呢面又有幾處斑點，十分破舊，並且曾用墨水去塗抹過褪色的地方。

　　我把帽子還給他道：「我看不出什麼來。」他道：「華生，你是看見的，但你沒有深想，並且你又不敢從你的觀察上加以推論。」「那麼，請你將你所得的告訴我。」

　　他拿起那頂帽子，很敏銳地一看，這種偵察的態度是他的特性。他說道：「雖然有幾處無關重要，但有幾點卻是明確而有力的。我知道那人很聰敏，並且在過去三年生活富裕，只是現在貧窮了。他本很有遠見，可惜近年來命途多舛，志氣頹唐，因此精神衰弱日趨頹喪。還染上不良的嗜好，可能酗酒，也由此可知，他太太已不愛他了。」我笑道：「我親愛的福爾摩斯，好了。」他仍不顧，接著說道：「但他還保持一定程度的自尊。他常閉門不出，絕少和人交往，過著寂寞的生活。他是中年人，頭髮已花白，前幾天方才修剪，並塗過檸檬膏。這些明確的事實都從那帽子上看出來的。順便一提，他家裡是不燃煤氣燈的。」

我道：「福爾摩斯，你眞滑稽極了。」他道：「並不滑稽，現在我把你尋不出的事情都告訴了你，難道還不相信嗎?」「我相信我是呆笨的，而且搞不清你在說什麼。例如，你怎樣看出那人很聰明呢?」

福爾摩斯把那帽子戴在他自己的頭上，竟掩蓋了他的額角，直到他的鼻上。他才答道：「有這麼大腦袋的人，腦中豈會沒有什麼?所以我斷定他是個智者。」我道：「那麼，你怎能知道他的命運不佳呢?」「這是三年前的舊式帽子，帽邊微向裡捲，並且有絲帶和精美的夾裡，本來是一種很好的帽子。試想那人三年前既有錢買這種昂貴的帽子，現在卻沒有別的新帽，便可知道那人的景況大不如前了。」「哦!你說的果然不錯。但是你說他行事有先見，後來卻志氣頹喪，是從何證明呢?」

福爾摩斯笑了一笑，以手指指著帽上那個扣鬆緊帶的小圓孔，然後答道：「這可以見得他的行事有先謀。這個東西帽上本沒有，倘使是那人自己做上去的，一定是他爲了預防風吹的緣故。但現在那鬆緊帶既已斷去，他卻不補好，顯然那人現在已不如從前，日漸頹喪了。另一方面看來，他又用墨水塗飾他帽上的斑點，可知他還保存著要體面的心呢。」我道：「你說的理由，仍是似是而非。」

福爾摩斯道：「還有我說他是中年人，有灰白色的頭髮，新近修剪，和用過檸檬膏等等，都是從他的帽子裡面察驗出來的。我用放大鏡照見不少的髮末，是被理髮師修剪下，且都是灰白色的，而帽裡面又有檸檬膏的氣味，這不都是明證嗎？你又可看見帽上的灰塵，並不是街上的灰色塵垢，是一種屋裡面褐色的灰塵，顯見這帽子是常常掛在室中不用。至於帽子裡面很潮濕，可見那人汗出得很多，這是由於不大鍛鍊身體和少運動的緣故。」

我道：「但是他的妻子，——你說她不愛她的丈夫，這又怎樣解說？」「這帽子已有幾星期不曾拂拭過了。華生，假使我看見你的帽子裡積上一星期的灰塵，你的妻子卻任你這樣走出來，那我也要以爲你已失去了妻子的愛情了。」我道：「他或許是一個沒有妻子的人。」「不對，他是帶了那鵝回家送給他的妻子的。你不記得鵝脚上縛著的紙牌嗎？」「好，每一樣你都已回答出來了。但是他家裡不用煤氣燈，你又怎樣察見的？」他道：「他帽上的燭油若是只有一兩點，或許可說是偶然滴到的；但多至五點，所以我想他家裡常點蠟燭，燭油便容易滴在帽子。無論如何，用煤氣燈的人家，決不會滴到這樣多的燭油的。我的話能使你滿意嗎？」

我不覺笑道：「你的心思果然很靈巧。但你既然說過這事是沒有犯罪的嫌疑，那人除了丟掉一鵝，也沒有什麼損失，那麼，你所用的一切腦力和光陰，不是白費了嗎？」

福爾摩斯正想回答，忽然房門開了，見彼得生急忙忙地跑進房裡，臉上露出一種驚奇的樣子。喘息著說道：「這鵝，福爾摩斯先，這隻鵝，先生！」

福爾摩斯從沙發上回轉他的身軀，瞧著這人驚異的表情，說道：「咦！怎麼回事呢？可是那鵝活了過來，從你廚房的窗裡飛了出去呢？」彼得生道：「先生，你看這個，你看我妻子在鵝的嗉囊裡尋到什麼東西？」他說時，展開手掌，只見他掌中有一顆晶瑩光潤的藍色寶石，比黃豆略略小些，但是光輝奪目，照映一室。

福爾摩斯不禁跳起身道：「彼得生，這是意外得來的財寶，你知道是什麼寶物嗎？」「先生，這是鑽石，很名貴的寶石。若用它割劃玻璃，和銛刀一樣鋒利。」福爾摩斯呼道：「這不是尋常的寶石，這是價值連城，人間難得的寶物。」我也不覺失聲喊道：「這不是馬卡伯爵夫人所有的藍寶石嗎？」福爾摩斯應道：「是的，是的，最近幾天我時常讀到泰晤士報上的啓事。故知道這東西的大小和形式。這是獨一無二的寶物。它的價值我們也可約略估計，因爲一千鎊的獎賞，還不及這東西市價的二十分之一呢！」

彼得生聽見這話，不由心中大喜，撲通倒在椅子中，看著我們說道：「一千鎊嗎！慈悲的上帝！」

「那不過是賞金罷了。依我推測，伯爵夫人因爲某種原因，只要能找到寶石，即使送上她一半的財產給人都願意。」

我道：「若我記得沒錯，這寶石是在滙衆

旅館遺失的。」

福爾摩斯也道：「是的，是在十二月二十二號，不過五天前。大家都說是被一個修煤氣管的約翰・哈南所偷去的。那人因證據確鑿，已被警察捉去。我這裡曾有這則記載的。」他就從報紙堆中檢出，看了一看日期，摺在手中，把下文讀出來道：

「匯衆旅館的寶石竊案。約翰・哈南年廿六歲，是一個修煤氣管匠，本月廿二日，因有行竊馬卡夫人寶石的嫌疑，被警察所捕。旅館侍者詹姆斯・萊特做證，他那天曾帶哈南到馬卡夫人的寢室裡去修理火爐上的鐵柵。他和哈南在寢室中不一會兒，他忽然被人家喚出，等到回去時，見哈南已不在室中，橱門已被撬開，還有一個摩洛哥的小皮匣拋在梳粧臺上。後來據馬卡夫人說，這匣子是她用來藏放寶石的，但已空了。當時萊特立刻到警署報案。當天晚上便把哈南捕獲，然而那寶石並不在他身上，也不在夫人的寢室裡。庭訊時，夫人的女僕凱薩琳・柯薩克聲稱她也曾聽見萊特驚喊的聲音。所以急奔入室，她看見的情狀和萊特說的相同。B區的警察白萊司屈里特也說，他去拘捕哈南的時候，哈南抵抗甚力，更有人說，他以前也曾犯過竊案，所以法官因見證據明確，不再詳問，就判定哈南下獄。但哈南在審訊時，顯出十分悲痛的樣子，後來竟不支暈倒，被擡出法庭。」

福爾摩斯讀罷，把報紙拋開一邊，沉思著說道：「警署中所得的證據就這麼多了。現在我們的先決問題就是要明白這摩洛哥皮匣裡的寶石，怎麼會到托特納姆街上的鵝腹中去？華生，你現在當知道，我們的小小偵察，忽然和許多事大有關係，並不是無謂的舉動了。這裡有一顆寶石，是從鵝腹中取得的，那鵝又是從亨利·貝克格先生處來的。那人和這破帽子我也已研究過並告訴你了。所以現在我們要趕緊找到那人，就可以探知這事的祕密。這一點我們只好先在各報試登廣告，倘若無效，那就得另想別法了。」我道：「你在廣告上怎麼說呢？」

「請你給我一枝鉛筆和一張紙。」

他一邊寫，一邊念道：「現在我這樣寫：『有人在古奇路旁，拾到白鵝和黑呢帽各一。亨利·貝克先生若要拿回原物，請在今天晚上六點半鐘到貝克街B座二百二十一號來領取。』這樣，不是又清楚又簡短嗎？」我道：「很好。但不知道那人會看見嗎？」「在貧窮的人看來，這也算是重大的損失了。他一定會留心看報的。當時他明明是無意中擊碎了道旁的窗子，當彼得生走近時，他沒想什麼，只想逃走；但是後來一定會懊悔何以拋去了他的鵝。並且報上有他的名字，更容易吸引他的注意。須知人人都很關切他自己的大名的。彼得生先生，現在請你到廣告經理人那裡去，把這個廣告刊登在晚報裡。」

彼得生問道：「先生，登那一種報？」「環球報、貝爾美爾報、新聞晚報、回聲報、司登大德報，各報都可。還有別種報，你若能送到也好。」彼得生道：「很好，但這寶石怎麼辦呢？」福爾摩斯道：「這寶石我可代為保管，並要你在回來時買一隻鵝放在這裡。因為你們已把那人的鵝吃了，所以我們不得不重換一隻還給他。」

彼得生走後，福爾摩斯拿起那顆寶石，在燈光下細細把玩，他說道：「華生，你看這寶物何等光彩鮮明，的確是無價之寶。但這東西也是犯罪的淵藪，每件寶石都是魔鬼的誘餌，越大越古老的寶石，幾乎每一絲光彩中都隱藏著一樁血腥的故事。這顆寶石問世不過二十年，是在中國南方廈門的海岸上尋得的。品質和光彩包含了各種寶石之美，雖是藍色，卻有與紅寶石同等的價值。這物傳世的年數雖不久遠，可是其中已有不少犯罪史。我所知道的有兩起謀殺案、一起灑硝鏹水毀容案、一起自殺案以及許多盜案，都是爲了這四十克拉重的結晶品。誰能想到這樣美麗可愛的寶物，卻是誘人自殺和犯罪的不祥品呢？現在我要把它鎖在鐵箱裡，然後寫信通知馬卡夫人，告訴她我們已代她尋獲了。」我道：「你想哈南沒有罪嗎？」「現在我不能告訴你。」「那麼，你猜想那個亨利·貝克是不是案中的罪犯？」「我想亨利·貝克大概是不知情的。他一定不曾想到他手上的鵝所含的價值，比起與那鵝一樣大小的黃金還要寶貴呢。但是只要我們的廣吉有了回音，就不難判斷了。」「你在未見那人以前，不能做什麼事嗎？」「不能。」我道：「既然如此，我也有事要暫別了。但晚上我還要來看這件離奇的事怎樣解決。」他道：「十分歡迎。我七點鐘進晚餐，剛才買了一隻山雞。但瞧了目前所遇見的事，我也要吩咐哈德遜太太應仔細看看牠腹中有沒有寶石了。」

我聽了覺得好笑，就和福爾摩斯告別。

我因有事羈絆，回到貝克街時，已六點半。我走近時，見一個高大的人，戴著蘇格蘭帽，外衣鈕扣整齊，站在燈光下等候。等我剛走到門口，門正好打開，我們遂一同走進福爾摩斯的屋中。

福爾摩斯從椅子上站起身來，歡迎來客，向那人說道：「貝克先生，請就爐火邊坐。天氣很冷，我覺得你是不耐寒冷的。華生，你也在這時到來。貝克先生，這可是你的帽子嗎？」

「是的，先生，這是我的帽子。」

他是一個魁梧的人，圓顱方肩。外表感覺很聰明，下巴留著小髭，鼻上和兩頰都很紅潤，手臂時時顫抖，因此我想到福爾摩斯說他有特別嗜好的話，似乎沒錯。他的外衣，前面都扣上，領袖間卻沒有襯衣，細弱的腕臂，時常露出。他談話很遲慢，言語文雅，一副時運不濟的學者的模樣。

福爾摩斯道：「我們代你保存那些東西已有幾天了，我們盼望尊處登出廣告來徵求，但不知爲什麼竟沒有？」

他露出很羞慚的臉色，強笑答道：「我的近況不如以前那樣有錢。我當時被匪徒襲擊，丟了我的鵝和帽子，但我不願再耗費我的錢財，做這無希望的嘗試。」

「這是當然的事。且我們已把你的鵝吃了。」

「吃了嗎！」他說時微從椅子上仰起，帶著失望的表情。「是的，因我們若不吃去，恐怕那鵝對別人也沒用了。我現在已另外購得一隻鵝在餐櫃裡，和你的鵝一般肥重。不知可合尊意呢？」

貝克先生很快活地答道：「斷無不合意的道理，很好，很好。」「你那隻鵝的毛骨、腸胃等物，我們還留在這裡，所以。倘若你要——」

那人不禁大笑道：「那除了做我遇險的紀念外，還有什麼用呢？先生，若你允許，只要把餐櫃裡的那隻良禽送我就好了。」

福爾摩斯對我瞄了一眼，微微聳動他的兩

肩，接著說道：「那麼，你的帽子和那裡的鵝，請你取回去便是。但我要請問一句，你的鵝從那裡買的？因爲我喜歡養家禽，卻始終沒有見過生得那樣好的鵝。」

貝克早取了他新得的東西，說道：「是的，先生，我平時常到阿爾法酒店去，那地方離博物館很近，所以我和我的朋友白天常在博物館中消遣。今年我們的旅館主人溫迪蓋特發起一個鵝會，凡爲會員，每星期至少須繳納一便士，到聖誕節時，我們可各得一鵝。我照章付費，因此得到了那隻鵝。以後的事，想必你已知道了。先生，我很感謝你。我戴這頂蘇格蘭帽，既和我年齡不配，又不合我的身分，而你讓我獲益良多，非常感謝。」他說罷，對我們很敬重地深深鞠躬，然後告別出門而去。

福爾摩斯把門掩上了，對我說道：「他這麼一來，使我們明白了不少。他對於這件事情，的確一概不知。華生，你覺得餓嗎？」我道：「不餓。」「那麼，我想可以晚點用餐，且去探訪一遭。」「好的。」

這是一個很冷的夜。我們披上大衣，圍著絨巾，走出門來。但見天空無雲，星光閃爍，路上行人呵氣取暖，一陣陣像是手槍射擊時產生的煙霧。我們的脚步踩在街道上，發出清脆的聲音。我們一直走過醫生區、溫姆波兒街、哈雷街、奧司福特街等地方。一刻鐘後，找到阿爾法酒店，這是一個小酒肆，在街的一隅，可通霍爾朋。福爾摩斯同我推門進去，吩咐老闆開兩瓶啤酒來。

他說道：「你的啤酒倘能和你的鵝一般好，那定是美味極了。」老闆很覺疑訝，答道：「我的鵝嗎？」「是的，半小時前，我才和亨利‧

貝克先生說過。他是你們鵝會中的一個會員。」老闆道：「哦，我明白了，但你要知道那鵝並不是我家裡養的。」他道：「眞的嗎！那是誰家畜養的呢？」「我買的那二十四頭鵝，是從高梵特園裡買來的。」「啊，我也略知那園的情形，但是店主是誰呢？」「他叫布萊金立奇」。「唔！我不認識他。老闆，祝你佳運亨通。我們再會吧！」

我們又走到霜重氣寒的街上。福爾摩斯扣好他的大衣，又對我道：「華生，須知我們所要尋的事，猶如長繩的結一樣，一頭不過是我們所得的一隻鵝，但那一頭卻關係著一個被判七年徒刑的罪人，除非我們能夠證明他是無罪。或許，我們的探問反而證明他是竊犯也未可知。總之，我們已得到了警署中不曾覺察的線索。現在我們應依著線索搜尋，好使這案子水落石出。我們快點向南走吧。」

我們經過了霍爾朋，走下恩特爾街，曲曲折折，才到高梵特園。店門前，有布萊金立奇的名字標出，恰巧那老闆正幫著一個學徒收攤。我偷瞧那人，面容瘦削，兩頰上短鬚很多。

福爾摩斯忙上前說道：「晚安！今夜天氣很冷啊。」

那人點點頭，又對我友很疑訝地瞧了一瞧。

福爾摩斯指著那空櫃，接續說道：「我想你的鵝大概已經賣完了吧？」「請你明天來，要五百隻也有。」「不成。」那人道：「既然這樣，那邊有燈光的一家，還有幾隻鵝哩。你可以去買的。」福爾摩斯道：「但是有人推薦我到你家來買的啊。」「誰推薦你來的？」「阿爾法酒店主人。」「是的，我曾賣給他二十四隻。」「那些都是很好的鵝，不知道你是從何處得來的？」

這一個小小的問題，竟使那老闆勃然大怒，我眞不解。他昂著頭，手叉著腰，怒聲道：「你要問什麼？有話直說。」福爾摩斯道：「我直說啊。因爲我很想知道你送往阿爾法酒店裡去的鵝是誰賣給你的。」「這樣嗎？那麼，我不必告訴你。」「這也不是什麼要緊的事。我不明白你何以爲了一些小事，卻這般發怒。」「發怒嗎？倘你像我一樣是販鵝的，你自然也要發怒了。付好價，得好貨，這樣，交易便完了。但你卻要問：『鵝在什麼地方得來的？誰賣給你的？你的鵝是怎樣的？』這般絮絮煩問，恐怕世界上只有鵝來聽你這無謂的話了。」福爾摩斯道：「你不高興多說，也沒關係。總之我認爲你的鵝是在鄉間畜養的。」老闆很快地回答道：「那你卻弄錯了。這是城中生養的。」「城中沒有那樣好的鵝。」「我說有的。」「我就不信。」「你雖略懂禽類，但可會比我內行嗎？我告訴你，那些送到阿爾法去的許多鵝，都是從城裡來的。」

福爾摩斯仍堅持道：「任你怎樣說，我就不信。」那老闆道：「那麼，你可要賭個輸贏呢？」「也不過讓你損失幾個錢罷了。因爲我知道我沒錯的。我可和你賭一個沙佛令（英國金幣名），好教訓你以後凡事不可堅執己見。」那老闆呵呵笑道：「比爾，快取簿子來。」

這時有一個小孩取過一本小簿子和一本油紙面的大冊子，一齊放在高懸的燈光下面。

老闆說道：「你先看這小簿子，上面記的都是販鵝人的姓名，我就是向他們買進鵝的。名字下面，都註有號數，那帳目便記在總簿上。

現在你看這一頁用紅墨水寫的，就是我城裡戶頭的姓名錄。你看第三行，請你自己讀給我聽吧。」福爾摩斯讀道：「歐克蕭特太太，白列克斯敦街，一百十七號——第二百四十九頁。」老闆道：「對的，現在請你看那本大的總簿子。」福爾摩斯又翻到第二百四十九頁，讀道：「歐克蕭特太太，白列克斯敦街，一百十七號，家禽和蛋的供應商。」老闆道：「現在可看最近的進貨。」福爾摩斯讀道：「『十二月二十二日收鵝二十四隻，付價七先令。』」「不錯，請再看下面。」「『同日賣給阿爾法酒店主人溫迪蓋特，售價十二先令。』」老闆道：「你現在還有什麼話說？」

福爾摩斯好似很覺失望。他就從衣袋裡取出一個沙佛令，抛在櫃上，悻悻然地返身便走。但是走了幾碼路，他在路燈底下站定，嗤嗤地隱聲笑道：「遣將不如激將，我敢說若不是我和他賭勝負，就算給他一百鎊金幣，他也不肯這樣完全說出來的。華生，我想這事有些把握了。現在只要決定是今夜便去拜訪歐克蕭特太太，還是暫緩至明天再去。但急於此事的，恐怕另有其人，並且我要，……」

他的話忽然停頓了。因爲我們聽見一陣吵鬧的聲音從那店裡出來。我們回過頭看，見燈光下有一個形容瘦小的少年，還有那個老闆布萊金立奇，都站在店門前，老闆握著拳頭，大有躍躍欲擊之勢。

那老闆高聲說道：「我被你的鵝麻煩得也夠了。倘使你再來和我混纏，我要得罪了。你可教歐克蕭特太太親自前來，我自有話回答她。但和你有什麼相干呢？我可曾向你買過鵝嗎？」那少年哀求著說道：「不，但其中有一隻鵝，眞的是我的。」「你去問歐克蕭特太太好了。」「她教我來問你的。」「縱使你去請普魯士皇來，我也不管。你快給我滾蛋！」他說時很兇猛地衝上前去，那少年卻逃到黑暗裡去了。

福爾摩斯便悄悄對我說道：「哈哈！這倒讓我們省走一趟白列克斯敦路了。快和我來，看這個少年怎樣。」我友說罷，急忙從人叢中追到那少年身後，便在他肩上輕輕一拍。那人不覺直跳起來，在燈光下我見他面容失色。

他顫聲問道：「你是誰？有什麼事？」福爾摩斯很溫和地說道：「請你原諒，因爲我聽了你和那老闆的對話，不禁要來問問你。我想我能幫助你的。」他道：「你嗎？你是誰？你怎麼知道我想做什麼呢？」「我便是歇洛克‧福爾摩斯。我的職業就在能知別人所不知的事。」「但這件事你不可能知道的。」「請原諒，我卻都知道了。你不是要設法尋找一隻鵝嗎？那隻鵝被住在白列克斯敦路的歐克蕭特太太，賣給了布萊金立奇老闆，而那老闆又轉售給阿爾法酒店主人，最後卻又被鵝會會員亨利‧貝克得去了。」

少年忽把兩手伸出，手指微顫，答道：「唉！先生正是我所想見的人。我很覺爲難，請你先告訴我你所以注意我的緣故。」

歇洛克‧福爾摩斯喊住了一輛路過的四輪車，對他說道：「我們與其在這熱鬧的街市談話，不如到小室裡細說。但在走以前，請你將大名告訴我。」

這人躊躇了片刻，向旁邊看著。答著：「我叫約翰‧魯賓遜。」福爾摩斯卻道：「不是，我問你的眞姓名，別說謊。」少年聞言，白色的臉頰頓時起了一層紅暈，他道：「我的眞姓名是詹姆斯・萊特。」福爾摩斯道：「是的，滙衆旅館的侍者便是你。請你上車吧。你要知道的事，我都會告訴你的。」

少年對我們看著，有些驚恐的樣子，似不知道我們對他是禍是福。他坐上了車子，不消半小時功夫，我們早回到了貝克街寓中。在車行的時候，我們都沒有說話，但見少年呼吸甚弱，兩手時時交握，又時時放開，很跼促不安。

我們走到室中，福爾摩斯很起勁地說道：「這個火爐現在最適合你了，萊特先生，我看你的樣子似乎是很冷，請你坐在這大椅子上吧。在我們解決這件小事前，我先要換上拖鞋。現在你不是要知道那隻鵝怎樣了嗎？」「正是，先生。」「我想你注意的那隻鵝是白色的，但尾上有黑線條的，對不對？」

萊特聽了，神情不覺震驚，便道：「先生，你能告訴我這鵝到那裡去了嗎？」「在這裡。」「在這裡嗎？」「是啊，而且這隻鵝非常奇異，莫怪你要注意這事了。這鵝死後，生了一個蛋——珍貴的、光明的且是藍色的小蛋，世所罕見，我已放進了我的博物館裡去了。」

少年忽地站起身來，他的右手緊緊握住火爐架子。福爾摩斯開了鐵櫃，取出那顆藍寶石來，那寶石光照四壁，好像一顆光明燦爛的星星。萊特見了不由得呆呆地站著，似不知道是承認好，還是不承認好。

福爾摩斯很沉靜地說道：「這一齣戲演完了。萊特，你好好地站著，不然，你要跌到火爐裡去了。華生，扶他坐下來吧。他雖然偷竊，卻還沒什麼膽量呢。給他喝些白蘭地。好了，現在看他氣色稍微恢復了，這事當然已不問而知。」

停了一刻，少年站起身來，搖搖欲倒。但是因爲喝了白蘭地的緣故，頰上顏色稍好。他再度坐下，目中露出驚嚇的神情，呆瞧著福爾摩斯。

福爾摩斯又道：「這事大部分的證據已都在我手中了。但是有些證據還待搜羅，所以還有一些事情你要告訴我，好使案證完備無遺。萊特，你曾聽過馬卡夫人的藍寶石嗎？」

他咽聲道：「是凱薩琳·柯薩克告訴我的。」

「我知道了，她是夫人的女僕。你易受財物的引誘，卻不知以前早有許多比你本領更大的人犯過這種案子了。況且你的方法還不夠精細啊。你想利用那個人人知道他犯過罪的煤氣管匠哈南，嫁禍於他，因而預先串通了柯薩克，故意招請哈南前來，等他走後，你忙把寶石竊去，然後高聲驚喊，於是那個不幸的人，因此被捕，你就——」

萊特忽然跪倒在地，以手扶著我友的膝，哀求道：「看在上帝的面子上，請饒恕我吧！我現在想到我的父親和母親，假使他們知道了這事，一定會非常傷心的。我以前從未作惡，以後再也不敢了。我可發誓，我肯按著聖經發誓。請你千萬不要帶我到警局裡去。看在基督的分上，不要帶我去吧。」

萊特忽然跪倒在地

福爾摩斯正色說道：「你且回到椅子上坐著。現在你很卑躬屈節，但你也應想想那個可憐的哈南。他無辜代人受罪，關在牢中已好久了。」

「我可以逃走，福爾摩斯先生，我要離開這裡，那麼，他既無證人，也就沒有罪哩。」

「嘿！我們且說說這之後的事情。這寶石怎麼會到鵝腹中去，並且那鵝又怎麼賣到市場上去的呢？你老實告訴我，或可有免禍的希望。」

萊特伸出舌頭，微微潤濕他的嘴唇，然後說道：「當哈南被捕以後，我想最好把寶石立刻藏起來，免得被警察想起，或許要來搜檢我的房間。但旅館中卻沒有一個穩當的地方，所以我假裝奉著客人的差遣出去，跑到我姊姊家。她嫁給歐克蕭特，住在白列克斯敦路，以養鵝爲業。我走在路上時遇見許多人，我都懷疑他們是警察或是偵探，要來抓我的。雖在很冷的夜裡，等到奔至白列克斯敦時，我早已汗流滿面。我的姊姊問我爲什麼臉色發白，我告訴她旅館中失竊的事把我搞得心情不好，然後，就走到後院吸煙，思考怎樣做才好。我從前有個朋友，名叫馬斯蘭，曾在培恩頓威爾服刑。一天，他和我相遇，講起行竊的伎倆和安放贓物的辦法，我想他或許能幫我，就決定到吉伯恩街去見他。我知他定能教我怎樣把寶石換成錢。但我要如何安然到他那裡去呢？我從旅館到這裡時，心中已不勝驚恐，假使有人要來搜檢我，那麼，寶石正藏在我的懷裡，我要怎樣對付呢？我倚在牆上尋思片刻，看見許多鵝在我雙脚前後往來繞著，腦中忽然想到一個方法，自忖一定可以避開偵探們的目光。我的姊姊早在幾星期前曾允許我揀選一隻鵝去，算是聖誕節的禮物。我知道她的話是說話算話的，現在我可把這鵝帶去，順便把寶石藏在鵝腹裡，然後再到吉伯恩街去見馬斯蘭，一定可安然無事了。那後院有一個小棚，我從棚後趕出一隻很大的白鵝，鵝尾上有黑線條。我把那鵝捉住，硬把鵝嘴撐開，用手指把寶石塞到鵝的喉嚨裡，那鵝狂叫一聲，我覺得那顆寶石已到鵝腹中去了。但那鵝拍動兩翅，一陣掙扎，就被我姊姊聽見了，她忙過來看是何事。我剛回身和她說話時，那鵝已跳到鵝群中去了。她道：『詹姆斯,你抓這鵝做什麼?』我道：『你答應我聖誕節給我一隻鵝的，我覺得這鵝最肥。』她道：『我們已把你的鵝放在一邊了，是一隻又白又肥的鵝。我們共有二十六隻鵝，一隻留給自己用，一隻送給你，其餘的二十四隻，都要賣到市場上去的。』我道：『謝謝你，可是我情願拿我方才捉過的那隻。』她道：『留給你的那隻比起這隻足足重了三磅呢！』我道：『這倒不要緊的。我喜歡那一隻，現在我要取走了。』她就道：『那麼，你喜歡那一隻就拿走吧。』我道：『那隻白色黑尾，正在鵝棚中間的那隻。』她道：『很好，把牠拿去殺了吧。』福爾摩斯先生，那時我就照她所說的話做了，帶了鵝奔到吉伯恩街去。我見了馬斯蘭，把一切的事告訴他，他聽了大笑。我用刀剖開鵝腹，不覺大失所望，因爲裡面並沒有什麼寶石，我知道其中必定出錯了。我忙返身跑到姊姊家，走進後院一看，竟一隻鵝也沒了。我喊道：『麥琪姊姊，那些鵝到那裡去了？』她道：『賣了。』我問道：『賣給誰的？』她道：『高梵特園主，布萊金立奇。』我問道：

『其中可有一隻鵝也是白身黑尾，像我所揀選的那隻一樣的呢？』她道：『共有兩隻白身黑尾的鵝，我也無法分辨出來。』這時我明白了，立刻盡力跑到布萊金立奇處去，不料他也都已賣出了，他不肯告訴我賣給誰。我無論怎樣問他，他總是這樣回答。那是你剛才所聽見的了。我的姊姊也當我瘋了。有時我想我本是一個好好的人，現在卻成了一個賊。我並未得到竊物，卻已將人格賣了，實在冤枉。上帝可憐我吧！上帝可憐我吧！」他說到這裡，雙手掩著面痛哭。

此時室中很安靜，只聽見少年呼吸的聲音，和福爾摩斯的手指輕敲桌邊的聲音。隔了一會兒，我友遂站起身來，把門打開，說道：「出去吧。」「先生！願上帝賜福給你。」「不必多說，出去好了。」

此時無需多說，只聽見一陣腳步聲從樓梯上走下去，隨後又有關門的聲音，接著那少年已走到街上去了。

福爾摩斯道：「華生，我也不必去報警了。如果哈南有什麼危險再另行設法。但那人既已逃遁，這案子自能昭雪。我今天雖縱庇一個犯人，但卻救了一個人的靈魂。因爲現在若送他入獄，或許反而讓他終身爲非作惡，自甘墮落了。並且現在正是大赦的時節，我們何樂而不爲呢？我們有了這個簡單而奇怪的問題，又得機會研究，且居然能夠解決，心中也可告慰了。華生，倘若你還有興致，我們可以研究另外一件事了，那也是以一隻家禽做線索的案子。」

斑斕帶（原名 The Speckled Band）

我在空閒時，偶然翻閱我在八年前代歇洛克・福爾摩斯所記的七十多件奇案，覺得其中雖也有些滑稽好笑的案子，然而悲慘的卻佔多數。尤其是那些變化離奇、令人莫測的奇案，竟沒有一件是平淡凡庸的。這也因爲吾友好用偵探技術而不專爲區區金錢的緣故。他所偵探的，雖然都是非常重大的事，但我總覺得在那些奇案中，最離奇的要算是司托克馬蘭地方，勞洛特家中的那件事了。這事是發生在昔日我和福爾摩斯同住在貝克街，我尚未結婚的時候。照理我早可把這事記錄出來，但那時我允守祕密，不能背約。直到前月，那婦人忽然病故，我才得自由握筆，把這事一放光明，使向來一直懷疑葛林斯比・勞洛特博士死因的人可以明白事實眞相，不致於再謠言四播，離題太遠了。

一八八三年四月初的早晨，我方從睡夢中醒來，卻見福爾摩斯已全身穿好，站在我的床邊。他平日本是晚起的。我一看那架上的鐘，是七點一刻，我很奇怪地詢問他，或可說我有些生氣，因我起身自有定時，不願他人來驚擾我的。

他道：「華生，我來驚擾你，很覺抱歉，其實這個早晨，大家一樣都沒有安睡。哈德遜太太被人敲門驚醒，她便照樣還報我，我也就以同一方法加到你身上來了。」我道：「那麼，什麼事情呢？失火嗎？」他道：「不是，請你勿驚。有一個年輕的姑娘，急匆匆地特地趕來見我。她現在正在會客室中等。年輕的姑娘，一大早到大城中來，驚醒他人從床上起身，我敢斷定她一定有重要的事了，而且這事一定也是很有趣的，我想你必然樂聞，所以無論如何，我要來喚醒你，給你這種機會。」我道：「我的好友，我一定不要失此機會。」

我覺得沒有比福爾摩斯偵探案件更讓人欣喜的事了。他探事的能力十分敏銳，且都合乎邏輯，所以無案不破。我很快地穿上衣服，幾分鐘後，我跟著我友走到會客室中，我見一位姑娘，身穿黑衣，遮著面紗，正坐在窗邊。我們走進去時，她便站起身來。

福爾摩斯欣然說道：「姑娘早安，我就是歇洛克．福爾摩斯。這是我的好友和助手華生醫生，在他面前你儘可放心說話，不必隱避，好像在我面前一樣。好，我很高興看見哈德遜太太已把火爐生好了。請你坐近那邊，我可吩咐人送上一杯熱的咖啡給你，因爲我看你有些顫抖。」

那女子移動了些她的座位，低聲說道：「這並不是天冷的緣故。」「那麼，爲什麼呢？」「福爾摩斯先生，因爲我受了驚恐，所以禁不住顫抖。」她一面坐下，一面把面紗揭起，我們眞的看見她顯出一種惶恐的樣子。她的臉色灰白，兩眼四顧不停，充滿驚恐，好似被獵的動

她邊說邊將面紗揭起

物。瞧她的樣子，約在三十歲左右，雲髮蓬鬆，聲音疲憊，福爾摩斯向她很快地一看，似都已明白了。

他上前撫著她的玉肩，安慰她道：「請你不必驚恐，我們可以儘早把這件事處理好，我知道你今晨是坐火車來的。」她道：「你看見我嗎？」「不，我見你左手套的手掌中，還握著半張火車的來回票。你必然起身得很早，並且你到車站以前，是坐一輛兩輪馬車，從濕濘的路上經過的。」

那女子不勝駭異，瞧著我友，露出疑惑的表情。

他微笑道：「我親愛的姑娘，你的左衣袖上濺有七八點泥跡，都是新沾上去的；除了兩輪馬車，決不會這樣濺泥的。並且我還知道你是坐在御者的左邊呢。」

她道：「你的話完全沒錯。我在六點鐘以前，便從家中動身，六點二十分趕到萊瑟海特，就乘了到滑鐵盧的頭班車到此。先生，我不能再容忍這件事了。長此以往，我將會發瘋，因爲我沒有人相助——雖有一個人很愛我，但也無能爲力。福爾摩斯先生，我久聞你的大名，法林托錫太太曾告訴我，你怎樣在她危難的時候救她，我因此才得知先生的住址。唉！先生，你想你能幫助我，從我四周的黑暗環境中，發出一些兒光嗎？現在我雖沒有力量來報答你的幫忙，但在一兩個月後，我將出嫁，等我掌控經濟大權時，那你便可知道我不是一個忘恩的人了。」

福爾摩斯轉身到他的書桌前，開了抽屜，取出一本小的記事簿來翻看。

他道：「法林托錫，是的，我想到了。是

關於貓眼石一案的。華生，我想這事還在你我認識以前呢。姑娘，我可說我願盡力幫助你，和我盡力於你的朋友一樣。至於酬謝一事，悉隨尊便好了。現在我請你將你的事情，凡有關係的，一一告訴我們。」

她說道：「我所面臨的危險，人家都以爲只是虛幻的，並認爲那是不足爲道的小事。我曾將此事告訴我最信任的人，想得到他的幫助和安慰，他雖沒說什麼，但從他的面容和安慰的語氣上看來，我知道他也以爲這不過是神經過敏婦女的胡思亂想。現在我聽說你是能夠觀察人們的心思的，請你教我，怎樣應付那糾纏我的危險。」福爾摩斯道：「姑娘，我是十分願意的。」她道：「我叫海倫·司托南，和我的繼父同住。他是在英國撒克遜大家族中最後僅存的人，便是薩里郡西邊史托克馬蘭的勞洛特一家。」福爾摩斯點點頭，說道：「這名字我似乎很熟。」

她又道：「從前，這家在英國可以稱得是首富，光拿田產來說，北起伯克郡，西到漢普郡，占地十分廣大。不料最近一世紀中，連出四個不肖的後嗣，荒唐揮霍，賭博飲酒，幾乎散盡家產，只留下幾畝地和一座已十分破舊，二百多年的老屋。我的繼父覺得他一定要重新發展，不可坐吃山空。於是他靠著一家親戚的扶助，得到了醫學學位，後來到加爾各答行醫，生意做的很好，後來遭了幾次盜賊，劫去了許多財物，我繼父一時盛怒，竟把僕人毆死，遂被警方捉去，監禁了多年，等到釋放了回到英國，已壯志消磨，意志消沈。勞洛特博士在印度時和我的母親結婚。我母親本嫁給少將司托南，司托南不幸病故，就改嫁給我繼父。我和茱麗亞姊姊是孿生姊妹，我母親再嫁時，我們只有兩歲。我母親本很富有，每年可有一千鎊的收入。在我們同繼父居住時，我母親就曾立遺囑，將財產全部留給繼父，但必須另提若干數目作爲我們姊妹倆嫁時的奩資。八年前，我們回到英國沒有多久，我母親便在克里烏死於火車車禍。於是勞洛特醫師放棄他想在倫敦創業的志願，帶著我們回到史托克馬蘭的老屋中住下。我母親所留下的錢財，本可供我們的需用。但在那時，繼父突然發生了很可怕的改變。許多故友鄰人，多時不見的司托克馬蘭族人，聽見我繼父回來，都來拜望，不料他一一拒絕。他自己常閉門不出，有時偶然外出，也常要和人吵架。是他的天性暴躁，或是本於遺傳，或者是因爲他久住熱帶地方的緣故，實在不可知。更可恥的是，我繼父曾有兩次因行兇而被捕到警署裡去，他成了一個鄉中可怕的人，良善無能的人見他走近，便引身遠避，因他的力氣很大，發怒時更是遏止不住的。上禮拜他又把本地的一個鐵匠抛到矮牆外的河裡去，幸虧出了重金，方才免禍。他沒有什麼朋友，只喜歡和那些漂泊無歸的吉普賽人交好，他允許他們在他所有的空地上蓋屋居住，並常相往來，有時還會到他們的帳幕中去，或和他們一塊兒出去，甚至一個星期才回來，這都是常有的。他又特別喜愛印度動物，是一個記者送他的，目前他養著一頭獵豹和一隻猩猩，他們常常在四周的空地上走來走去，鄉民看見了，正像見到他們的主人一樣懼怕。你從我所說的各事上想必可以知道我和我可憐的姊姊茱麗亞實在沒有什麼生活樂趣可言。我們沒有僕人，屋中諸事，都由我們自己打理，眞可算是不幸的家庭。我姊姊死時只有三十歲，但她的兩鬢已斑白，我也快要和她一樣了。」

「你的姊姊已死了嗎？」

「她在兩年前死的，我就是因爲她死的緣故，才到你這裡來。你也可以猜想，我們生活在這種狀況之下，若要和我們年紀地位相仿的人見面，自然很難。我們有一個姨媽霍洛拉．惠司特斐耳小姐，住在哈洛附近，我們有時被允許到她那裡去玩。二年前聖誕節時，我的姊姊茱麗亞到那邊去作客，和一個受半俸的少校相識，他們倆不久就訂了婚約，我姊姊回來，把這事告訴我的繼父，他也並不反對。但是在將要成婚的前兩星期，大禍飛來，竟把我唯一的伴侶，可愛的姊姊，生生的奪去了！」

福爾摩斯倚身在椅中，兩眼本閉著靜聽，頭靠著椅背。但此時他張開眼來，向那女子看了一看。說道：「請你講得較爲詳細些。」

「這不難，因爲在那可怕的時刻的任何事情，我都永遠記得。我說過，我家的房屋十分老舊，我們所住的只不過只有半邊，此外都空著。我們的臥室都在一樓，餐廳則在中央。臥室都是面向長廊，第一間是勞洛特所住，第二間是我姊姊住，我住在第三間，雖然相連，卻都不相通。我所說的可淸楚嗎？」「很明白。」

「三間臥室的窗外，都是草地。在那不幸之夜，我繼父很早就進他的房間，但我們知道他並未安寢，因爲我姊姊又聞到印度雪茄煙的氣味，她很不喜歡那種味道，因此就離開她的臥室，到我室中來坐了很久，和我談起她的婚事，鐘敲了十一下，她才起身和我告辭，當她走到門口時，回身對我看著。說道：『海倫，請你告訴我，你在半夜可曾聽見一種噓噓似吹竹的聲音呢？』我答道：『沒有。』她道：「我想或是你在熟睡的時候發出的聲音呢？』我道：『一定不是，但你爲什麼要問？』她道：『我前幾夜常聽見這種聲音，在凌晨三點鐘左右出現的，我很容易醒，所以常被這聲音吵醒。我說不出來那聲音是從什麼地方發出來的，好像從鄰室傳來，也好像從草地上傳來，我想要問你可曾聽見。』我道：『沒有，我沒有聽見，或許是草場上那些吉普賽遊民發出的聲音吧。』她道：『恐怕是。我覺得奇怪，若是在草地上，你卻爲什麼不曾聽見。』我道：『可能是因爲我都睡得很沈的緣故。她對我笑笑，說道：『這是無關緊要的事。』說完關上了我的門，回身走去，不一會兒，我也聽見她鎖門的聲音。」

福爾摩斯問道：「什麼？在夜間鎖門，可是你們一種平常的習慣嗎？」「常常如此的。」「爲什麼？」「我想我已告訴你了，我繼父養著一頭獵豹和猩猩，所以我們必要把門鎖上，然後才能安心睡覺。」「不錯，請你再說下去。」

「在那夜我忽然不能安睡，心中惴惴不安，好像有不幸的事要降臨。你知道我和姊姊是孿生姊妹，我們一向是心靈相通。這是一個風雨之夜，風聲怒吼，雨點淅淅敲窗，我正在心中不寧的當兒，在風雨聲中忽聽見有婦人呼救的聲音，十分淒慘，我聽出是姊姊的聲音，立刻從床上跳下，披了圍肩，開出門去，那時又聽見有噓噓之聲，正是姊姊告訴我的那種聲音。不久跟著有一種鐵器墜地的聲響。我奔過去時，我姊姊的門已開了，我看了這恐怖的情形，心裡急得不知道怎樣才好。在迴廊的燈光下，我見姊姊站在室中，她面容失色，滿含著恐懼，張手待援，全身好似個醉漢左右搖擺。我過去把她抱住，但那時她已不能支持，倒在地下，她的手足都痙攣，好似受著劇痛，她顫聲喊道：『啊，我的天啊！海倫！是一條帶子！一條斑爛色帶子！』這種聲音我永遠也不會忘記的。她又用手向空中指著我繼父的臥室，但是一陣痙攣，已不能再說話了。我奔出去大聲喊我的繼父，我繼父也急忙奔出他的臥室來，還穿著睡衣。他見了也是十分驚駭，忙幫她灌了些白蘭地酒，並出去請醫生幫助施救，可是已經回天乏術，我的姊姊已毫無知覺，長逝人世了。這是我可愛的姊姊悲慘的結果。」

福爾摩斯道：「當時吹竹聲和鐵器墜地的聲音，你能肯定嗎？」她道：「驗屍官也問我此事，我的確聽見。但那時風雨聲很大，老屋也吱吱作響，我也不敢十分確定。」「你的姊姊可穿著白天時穿的衣服？」「不，她穿著睡衣，她右手還握著一撮已焦的火柴，左手拿著一個火柴盒。」福爾摩斯道：「可見她必然從夢中驚醒，想要點火來看是什麼東西，這是要點。驗屍官又怎麼解釋？」她道：「驗屍也曾細心查驗，因爲我繼父惡名昭彰。但卻找不出我姊姊怎麼身亡的憑證。因爲門戶完好，都無損壞，窗上都有舊式的鐵栓，很堅固的；四周牆壁也堅實，煙囪雖很寬大，但有四根大鐵條橫攔著；顯見姊姊死時，室中並沒有他人，並且她身上一點傷痕也沒有。」福爾摩斯道：「可是中毒？」「醫生也曾驗過，沒查出什麼。」「那麼，你想那不幸的女郎到底是怎樣死的？」「我相信她是受到驚嚇，過度恐懼死的。不過，我始終不知道她遭遇了什麼。」福爾摩斯道：「當時草地上可有那些吉普賽人呢？」「常常有的。」「啊，但你想她爲什麼喊出一條帶子——一條斑爛色的帶子來呢？」「我想那或許是她驚亂時的胡言亂語，或是指著那一群吉普賽人說的，恐怕他們有時頭上裹著五色花紋的布帕，她就這樣形容他們。」

福爾摩斯搖搖頭，好像不以爲然的樣子。說道：「這是很耐人尋味的，請你再告訴我以後的事。」

「這樣過了兩年，直到如今，我更覺我的生活孤寂。一個月前，有一個要好的朋友，是我在幾年前認識的，他到我家來求婚。他叫柏西·亞密泰奇，住在克拉姆。我繼父也不反對，我們將在春天結婚。前兩天，我的繼父修葺房屋，從西邊開始修起，我臥室的牆壁也需修理，所以我便搬到我姊姊的房間去，睡在那張她睡過的床。昨夜我臨睡前，正想到我姊姊死的慘狀，十分疑奇，忽聽見那一種低噓的聲音，在那沉靜的夜裡傳來，好似報告我姊姊的死狀。我忙跳起來，點亮了燈，看看室中並沒有什麼。但那時我無論如何，再也不敢睡了，連忙穿好衣服，坐而待旦。天明時我悄悄出來，從皇冠旅館處坐了兩輪馬車，趕到萊瑟海特，再從那裡坐了火車，一早趕來見你，想要請你指示我什麼方法，這就是我的目的。」我友說道：「你這樣做很好。但你可曾將一切的事都告知我呢？」「我都已告訴你了。」「勞洛特小姐，你沒有完全告訴我，你隱瞞了你繼父的情形。」

「什麼？你指的是什麼？」

福爾摩斯並不回答，只將那女子滾著花邊的袖口翻起，便見有五個指印，印在她的腕上。

福爾摩斯就道：「你被人虐待過呀！」

那女子不覺紅暈上頰，掩蔽了她的傷處，說道：「繼父的力氣很大，他常常傷人，但他自己不覺得的。」

這時忽然靜默了很久，福爾摩斯以手托著下巴，看著熊熊的爐火。

一會兒，他說道：「這是一件很複雜的事情，千頭萬緒，在我們決定採取什麼步驟之前，我最希望各項細節都明白，但眼前卻刻不容緩了。倘使今天我們趕到史托克馬蘭去，察看你們的臥室，你能讓他不知道嗎？」

「恰巧他說過今天有要事要到城裡來，他可能白天都不在家，所以你們來時，當然沒有什麼不便。我們現在有一個管家婦，但她年老昏愚，我可以把她打發開。」

福爾摩斯聽了，便道：「很好很好，華生，你可不怕煩去走一趟嗎？」「當然。」「那麼，我們可以同來，你自己有什麼別的事情？」女子道：「我在城內還有一二件小事要去辦，但我可以坐十二點的火車回家，專候你們駕臨。」福爾摩斯道：「你有很充裕的時間準備，我也有一些小事必先辦畢。你要不要在這裡用了早餐才走呢？」「不，我一定要走了。我已把這事告訴你了，我的心裡頓然覺得輕鬆。今天下午，我們再見吧。」她說罷，就重新戴上面紗，鞠躬而去。

歇洛克．福爾摩斯仰靠在椅中，問我道：「華生，你想此事是怎樣的？」「依我看來，此事大有內幕，而且十分陰險。」「正是，黑幕重重。」我道：「如果像那女子所說，牆壁地板很穩固。門窗煙囪又不可能有人進來，那麼，她的姊姊遭逢神祕死亡時，自然沒有第二個人在室中了。」「那種噓噓吹竹聲，和臨死時說的怪異的話，又將何解？」我道：「我也想不出。」福爾摩斯道：「你如將種種疑團併而為一，像夜裡的吹竹聲、吉普賽人和醫生企圖阻止他繼女出嫁的事，臨死時喊的斑斕帶、海倫小姐聽見鐵器墜地的聲音——這或許是窗上鐵門墜地所致，我想從這種種情形上細加揣測，便不難窺見內容。」我道：「但是吉普賽人做什麼呢？」「我也不能想像。」「我想有許多事和我們設想相反。」「我也這樣想。所以今天我們要到史托克馬蘭去。我要親自查察，看看到底有怎樣的關係。」福爾摩斯說到這裡，忽然又說道：「咦！哪裡來的魔鬼啊！」

我友發出驚訝的聲音時，室門忽開，一個高大的男子，側身進來，他的衣飾雜亂無狀，很像農人的裝束，他戴著黑色高帽，穿著很長的外衣，脚上穿著騎士的長靴，手裡握著打獵用的手杖，因爲他非常高大，所以頭顱已碰到門上的橫檻，身軀塞滿了門。我見那人臉大如盤。皺紋很多，被太陽曬黃的臉，面貌兇惡，眼珠深陷，目光閃閃，鼻子隆起而多肉，很像兇猛的老鷹。

他開口問道：「你們中間誰是福爾摩斯呢？」我友答道：「先生，我便是福爾摩斯。你是誰呀？」「我是史托克馬蘭的葛林斯比·勞洛特醫生。」福爾摩斯淡然道：「醫生，請坐。」他道：「我來沒有別的事，因爲我的繼女剛才在此處，我跟蹤她來的，她和你說什麼？」福爾摩斯道：「今天很冷。」那老人怒道：「她和你說了什麼？」我友仍是很安詳地答道：「我聽說今年的水仙花開得很盛。」

他於是走前一步，揮動他手中的獵杖，說道：「哼！你可是拒絕我嗎？我認識你，我早已聽聞你的大名。你是個喜歡多事的福爾摩斯。」我友聞言微笑。他又道：「你是個愛管閒事的人。」福爾摩斯又大笑。他不禁罵道：「你是蘇格蘭警場的走狗罷了。」福爾摩斯這時忽停止笑聲，說道：「你很幽默。你出去時請把門關上，門外的風很尖利呢！」

「我說完了話，自然會走，你倒敢干預我的家事。我知道司托南小姐曾到過這裡的，我是跟蹤她來的。我不是好欺負的人，你看！」他說時很快地走到火爐旁邊，拿起爐上的鋼箝，用他褐色寬大的手，把箝折成彎曲形。他又悻悻道：「你如果喜歡多事，就會像這把箝子一樣。」隨後將那彎曲的鋼箝拋在爐邊，大踏步走出室去。

福爾摩斯帶笑說道：「他倒像一個和藹的人。若是他多留一刻，我雖沒有他這樣的高大，也要讓他知道我的腕力並不比他弱呢。」他說時，拾起那鋼箝來，將手一捋，立刻回復原狀。「這人敢對偵探放出傲慢的態度，他的性情和行爲可想而知了。但他此來，於我不無小補，希望那女子不要再被他跟蹤才好。華生，現在我們可以用早餐了。我等一下還要到遺囑公會，希望可以得到一些有關係的事。」

將近一點鐘時，歇洛克・福爾摩斯回來，手裡拈著一張藍紙，紙上滿滿的字。

他說道：「我知道那已故妻子的意思了。她臨終時，全部收入總數約一千鎊，但現在因爲農產價跌，跌至七百五十鎊。遺囑上寫明每一女兒嫁時，可得二百五十鎊的嫁妝。由此可知，若是兩女都出嫁了，那麼，他就所剩無幾了，即使一女出嫁，也會讓他的收入減少的。因此，勞洛特當然不願意他的繼女嫁人。我這早上的工作，可算沒有白費。我肯定他與此事有很大的關係，而且想從中阻梗，但他既知道我們要干涉這事，難免有什麼防備。華生，事不容遲，倘你已預備好，我們可以喊車往滑鐵盧了。我要痲煩你，請你把手槍藏在你的袋子裡，因爲一把毛瑟二號是對付那個手能弄彎鋼箝的人的最好工具。」

我們準備好，趕到滑鐵盧車站，湊巧有火車開到萊瑟海特。到了那邊，再雇了一輛馬車，在這可愛的薩里道上，走了四五哩路。那時天氣晴朗，纖雲當空，道旁萬樹，新茁嫩綠，空氣新鮮。不過我們是要去處理一件危險不祥的事情。我友坐在車前，叉手於胸。他的帽子蓋到眼邊，正自低頭沉思。他忽然站起來拍了我的肩膀，指著遠處的草地道：「看那邊！」

在那山坡邊的大樹叢裡，露出一座灰色瓦脊的古屋。

他道：「已到史托克馬蘭了嗎？」御著答道：「先生，是的。那就是葛林斯比・勞洛特醫生的祖屋。」福爾摩斯道：「那邊還有幾處房屋呢！我們可走到那裡去。」御者指著左邊遠處的一帶屋脊，說道：「那邊是一個小鎮，你若要到那屋子裡去，越過這山坡，順著小路走去，就是那裡，現在有一個婦女走著的地方便是。」福爾摩斯把眼睛瞇成一條線，看著遠處，說道：「我想那女子是海倫小姐了。是的，照你所說的走。」

我們就停車跳下，付了車資，那馬車便駛回萊瑟海特去了。

當我們跨越山坡時，福爾摩斯向我道：「我想這樣很好，那御者可能猜我們是建築師，有事到此，省得他向人多說了。司托南小姐，我們如約來了。」這時那女子已過來歡迎我們。

她急忙奔向前來，面露笑容，很親切地和

我們握手爲禮。她說道：「我盼望你們多時了。此事很順利，勞洛特醫生已到城裡去，黃昏以前，他是不會回家的。」福爾摩斯道：「我們有幸，已和醫生見過面了。」

他就將我們所遇的事，很簡要地告訴她，她聽了這話，櫻唇立刻變白，喊道：「天啊！他竟跟蹤我！」「是的。」她道：「他這樣狡猾，我竟渾然不知。不曉得他回家後又要怎麼說？」「他也要保護自己啊，因他知道他背後正有更狡猾的人在跟蹤他。今夜你要鎖好門，不讓他進去。如果他有什麼舉動，我們可以保護你到姨媽家去。現在趁這機會，請你立刻引我們到各室去察看一次。」

我們跟她走進屋子，見那屋子是用青磚砌成，苔蘚斑斕，中間較高，兩翼稍低，像蟹足般左右張著。中室尚覺完好，左翼門窗破斷，用薄板遮掩，屋脊傾斜，大有岌岌傾倒之勢，但右翼還很好，窗檻簾幕都還完好，煙囪裡的青煙裊裊直上，一望便知有人居住。牆盡處還有鷹架搭著，工作未完，但在我們到時，並不見有任何工人。福爾摩斯在修剪不齊的草地上走來走去，很注意窗外的地方。

他指著道：「這一間是姑娘的臥室，中間是你姊姊的，再次一間，是你繼父的臥室，對嗎？」她道：「是的，但我現在睡在中間那一間。」「我知道是近日才換的。但那間牆壁還好，似無須急著修理啊。」「我也認爲沒有修築的必要。想必是他故意要我遷動，讓我離開自己的臥室。」他道：「你說的很對。現在在這屋子後邊三室相通的走廊處，可是有窗子嗎？」「是的，但是很小很狹，不能容人通過。」「既然你每夜都鎖好門，別人便不能從那邊進入你的臥室了。現在請你到你的房內，把門鎖好。」

司托南小姐照著吩咐去做。福爾摩斯先向開著的窗子端詳了一番，然後試著把那鐵門弄開，但是沒成功，雖一片薄小的刀也無隙可入。然後又用放大鏡察看窗上的鐵鍵，也很堅固。他摸著下巴，現出躊躇的形色，說道：「咦！我的假設遇到困難了，我們可去看看室中有什麼線索。」

有一扇小小的側門，可以通到有粉牆的走廊，那邊便是三間臥室。福爾摩斯不想察看第三間臥室，所以我們立刻走過直接到第二間。這正是現在司托南小姐所住的房間，也就是當年她姊姊身亡的地方。那房間很小，天花板很低，有一個舊式村屋的缺口火爐。另有一個黃色的櫃子放在屋隅，一邊放一張臥榻，梳妝檯是放在窗的左邊，還有兩張舊椅子。這些便是室中所有的擺設了。牆壁和牆上所釘的木板都是橡木製成的，顏色已褪，且被蟲蟻剝蝕，想必還是初建此屋時，二百年前的東西。福爾摩斯拖了一張椅子坐著，兩眼上上下下不停環視室中的情狀。

後來他用手指著一根繫鈴的粗繩，那繩垂到床邊，繩末的流蘇正好垂到枕頭上。他問道：「這繩通何處？」她道：「是通到管家婦的房裡。」「這繩何以比其他東西新呢？」她道：「不錯，這是兩年前所裝的。」「這是你姊姊的要求嗎？」「不，我並不曾聽她用過。因爲我們要用什麼東西，都是自己拿的。」他道：「這邊當眞用不著裝這麼好的牽鈴繩。請你原諒我，我要花點時間檢查一下。」

我友就取出放大鏡來，在四周查看，時俯時跪，忽前忽後地在地板縫間窺察。室中的器具也細細檢查。最後走到床前，看了很久，又仰首看到壁上，最後拿了鈴繩，用力一拽。說道：「奇了，這繩沒有鈴的。」「不響嗎？」「不響，並且也沒有鐵絲，這倒有趣了。你們現在可以看見這繩的一頭有一個小鉤，鉤在通氣孔上。」她道：「這是何等沒有意義的東西！我以前卻不曾注意。」

福爾摩斯又把繩拉了一拉，口裡自言自語道：「眞是很奇怪。蓋房子的人，難道是個笨蛋，他花同樣的力氣，便可把這通氣孔通到室外，可是現在竟然通到隔壁。他何必如此裝呢？」她道：「這也是新裝的。」福爾摩斯道：「那一定是和鈴繩同時裝上去的。」「是的，那時室中各部，都有小小的更動。」他道：「這些都是很值得研究的事物——沒有鈴的鈴繩、不通氣的空氣孔。司托南小姐，請你允許我們到你繼父的房裡去查一查。」

我們跟她走到勞洛特醫生室中一看，見那室稍爲寬大，陳設整潔。有一張帆床，一個書架，架上堆滿著醫學叢書，床邊有一張扶手椅，還有一張木椅放在牆邊。但最引人注意的是一個鐵箱。福爾摩斯慢慢地在箱的四周仔細察看。

他撫摸著鐵箱，問道：「裡面是什麼東西？」她道：「我繼父的文件。」「你看過裡面嗎？」「在幾年前見過一次。我記得裡面都是紙張等東西。」他道：「裡面可能放一隻貓嗎？」「不會的，你的想法何等離奇！」「請看這個。」他說時在鐵箱上拿起一個放牛乳的瓷碟。

那女子道：「我家並沒養貓，但是有豹和猩猩要喝牛奶。」

福爾摩斯搖頭道：「當然。但豹是很大的

動物，我敢說這一些瓷碟子裡的牛乳決不能供牠一飽。現在有一點，我還要確定一下。」他說完，就俯身在木椅前細察，又十分注意地瞧那座位。

他道：「謝謝你，我知道了。」他站起身來，把放大鏡放在衣袋裡。又道：「咦，這裡又有有趣的東西了。」

他所看見的東西是一根驅狗的鞭子，掛在床角上，那鞭子已成彎曲，用繩紮著，張成一個小圈，向我問道：「華生，你想這有什麼用處？」我道：「這不過是一種尋常的鞭子，但我卻不知道爲什麼要綁著。」「這不是尋常的舉動。唉！現今眞是一個充滿罪惡的世界，聰明人運用他的聰明才智去爲非作歹，這是最危險的事。我想我已察看得很足夠了。司托南小姐，倘得你的允許，我們可以到草地上去吧。」

我從來沒有瞧見過我友莊肅的面容，像我們從屋子出去時這樣子攢眉苦思的。我們在草地上走來走去，我和司托南小姐都不敢去擾動他的思緒，直等他自己開口。

他道：「司托南小姐，這事很嚴重，你應當每事都聽我的指示。」「我當然聽你的話。」他道：「這事十分危險，不容絲毫躊躇。你的性命全靠你能否順從我的話。」「我可說我的性命是在先生的掌握中。」他道：「首先，我和我朋友今夜一定要住在姑娘的房裡。」

司托南小姐和我聽了他這一句話，都很詫異地望著他。

他又道：「是的，一定要如此。我想想，那邊不是有一個旅館嗎？」「正是，那是皇冠旅館。」他道：「很好，那邊可以看得見你的窗子嗎？」「看得見。」他道：「今夜你繼父回來時，你可假裝頭痛，不要出房間。等他睡了以後，你便開了窗，把燈放在窗邊作爲暗號，然後帶了你應用的物件，到你的舊房間去。我想那邊雖在修葺，也可勉強住一夜的。」「可以的。」「其餘的事，你不要問，悉憑我們去做便是。」她問道：「但你們要怎樣呢？」「我們要在你房中過夜，查察你所聽見的聲音究竟是怎麼一回事。」

司托南小姐拉著我朋友的衣袖，說道：「福爾摩斯先生，我相信你已打定主意了。」「也許是的。」她道：「那麼，請你告訴我姊姊身亡的原因。」「我希望在告訴你以前，先有明確的證據。」她道：「你至少可以告訴我的猜想是否對，我的姊姊是否因猝然受驚而死。」「不，我並不這樣想。我想或許更可怕些。司托南小姐，現在我們要和你暫別。因爲如果給勞洛特醫生回來瞧見了我們，反爲不便。再會吧，請你放大膽，倘你能依我的話去做，你就知道我們將會除去你的危險。」

歇洛克・福爾摩斯和我走到皇冠旅館，訂了一間臥室和一間休息室，都在樓上。從我們的樓窗上，看得見旅館的前門和史托克馬蘭的老屋。傍晚時我們看見勞洛特醫生驅車而過，他身軀龐大和一個瘦小的御者並坐。到了屋前，車停住，御者打開那沈重的鐵門，似乎稍爲遲緩些，我們已聽見醫生咆哮的聲音，並且見他怒氣勃勃，舉拳便打。隔數分鐘，那叢樹後的休息室中已有燈光亮了。

我們都坐在黑暗中，福爾摩斯說道：「華生，你知道嗎？今夜我和你去，實在令人猶豫，因爲那邊隱藏著很大的危險。」我道：「我能夠幫你嗎？」「你能同去，當然很好。」「那麼，我一定跟你去。」「多謝你。」我道：「你說有危險，你必看得比我更加清楚。」「也不見得。但我想或許可說我看得多一些，你應該也都看見了。」我道：「我除了鈴繩以外，沒有看見別的值得注意的東西，並且不明白它的作用。」「你不是也看見那通氣孔的嗎？」「是的，但我想在兩室之中開通氣孔，也不能算是特別的事，況且孔又很小，恐怕連一隻老鼠也不能走過。」他道：「在我們到史托克馬蘭以前，我已知道我們會發現通氣孔了。」我道：「咦，奇了！」他道：「你當記得她說她姊姊能夠嗅到勞洛特醫生吸的雪茄煙味，試想兩室既然隔開，那裡能夠嗅得到，自然其中有相通的地方了。所以我料是有一個通氣孔。」「但這又有什麼危險呢？」「你想通氣孔做好，並裝上繩子後，那可憐的女郎便忽遭禍殃。這三事好像是連貫的。豈不讓人懷疑嗎？」我道：「我仍有些不明白。」「你沒注意那張床有些特別嗎？」「沒有。」他道：「那床是用鐵釘釘牢在地板上的。你以前可見過有這樣釘死的床嗎？」「沒有見過。」他道：「如此一來，那女郎不能移動她的床，每夜都睡在鈴繩和通氣孔的附近。」我恍然大悟道：「福爾摩斯，我明白你所說的話了。現在我們該要去阻止慘酷的罪行。」他道：「實在慘酷至極。當一個醫生要作惡時，那是非常可怕的。他的腦筋和學識和常人不同，柏爾默和普里查德就是這些醫生中的罪魁。這個人的城府很深。華生，我想我們的計謀也不能算不高。今夜我們將要遇見恐怖的事，不過，我希望在數小時後，我們的情緒可以一變而爲快樂的。」

九點鐘時，林中老屋中的燈光都熄了。隔

了兩個鐘頭，忽有一點燈光映在我們對面的正中一室。

福爾摩斯躍起道：「我們的記號來了。這是從中間窗裡射出來的。」

我們就匆匆下樓，向旅館主人假言有事出外訪友，當夜恐不能回來。不久，我們已走到黑暗的街上，寒風撲面，有燈光隱隱在我們前面，我們就借著燈光而走。

我們越牆而進，從林中走到草地上，正想從窗口進入屋子時。有一個黑影忽從矮樹裡竄出來，跳到草地上後，又很快地奔到黑暗裡去了。

我悄悄道：「我的天啊，你也看見了嗎？」

福爾摩斯起先也吃了一驚。後來他握著我的手，低低一笑，把嘴唇湊到我的耳邊道：「這是很好的看家物，是一隻猩猩。」

我忘記醫生所養的動物了，還有一隻豹呢，恐怕隨時要撲到我們肩上來。我學著我友的走法，脫去我的鞋子，一同進了那臥室。我友輕輕關上窗門，將燈移到桌上，向四周一瞧，和日間所見的沒有兩樣。他輕輕掩到我身邊，把手心彎成圓筒形，湊到我的耳邊。我也留心傾聽。

他說道：「若有一些聲息，我的計畫就要失敗了。」我點點頭，表示我已聽見他的話。他又道：「我們只能坐在黑暗中，不然，他會從那通氣孔裡窺見燈光的。」我又點了點頭。他續道：「不要睡，這關係著你的性命。你把你的手槍預備著。我坐床邊，你可坐在椅子上。」我依言取出手槍，放在桌角上。

福爾摩斯帶來一根細長的竹杖，他把竹杖放在他坐近的床邊。他又將一匣火柴和一枝蠟燭放好，就把燈熄了。於是我們在黑暗中坐著。

我怎能夠忘記那可怕的守夜呢？室中寂靜無聲，連呼吸的聲音也幾乎沒有，但我知道我友正和我相距數呎坐著，一定也是張開眼睛，腦中思潮湧起，專候這可怖的事情發生。窗外時時有夜鳥悲啼，在窗子附近，有一次聽見幾聲像貓的叫聲，我知道就是那隻豹。我們又聽見遠處教堂的鐘聲，每一刻鐘就會敲一次，但是時間似乎過得很慢。十二點鐘已敲過了。一點，二點，三點，我們仍安靜地坐著守候。

忽然通氣孔裡有一線亮光透出來，但立刻就熄了，接著有一陣極強的氣味，像是燒什麼油和加熱的金屬，又聽見隔室有極微細的腳步聲，一會兒，卻又寂靜無聲了。我張眼坐著，隔了半小時光景，忽然又有一種聲音，好像沸水在壺中作響。這時福爾摩斯從床上跳起，劃了火柴燃燭，一面忙用他的手杖向鈴繩上狂鞭。

他喊道：「你看，華生，你看這個！」

但我卻沒有看見，這時我聽見低而清楚的吹竹聲，火光也驟然明亮，照進我疲倦的眼裡，竟無法看見我友急著鞭打什麼東西，只見我友臉色泛白，充滿著恐怖的神情。

他停住手杖不動了，只是目不轉睛地盯著通氣孔。在這沉寂的夜裡，忽有一個淒厲的聲音破空而出，漸喊漸高，充滿著驚駭和憤怒，

福爾摩斯用他的手杖向鈴繩狂鞭

又像有劇痛似的，事後才知道這聲音鄰近的人都聽見了。那時我聽了心中如被澆了冷水。我和福爾摩斯呆呆站著，相對無言，直到這聲音停止爲止。

我喘息道：「這是什麼呢？」福爾摩斯答道：「這事就此結束了，倒也好。請你拿出手槍，我們可以到勞洛特醫生房裡去。」

他帶著嚴肅的表情，點起燈走到廊裡，敲了兩次門，都沒有回答。他就推門而入，我緊跟在後，手裡仍握著手槍。

檯上放著一盞黑色的燈，燈中射出一道黃光，照到那鐵箱上，箱門半開。在桌邊木椅子上，坐著勞洛特醫生，穿著灰色睡衣，赤脚拖著一雙土耳其式的拖鞋，膝上放著一條驅狗的鞭子，上有小圈，那便是我們白天看見的東西。博士昂起了頭，雙目瞪視著天花板。在他的額上有一條黃色帶子，有棕色的斑紋，緊箍著他的頭。我們走進時，他已經不動了。

福爾摩斯悄悄說道：「這帶子，這是條斑爛帶。」

我走近一步時，那額上的東西忽然移動，露出斜方形的頭，吐出舌來，是一條蛇！

福爾摩斯喊道：「這是印度潮濕地方的一種毒蛇，嚙人十分鐘後，便要致命。唉！他要利用牠來害人，卻不料結束了自己的性命。我們現在先把這蛇弄進窠裡，並把司托南小姐轉移到安穩的地方，然後再去報警，通知他們這件事情。」

他邊說邊用死者身上狗鞭的活結圈住蛇頸，然後把牠拖到鐵箱裡，順手把箱門關上。

這些便是勞洛特醫生身亡的事實。我也用不著再細細講到我們怎樣把這慘怖的消息告訴那受驚的女郎，怎樣送她到哈洛她的姨媽家，和警方怎樣斷定博士的慘死是弄蛇不愼，反遭嚙斃的。但在我和歇洛克．福爾摩斯坐車回來的時候，他在車中告訴我的話，少不了也要敍述一番。

他說道：「親愛的華生，這事我差一點被我的假設所誤，我以爲吉普賽人和女郎所說的帶子一定與此案有關，但後來看見室中的情形，知道沒有人可以從窗裡或門中進來，並且一看見那通氣孔，才覺得以前的假設錯了。那通氣孔既沒有通氣的效用，床又用釘釘牢，因此，我便懷疑那繩所以放在上面，必定靠著這繩使什麼東西可以通到床上。至於什麼東西能夠從繩上緣下，大概是蛇了。況且我曉得勞洛特醫生曾在印度地方做過醫生，憑他科學上的智識，加上他惡劣的性情，養了毒物來害人，也是意料中之事。我又想到吹竹的聲音，這是他用來呼蛇的一種方法，再用牛乳給蛇吃，然後送回箱中。他害人時先把蛇送到通氣孔中，那蛇就緣繩而下，到達床上。至於那蛇咬人不咬人，也不一定，恐怕司托南小姐的姊姊，有幾次也曾倖免，但後來還是死了。還有我走進房間後，看見那把室隅的木椅，不禁使我懷疑他常常站在椅子上，放蛇到通氣孔裡去。那鐵箱、牛乳、狗鞭等，都讓我的猜疑更加確實。至於那鐵器的聲音，便是博士送蛇回箱，急忙關上鐵箱門所發出來的。所以我決定要披露此事，我一聽見蛇來的聲音，忙點亮了燈，向蛇痛擊。」

我道：「沒想到竟被你把蛇擊走。」

「不過因此卻害了蛇的主人。可能那蛇被我痛擊以後，發了狂，奔回去見人便咬，也不了，我的良心上總算可以不必愧疚了。」

管是不是主人了。這樣，我對勞洛特醫生的死，實不能不負間接的責任。但司托南小姐卻得救

工程師的拇指（原名 The Engineer’s Thumb）

歐洛克・福爾摩斯所解決的案件，自從我和他認識之後，經由我的介紹，引發他注意的只有兩件：一件是哈瑟萊先生的拇指案，一件是吳伯頓上校的發瘋案。在這兩件案子裡面，後面這件，對於富思考的人來說比較有研究的價值，而前一件發生時異常怪異，雖然我友並沒有用多少腦力去探索，但我覺得記載出來實在非常有趣。這一件事情也像其他案件一樣，早已在報上登載過了。但是我認爲在報紙上寥寥數行的版面，只記載些大略的情形，遠不如親見親聞來得眞切有味，假使這事你身歷其境，看那祕密漸漸地被揭露，然後眞相大白，那自然更有趣味。因此，雖然已隔了兩年久，這一件事，卻還深深印在我的腦海裡。

這事發生在一八八九年夏天，我結婚沒多久的時候。那時我已經不和福爾摩斯一起住在貝克街的寓所裡了，我另外開設了診所行醫，只是我時常去探訪他，並且勸他不必老是這樣孤僻寡趣，請他也時常到我家裡坐坐。我的業務日漸發達，並且因爲診所離柏亭頓車站不遠，所以車站上職員有病，也常到我這裡來。車站裡有一位被我醫好的久病患者，非常的感激我，便做了我的活廣告，他到處幫我宣傳，凡和他有些關係的人，有了病痛，他總極力地介紹給我。

有一天早晨，七點鐘未到，一個女傭來喊醒我，說有兩位從車站來的人，在診療室裡等我。我素知在鐵路上發生的意外，都不是平常的小症，便趕忙穿好衣服，跑下樓去。當我走到樓下，我的老夥伴，那位車掌先生，就從診療室裡出來，把室門隨手關上。

他舉起大拇指，從肩膀上指著後面，向我耳語道：「我把他帶到此，他在裡邊。」

我看他那種樣子，好像他已把什麼奇怪的東西關在我的診療室裡。便問他道：「是什麼人呢？」

他又耳語道：「一個新到的病人，我想我一定要自己帶來，讓他不會溜走。他就在裡面。華生醫生，我現在就要走了，因爲我和你一樣，自己也有職務啊。」說完，他就走了，他那誠懇匆忙的樣子，連我要道謝也來不及。

我走進診療室時，看見有一個先生坐在桌子旁邊，他穿著一套花呢衣服，一頂軟布帽子放在我的書上。他的一隻手綁著一塊手巾，上面有不少血跡。他年紀很輕，大約三十幾歲，我敢說他的五官非常英俊，只是臉色十分灰白，我知道他正忍著猛烈的痛苦。

他道：「醫生，我覺得很抱歉，清早來驚擾你。但是我昨天夜裡，遭遇到極痛苦的意外。今天早晨坐火車到此，便請車站的人給我介紹一位醫生。那位先生就很仁慈的把我帶到此地。我給過您的傭人一張名片，但是她沒有拿進來，我見她放在那邊桌上。」

我便拿起名片來看，上面寫著：「哈瑟萊先生，水力工程師，住維多利亞街A座十六號三樓。」我在看病的座上坐了下來，向他道：「抱歉得很，勞你久待，坐夜車是很無味的事情，你在這路上還好吧？」

他笑道：「唉，這一夜說無味，倒也不見得。」他笑得非常厲害，身體顫動著，斜靠在椅子上。我見他那種狂笑，便引起我醫學上的注意。

我立即正色呼道：「停止！不要笑，快鎮定著！」我便從一個玻璃瓶裡，倒了些水給他。

但是我的話沒有用。在醫學上說起來，一個人在遭遇極大危機之後，常有一種強烈的反應，他的狂笑，也就是這種徵象。隔了一會兒，他才回復了原狀，顯出非常疲乏的樣子，臉上有些難爲情。說道：「我自覺愚蠢極了。」

「不礙事！請喝這一杯！」我就倒了些白蘭地酒在他手裡的一杯水裡，他喝下後，慘白的臉上才顯出些紅潤的顏色來。

他道：「好些了！醫生，現在請你看看我的拇指。其實應該說姆指本來在的地方。」

他就解開那塊手巾，伸出他的手來。我看了之後非常震驚。只見四個挺直的指頭，和那本來是大拇指的地方，只剩一堆血淋淋，可怕的海綿狀切面，那個大拇指已被齊根砍去了。

我驚呼道：「天呵！你這傷口可怕極了。一定流了不少血。」「是的，血流了不少。當時我是暈過去了，且我想暈去的時間一定很長。當我醒來的時候血還流著，所以我就把手巾緊緊的綁在手腕上，外面並用一根細小的樹枝綳著。」我道：「很好，很好！你的方法很像一個外科醫生的處理方法。」「這是水流學的普通知識，是我的本能。」

我驗看他的傷口道：「這是被一件利器弄傷的。」他道：「像是一把屠刀的樣子。」「大概是意外事故吧。」「不是。」我道：「什麼，是蓄意謀害嗎？」「的確是有人蓄意謀殺我。」「你簡直是嚇我哩。」

我洗淨傷口之後，安了些藥，最後裹了藥

水棉花，用紗布紮好。我雖見他時常咬著嘴唇，但並不因痛抽縮。

我弄好了之後，又問他道：「究竟是怎麼一回事呢？」

「好了！你請我喝了白蘭地，紮了繃帶之後，我像換了個人似的。我覺得已經好了不少，只是很疲弱。」

「或者你暫時不要開口講這件事。恐怕這對你是再次的折磨。」

「唉，不，現在不要緊了。這事是必須報警的。但是我們私下說起來，如果不是因爲我有這樣顯著的傷痕，他們會相信我才怪。因爲這件事情異常怪異，就是我回想到這件事，也覺得無法理解。並且如果他們相信我，我也沒有任何線索可以給他們，他們也將無法審判。」

我呼道：「呀！如果這果眞是一個你急須解釋的難題，那麼在你到警署之前，我可以先介紹你到我的老友歇洛克·福爾摩斯先生那邊去商酌一下。」他道：「啊，這位先生我早聽過他的大名哩。如果你肯如此，眞是十分感謝。那和報警是一樣的。你可以幫我介紹嗎？」「可以，可以，我還可親自陪你去。」他道：「我實在十萬分地感激你。」我道：「我可叫一部馬車，立刻與你一塊兒去。這時候到那邊恰好可以吃早飯。你覺得這樣好嗎？」「是的，我要把這件事告訴他，才能安心。」「那麼，我就叫僕人去叫車子，我們立刻就去。」我說完，跑到樓上，約略把這事告訴我的妻子。在五分鐘內，我已經在一部雙輪馬車上，同我那位新朋友一同到貝克街去。

正如我所預料，歇洛克·福爾摩斯閒坐在起居室裡，正在讀泰晤士報的要聞，吸著煙，那煙是前一天吸剩的零星煙葉煙屑，這些東西被小心地積聚在火爐架角上的。他很熱情地向我們招呼，又吩咐傭人預備些牛肉雞蛋，請我們一起用早餐。接著，他就請我們那位新朋友靠在沙發上面，把一個枕頭枕在他頭下，又倒了一杯攙水的白蘭地給他。

他道：「哈瑟萊先生，我知道你所遇的事不平凡。請你先躺下來，使你覺得舒適些兒，然後再慢慢地告訴我們。如果覺得疲乏，不妨停止不需太勉強。」

我的病人道：「多謝，多謝，經這位醫生給我包紮之後，我已像換了一個人似的。並且你請我吃了早餐，我覺得好像已痊癒了。我希望不要太耽誤你們的寶貴光陰，所以我要立刻講這怪異的經歷。」

福爾摩斯坐在他的大扶手椅上，他疲倦的面貌，蓋去他敏銳的神情。我坐在他的對面，我們靜靜地聽這位客人敍述他奇怪的遭遇。

他道：「我是個孤兒，也是個單身漢，獨自住在倫敦。我的職業是個水力工程師，從前曾在格林威治著名的芬南馬特森工廠裡習藝七年，所以得到了不少經驗。兩年前父親過世，我得到了一筆遺產，我決定自己創業。便在維多利亞街上設了一個辦公室。我想大家都知道，凡是初次創業都不是一件容易的事情。在我尤其很不順利。兩年裡面，我只接過三樁生意，和一次小工程，這就是我獨立營業後的全部成績了。說也慚愧，我營業收入總計只有二十鎊十先令。每天從早晨九點鐘起身，一直到下午四點，我守在我的小辦公室，一直等到心灰意冷，意識到是不可能有生意了。但是昨天我正想離開辦公室的時候，我的夥計進來說，有一位客人有業務上的事情來找我。他帶了一張名片，上面印著賴山特・斯塔克上校。那上校就跟在我夥計的後面，高高的身材，只是非常瘦。我暗想我從沒見過一個如此瘦的人，臉瘦到只見鼻子和下巴，臉部的皮膚緊緊地包裹著凸出的骨頭。看他的樣子是體質如此，並不是大病之後，因爲他的眼睛仍非常有神，行步敏捷，態度也很閒適。他身上衣服雖少，卻很精美，他的年齡我猜大概在四五十之間。他帶著濃重的德國腔，向我道：『是哈瑟萊先生嗎？哈瑟萊先生，有人介紹我，說你不但有豐富的學識，

賴山特●斯塔克上校

而且審愼行事，可以爲人保守祕密。』我聽了他那種諛辭，自然像其他年輕人一樣，總覺非常得意，便也鞠躬致謝。接著問道：『請問誰如此恭維我？』他道：『眼前我認爲不必告訴你。我知道你是個孤兒，而且是個單身漢，並且獨自住在倫敦。』我回答道：『一點也沒錯。但是很抱歉，我覺得你說的話是無關我的業務的。我知道你來此同我談的是有關業務上的事情。可不是嗎？』他道：『不錯。但是等會兒你會知道，我說的話都有道理。我有一件關於你業務上的事想委託你，但是絕對的保秘是唯一的要素。須知把一件絕對祕密的事情託付給一個沒有家庭牽絆的人，遠勝於給一個有家累的人。你總該明白。』我道：『如果我保證保守祕密，那麼，你就可以絕對地信任我來辦此事了。』他在我說話的時候緊緊盯著我，我從

來沒有看見過如此懷疑的眼光。後來，他說道：『那麼，你是允諾了』我道：『是的，我答應你。』他道：『你能絕對的永遠保密嗎？不論在書面上，口頭上都能永遠不談到此事嗎？』我道：『我已經說過我答應你了。』『很好。』他忽然跳起身來，像閃電般打開門，看外面走廊上並沒有人影，才進來說道：『不礙事。我知道夥計常有好奇心，會偷聽主人的秘密。現在我們可以放心的談話了。』他移動椅子，湊近我的面前，又對我很懷疑地注視著。我那時起了一種奇怪的感覺，這個毫無血色的人有這種奇怪的舉止，不禁令人感到有些恐怖。雖然心裡怕失掉主顧，臉上也不覺露出不耐的神色，說道：『先生，我請你快說你的事情，我的時間也很寶貴的。』這最後一句話，我說的似乎過分了些，只是不由自主而忍不住說了出來。他問道：『我送你五十鎊金幣當做這一夜工作的酬勞，夠嗎？』我道：『足夠，足夠。』他道：『我說是一夜的工程，其實只需一小時便可完成。我所要請教你的是一部水力印壓機故障的事，如果你可以指示我們原因何在，那壞的地方，我們自己也會修理的。這一件差事，你意下如何？』我道：『這工程看來似很輕鬆，但報酬卻非常豐厚。』『不錯，我們要請你坐今夜的末一趟車來。』我問道：『到什麼地方？』『到伯克郡的愛福特，離牛津郡不遠，到雷丁只有七哩路。你大概可以在十一點一刻的時候從柏亭頓車站坐火車到那邊。』『很好。』他道：『我會坐一部車子來接你。』『下了火車以後，還要趕路？』他道：『是的，我們住在鄉下的小地方。從愛福特車站去，還有七哩路。』『那麼，我們到那邊時已是深夜了。我怕當夜已沒有火車回來，所以這一夜我必須住在那邊了。』他道：『是的，我們會幫你預備住宿的地方。』我道：『這倒有些麻煩。我可以換一個更方便的時間去嗎？』『我們已決定今夜最好。因爲時間不方便，所以才出如此重價來請教你這個不認識的人，這一點本是你們同行都知道的普通知識。不過你如果不願意做這生意，時候還早，我可以請別人。』我想到這五十鎊對我有許多用處。我便應道：『不是，不是這個意思。只是我想更淸楚地知道我去做什麼。』他道：『當然如此。我請你保密，自然會引起你的懷疑。我委託你的事情自然不能不完全告訴你。我想我們的談話，不見得有別人偷聽吧？』『絕對沒有。』『那麼，我告訴你，你或許也知道漂白土是一種寶貴的產品，在英國只有一兩處出產。你可知道嗎？』『我聽說過。』他道：『最近我買了一塊地——一塊很小的地——在距雷丁不到十哩的地方，我鴻運當頭，在我這塊地上發現了一處漂白土，在勘察之後，我發現它連接著左右兩處更大的礦區。但是這兩處都在鄰家的地裡。這些人絕對不知道他們地裡藏著和金礦一樣貴重的東西。我自然很想在他們沒有覺察的時候把這塊地買下來，但是不幸得很，我卻沒有許多資本來成就這一件事。因此，我就祕密約了幾個朋友，協議先在我這一塊地上祕密工作，等賺到了錢，再去買我鄰居的土地。我們這樣進行了一陣子，並且爲了工作便利起見，買了這架水壓機器。但機器現在壞了，這就是我們要請你指教的原因。我們嚴格保守這個祕密，如果被人知道這小屋裡請來了一個水力工程師，那就不免要引起人家猜疑。假使這事不幸被揭穿，我們就永遠不能得到那些土地，我們的計畫也就要完全破滅了。爲了這緣故，所以我要你保證守祕，不向任何人說起今天到愛福特去的事情，我想你都已明瞭了吧？』

我道：『我答應你。只有一點我不明白。我知道掘土和從地坑裡挖石子是一樣的。你們掘漂白土，怎可以用水壓機呢？』他很隨便地說道：『呀！我們自有方法的。我們把這泥壓成了磚塊，如此，拿出去時，就看不出它是什麼東西了。這些就是我要告訴你的話。我現在已經完全委託你。哈瑟萊先生，我已經明白表示我對你的信任了。』他邊說邊站起來說道：『那麼，在十一點十五分，我準時在愛福特車站恭候。』

我道：『我一定準時到。』『不可洩露一個字。』他說著，又對我露出懷疑的態度注視了一會，才伸出陰冷的手，和我握了一下，很匆忙地出去。之後我回想經過的情形，覺得有些驚駭。一方面我很快樂能有如此豐厚的酬勞，那簡直十倍於我想索取的價格；另一方面，那來客的面貌、神情都讓我留下一種不快的印象，並且他所說的漂白土的事情，不足以說明有需我乘夜前去的必要。並且他又極端害怕我把此去的目的告訴別人。他究竟爲了什麼緣故呢？但是不一會，我便把疑懼心付風吹散，大吃了一頓晚餐，然後坐車子到柏亭頓車站，動身前去。

我嚴遵他的要求，沒把這事向別人提起。在雷丁換了車子，恰好搭到末一班車到愛福特去。我到那暗小的車站時，正巧十一點後，月臺上寂靜無人，只有一個腳夫提了個燈在那裡打瞌睡。但是當我走出小門的時候，看見那位主顧在那邊等我。他一句話也不說，挾著我的膀子，倉皇地同我坐到一部馬車裡去，那時車門是開著。我們上車以後，他把兩邊的窗子拉起來，讓那馬竭力地如飛而行。

福爾摩斯聽到這裡，忽然插口道：「一匹馬嗎？」「是的，只有一匹。」「馬的顏色你看見了嗎？」「看見了，我進車的時候，從側邊光裡看見，是灰栗色的。」「看起來疲憊的呢，還是駿健的？」「啊！既駿健又光滑。」

「多謝你，很抱歉打斷你的談話。請你把這有趣的故事繼續說下去。」

「那時，我們走了至少有一小時的路。賴山特・斯塔克上校先前說過只有七哩路，可是據我猜測，以我們車子的速度加上所費的時間，至少有十二哩路。大部份的時間，他都坐在我的旁邊不發一語。有幾次我側過頭去看他，他也很注意地看著我。那鄉間的路很不平坦，因為我們顛簸得非常劇烈。我試從車窗裡望出去，要看究竟在什麼地方，但是窗子是毛玻璃，除了經過有燈光的地方有模糊的亮光外，其餘一點兒東西也看不見。我想講話打破路上的寂寞，但上校只是模糊回答幾句，談話便立刻停止。後來那車子走到了一條石子大路上，頓時平坦多了，最後車子停住了。上校先跳出馬車，我跟著下來，他拉著我，很敏捷地走進前面的大門，一剎那間，我們便走到了大廳裡。如此迅速異常，我連那門面也沒有看清楚。當我剛走過了門檻，那門便重重地關上，我還隱約聽見那馬車離開時車輪所發出的咯吱聲。屋子的內部非常黑暗，上校摸索著要找火柴，嘴裡喃喃地咕噥著。忽然，走廊的一邊一扇門開了，有一道金黃色的光線向我們照過來。這光線漸漸變寬，有一個女人拿了一盞燈在手裡。她把燈高舉過頭，在燈下，臉朝前注視著我們。她長得很美麗，從那暗淡的燈光裡照見她衣服的質料很講究。她以外國話略略說了幾句，像是發問的樣子。我那同行的人，隨便回答了幾句，她忽然一震，手裡的燈幾乎掉下地來。斯塔克上校便走到她身邊，在她耳邊低聲說了幾句話，就把燈接在手裡，將她推進她出來的門裡去，才又回身走向我這邊。他推開了另外一扇門，向我道：『對不起，請你在這房間裡稍待幾分鐘。』那是一間很小的房間，陳設很簡單，中間有一張圓桌，上面隨便放著幾本德國書。斯塔克上校把燈放在門邊的一架小風琴上面，說：『我失陪一下。』說罷，就在黑暗裡走開了。我把桌上的書略爲看了一看，雖然我不懂德文，大概可知有兩本是科學論文，其餘是詩集。我走到窗口，想看看外面的景色，但那一扇橡木的百葉窗，葉子都放下，外面還有鐵欄，所以不能如願。我只聽見一個老鐘的滴答聲從走廊那邊傳來，其餘一點聲息也沒有。我漸漸覺得忐忑起來。到底他們這些德國人在這荒僻的地方做些什麼事情呢？此地到底是什麼地方？我只曉得此地離開愛福特有十餘哩路，但是不知道在東南西北的那一方向。想起來此地距離雷丁或別的市鎭不遠，那麼，似乎還不致於十分偏僻。但是在這萬籟無聲的境地，可確知我們絕對是在鄉間。我在那房間裡踱來踱去，口裡輕哼著歌，以提振精神。想著再一會兒就可享受這五十鎊金幣哩。忽然，房間的門一點聲息也沒有地漸漸被推開。那方才所見的婦人站在門口，她的背後一片漆黑。黃色的燈光直射到她焦急而美麗的臉上，一瞥便可見她滿含著恐懼，這一種神色讓我也怔了一怔。她豎起一根顫慄的手指，以很不標準的英文低聲地說著話，叫我不要作聲，眼睛又不時望著後面，好像一隻受驚的馬，回顧馬夫的樣子。她盡量保持鎮定，說道：『我想你快走吧！去吧！此地不能久留，你在此地是沒有什麼好處的。』我道：『夫人，可是我來此的職務還沒開始哩。我在沒有看過機器之前決不能離開此地。』她又道：『你要等候是不值得的，趕快走。你可從這扇門出去，沒有人會追你的。』那時她見我微笑著搖頭，忽然不能自制，向前走過來，兩隻手緊握著，向我耳語道：『看在上帝的分上！趕快走吧。再延遲就來不及了！』但是我素性頑強，愈是有阻礙的事情，愈是要做。我想到五十鎊金幣的代價，又想到我困乏的旅程，和這不愉快的一夜。難道就此算了嗎？我怎可不把受託的事做好就溜走呢？我又為什麼不拿到我應得的報酬回去呢？據我看來，這婦女或許是有些瘋狂。雖然

她的樣子很使我震驚，只是我向來固執，所以仍舊搖了搖頭，表示我絕對要在此地，不會走開。她正想再說什麼，忽聽見樓上有關門聲，並且有脚步聲從樓梯上來。她仔細聽了一聽，做了一個表示絕望的手勢，和她來時一樣，突然消失。來的是賴山特・斯塔克上校同一個矮胖的人——長著些兔鼠式的短鬚在他肥厚下巴的夾層裡，經過介紹之後，知道他叫弗格生先生。上校道：『這一位是我的祕書兼經理。』又道：『咦！這一扇門我記得出去時是關上的，我怕你覺得冷。』我道：『不是。是我自己開的。因為我覺得房間裡有些悶。』他又顯出懷疑的態度向我望了一眼，說道：『那麼，我們不如先著手把要做的事做好。弗格生先生和我會和你一塊兒去看那機器。』我道：『我想我帶上帽子吧。』他道：『啊，不必，就在

這屋子裡的。』我道：『什麼？你們就在這屋子裡挖漂白土』『不對，不對，是在屋裡壓縮泥土。這暫且不必管，我們要請教你的，是要你視察那部機器，請你指示我們要修理的地方。』我們便一同上樓。上校拿著燈在前面引導，胖經理和我跟在後面。這是一所像迷宮一樣的老屋子，有不少迴廊小弄，很窄的旋轉樓梯，很低的小門，門檻中間都已被人踏得損蝕了。到了樓上，既無地毯又少器具，牆上的漆也已剝落，一陣陣的霉氣從一點點的綠色斑點上透出。我竭力做出不太在意的樣子。我雖然不相信那婦人先前的忠告，腦海裡卻也不能忘卻。所以我很敏銳地注視那兩個同行的人，弗格生似是一個陰險的人，從各方面觀察，他是個英國人。後來，賴山特・斯塔克上校在一扇低門前面站住，並把門上的鎖打開。裡面是一間四方形的小房間，面積很小，我們三個人竟無法同時進去。弗格生便留在外邊，上校卻推著我一同走到裡面。說道：『我們現在在水壓機裡面。如果外邊有人把開關旋動，我們就完了。這一小間的天花板，其實就是機上的下壓活塞，這東西壓到了下面的鐵質地板上時，便產生極大的壓力。外面有無數的橫水管，承受了這個壓力。至於其原理與方法當然都是你所熟悉的。這機器本來很靈敏，只是現在出了點問題。或許你可以視察一遍，教我們一個修理的方法。』我從他手裡拿過了燈，把那機器澈底地審察一遍。這機器果然很巨大，可以產生極大的壓力。當我走到外面，把槓桿壓下，發出嘶嘶的聲音，我知道一定有了漏氣的地方，使旁邊水管裡的水成了逆流。我又看見一個在傳動桿上圍繞的橡皮帶鬆了，運轉時自然有問題。這就是使機器失去力量的原因。我便指給上校瞧。他很留神地聽著，並且問我怎樣可以著手修理。我很詳細地向他說明，再走進裡面，希望查出那機器的用途，以滿足我的好奇心。那時我早已明白，他所說的漂白土完全都是謊話。因為用如此巨大的機器卻只為了一點小小的用處，誰也不能相信。那小房間的四壁是木頭做的，地板則是巨大的鐵底。當我俯下去察看的時候，見到不少金屬的粒屑。我伸手在地上撮起了一些，想細細地察看到底是什麼東西。忽然聽見一陣德國話，抬頭一看，見上校猙獰厲可怕的面孔正對我望著。他問道：『你在那裡做什麼？』我那時很不快，因為他告訴我的話，完全是欺騙我。我便回答道：『我在此地欣賞你們的漂白土。但是你如果肯把這機器的眞正用途告訴我，我可以多幫點忙。』這時候我自己也覺得暴躁了點。他的臉色變得很難看，灰色的眼裡發出兇光。他道：『很好，你要完全知道這機器的用處嗎？』說完，他就掉轉身去，把小門關上，又用鑰匙把門鎖上，我知道大事不妙，衝過去拉門把，可是堅固異常，我雖用力推踢也沒有什麼用。我便高聲呼道：『喂！喂！上校！請你讓我出去！』在這無人理會的時候，我忽然聽見一種聲音，不禁使我心驚肉跳，那是起動槓桿的軋軋之聲和漏氣筒的嘶嘶聲。他竟在開動機器！那盞燈仍舊在地板上，那是我方才檢查鐵底時放著的。從這燈光裡，我望見黑色的頂板，正在搖動著，慢慢地向我落下。我是內行人，淸楚知道這巨大的壓力會把我磨成肉醬。我撞著那扇小門，竭力地呼號，並以小釘企圖扳開門鎖。我又高聲懇請上校放我出來。可是那槓桿可怕的軋軋之聲蓋過我的呼號。那時頂板不過離我頭頂一二呎高，如果我舉直了手，便可摸到那堅硬粗糙的表面。我想，如果站直了給它壓死，最爲苦痛。不如睡在地上，叫他壓在我的脊骨上，但一想到脊椎被壓斷的劈啪聲，怎不叫我戰慄。難道我只能仰臥著，看這黑影向我身上壓來嗎？此時我已不能站直。但忽然瞧見一樣東西，心中頓時燃起一線希望。我已說過頂板和地板雖然都是鐵做的，但是四壁卻是木質的。當我最後向四週一望，看見有一線燈光從兩板之間透射進來。又見一塊板子徐徐向後移動，燈光逐漸變寬，我幾乎不敢相信竟還有一條生路。於是我就從這裡鑽到外邊，但我已經半昏厥了。我出來後看見那塊小板又漸漸移正，同時聽見裡面燈被壓碎的聲音，略頓一頓，又聽見兩塊鐵板相碰的巨響，我才知道我是在千鈞一髮之際逃脫的。等我定神的時候，手腕觸到堅硬冰冷的東西，才知道我正躺在一條石地的迴廊上面。有一個女人，俯身在我旁邊，左手拉住我，右手拿著一根蠟燭。她就是曾經被我很愚蠢地拒絕她忠告的那個朋友。她氣喘吁吁地說道：『快來！快來！他們就要到此地來了！他們就要發覺你不在那裡。不要再浪費時間，快跟我走！』這時無論如何，我決不敢輕藐她的忠告。我於是用力站了起來，跟她在迴廊裡跑，走下一道迴旋的樓梯，然後又走到一條寬闊的走廊。就在這時，我們聽見奔跑的腳步聲，以及兩個人說話的聲音從剛才我們跑出的地方傳來。她站定了，向四面張望，好像已到智窮力竭的地步。於是她就推開一扇門，裡面有一間臥室，從房間的窗戶照進明亮的月光。她道：『這是你最後的機會了。這裡雖然很高，但你可以跳下去的。』說話的時候，有一道燈光，從走廊那頭射來。我看見瘦弱的上校一隻手拿了一盞燈另一隻手裡則拿了一把像屠刀一樣的武器向前奔來。我就奔到臥室那邊，推開窗子向外望出去。月光下的花園恬靜異常，跳到下面大概有三十英呎。我爬到窗檻上時還躊躇著沒向下跳，因爲我要看那兇徒會對我的救命恩人怎樣。如果他要難爲她，無論如何，我絕對要回去幫助她。我腦海裡存著這一個想法，等到他走進門了，卻從她身邊衝向我面前來。只見她立即以兩臂抱住他，要把他拉住，她用英語呼道：『快停止！上一回你不是答應我了嗎？你說決不再幹了呀！他決不會聲張的！他決不會講出去的！』他喊道：『愛麗絲，你瘋了！』說罷，竭力從她手中掙脫出來，又道：『妳會把我們毀了。他已經完全看見我們的祕密了。快讓我過去！』他一脫手，便把她推在旁邊，向我衝來，奔到窗邊，就用他手中的武器砍我。我那時已經爬出了窗，一手搭在窗口，手指攀著窗檻。我猛覺一陣巨痛，手指一鬆，就跌在下面花園裡了。

他用手中的武器砍我

我這一跌，雖然頭昏，並沒受傷，所以趕快爬了起來，向矮樹叢中竭力地奔跑。我知道那時還沒有逃出危險的境地，但是跑了一陣，忽然覺得身體不支，頭暈得要死。我一看那隻痛得異常的手，才知砍去了一隻拇指，傷口的血還不停地流出來。我就以手巾裹紮起來，後來，一陣耳鳴，一陣暈眩，便倒在玫瑰花叢中。我也不知道暈去了多久。等我醒來的時候，料想一定是過了很久，因爲月亮早已落下，晨曦已漸吐露。我的衣服浸透了晨露，外衣袖口沾滿著拇指傷口裡流出的血。我看見了血跡，立刻想起昨夜的驚險，恐怕這裡還不是安全的地方，便慌忙想站起身來。四周一望，覺得非常驚奇，那房屋和花園都已不見，我是睡在靠近大路的一個籬笆角裡，恰在一間大房子的下面。我走近一看，原來就是昨夜到此下車的車站。假使沒有這劇烈的傷口留在手上，那麼，我或許還要認爲，所經歷的可怕事情只是一場惡夢哩。我昏昏惘惘地走到車站，探問早晨第一趟火車的時間。一小時之內就會有一輛到雷丁的車。我見昨天我到站時所見的脚夫還在那邊，就問他是否知道此地有一位賴山特・斯塔克上校，他說這名字他從沒有聽過。我又問他昨夜是否看見有一輛來此接我的車子，他又說沒有看見。我問他這車站附近有沒有警局，他說在三哩路之外有一間。當時我非常疲弱，走不了如此遠的路，便決定等我回到城裡之後，再去報警。我到此地大概在六點以後，我先去診治傷口。那時承蒙這位醫生的厚意，領我到此地來，現在我要把此事請託你，聽你的命令行事。」

我們聽完了他那異常奇怪的陳述，彼此默然了一會。接著，我友歇洛克・福爾摩斯從書架上拿下一本皮製的厚冊，上面貼滿他在報紙上剪下的東西。

他道：「這裡有一段廣告，你聽了也許覺

得有趣。這是一年以前各報都見到的。你且聽著：『尋人，傑利邁亞·海林先生，今年二十六歲，是一名水力工程師。本月九日晚間十點鐘離開寓所之後，就此失蹤。……』呀！我明白了，這一定就是上一回被那上校請去修理機器的人了。」

那病人喊道：「天呀！怪不得那女子會那麼說，原來就是這個緣故。」

「毫無疑問了。並且那上校是一個冷血兇暴之徒，在他的祕密計畫裡決不容有別的人妨礙。好像那些海盜，搶劫了船，不留任何活口一般。好啦，現在時間十分寶貴。如果你也同意，我們先到蘇格蘭警場，然後一起到愛福特去。」

大約三小時以後，我們已一起在火車上，繞過了雷丁，向伯克郡駛去。同行的是歇洛克·福爾摩斯、水力工程師、蘇格蘭警場的偵探長布雷斯特里、一個便衣偵探和我，一行五個人。布雷特里拿著一張鄉間詳細地圖，展張在座位上，拿著圓規，以愛福特做圓心，畫了一個圓。

他道：「大家請看。這圓是以這村做中心，十哩爲半徑所畫的。我們所要找的地方大概就在這圓圈線上。先生，你不是說十哩嗎？」

工程師哈瑟萊道：「大概快馬走一小時的路程。」

「你試想當你暈去的時候，可是他們把你送到車站的呢？」

「一定是這樣的。我模模糊糊記得，好像有人把我抬起來載送到一處的。」

我道：「我有些不明白。既然你暈倒在花園裡，他們又怎肯放你出來呢？想必是那惡徒被那婦人勸得心軟，方才如此？」

哈瑟萊道：「我卻不相信。因爲他那可怕的臉是我這輩子看過最殘忍的臉了。」

布雷斯特里道：「這一點不久我們就可以明白了。好啦，我已經畫好了這個圓圈，我們只要研究在什麼方向，就可以找到那些兇徒。」

福爾摩斯很沉靜地說道：「我想我可以指出來。」

那偵探長呼道：「眞的嗎？你已經知道了。你暫且不要宣布，讓我們各說一個方向，瞧誰和你符合。我說是在南方，因爲那邊的鄉村最荒僻。」我的病客道：「我認爲在東邊。」那便衣偵探道：「我說是在西邊，那邊有幾個小村。」我道：「我說是在北面，因爲只有那一邊沒有小山。我們的朋友並沒有說起他覺得車子有上坡的情形。」那偵探長笑道：「那麼，每個意見完全不同，這倒很有趣。我們且擱著，看福爾摩斯先生怎麼說吧。」

福爾摩斯道：「你們說的都不對。」偵探長道：「但是不會都不對的。」「是的，沒有一個對。我說在這裡。」說罷，他以手指指著圓心，道：「這就是我們要找他們的地方。」哈瑟萊道：「但是這有十二哩嗎？」福爾摩斯道：「這再簡單不過了。六哩去，六哩回來。你自己說過，你坐進去時，看見那匹馬精神奕奕。如果在這不平的路上先趕過十幾哩路，還會有這樣精神煥發的樣子嗎？」

布雷斯特里想了一想，說道：「這一定是一種詭計，他們這一群人天性就是這樣喜歡故弄玄虛的。」

福爾摩斯道：「你還不懂。他們是一批大規模的私鑄賊。他們用這巨大的機器把銅鐵等雜質鑄成僞幣。」

偵探長道：「我們早知道有一夥狡猾的賊人做這事情。他們做的半克朗硬幣在市面上，已經出現了很多。我們搜尋了好久，一直找到雷丁，只是一點影蹤也沒有，他們不露一點痕跡，可見都是一班好手。這一回我們總算可捉到他們了。」

但是偵探長的希望完全錯誤，那班賊人的命運注定不會被捕。當我們到愛福特車站的時候，看見鄰近樹叢的後面正冒著一股股的濃煙，好像在鄉村的天空上掛上一片鴕鳥羽毛。

當火車開出站後，偵探長布雷斯特里急問道：「有房子失火嗎？」站長道：「先生，是的。」「在什麼時候起火的？」「我聽說在夜裡，後來愈燒愈嚴重，那一帶的房子都陷入火海中。」偵探長道：「是誰的房子？」「柏赫醫生的。」哈瑟萊急問道：「請你告訴我，柏赫醫生是個身體極瘦鼻子尖長的德國人嗎？」那站長大笑道：「不對，不對，柏赫醫生是一個英國人，此地沒有比他再胖的人了。但是他有一個居住在他屋裡的紳士，大概是他的病人，那是一個外國人，這人瘦得好像無法吃東西的樣子。」

那站長的話沒有講完，我們都急忙向失火的地方趕去。那條大路一直通到一座低矮的小山頂上。那邊有一大片白色的房屋，窗戶裡還有火焰向外噴，前面花園裡有輛救火車在那裡極力滅火。

哈瑟萊大呼道：「這裡，這是石子的馬路，那邊是我昏倒的玫瑰花叢。那第二個窗戶，就是我跳下來的地方。」

福爾摩斯道：「好啦，無論如何，你的仇已經報了。一定是你的油燈在重壓機裡壓碎，燒著了木壁起的火。他們因爲急著追你，所以沒有留心。現在你儘管睜大了眼睛尋找昨夜的那班人，但我想他們早已在百哩之外了。」

福爾摩斯的猜想後來果然證實了。因爲自從那天以後，再也沒有人聽過關於那個美麗的女人、兇暴的德國人和那奸險的英國人的消息。那天早晨，有一個農夫遇見一部車子，裡面有幾個人和幾個沉重的箱子，向雷丁的方向急駛而去。但是沒留下任何線索，就是憑著福爾摩斯的機智也無法發現。

那些救火的人都很詫異，因爲在裡面發現許多奇怪的器械。最詫異的是在第二個窗檻上，發現一截人的拇指。到了那天傍晚終於把火撲滅了。但那時屋頂已經陷落，除了幾個彎曲的鐵管，其餘完全燒成一片焦土，而那使我友遭受極大損害的機器也找不到任何痕跡。此外又發現整堆的鐵和錫貯藏在外邊一所屋裡，只是沒發現僞幣。那一定是在農夫所見的幾個笨重箱子裡，運出去了。

至於那工程師怎樣被人家從花園裡運到甦醒的地方的問題，如果不見那軟泥的足印，則幾乎又要變成一件永遠神祕的事情了。我們看了足印就很明白，知道他是被兩個人運來的。我們檢驗那足印，一個小的是女子，一個大的是男子。大概那個沉默的英國人，比他同伴略爲膽小且少些兇念，所以他幫那個女子把暈去的人運出危險的地方。

當我們坐車子回倫敦的時候，那工程師很沮喪地說道：「我失去了一截拇指，卻沒有拿到五十鎊金幣，我得到些什麼好處呢？」

福爾摩斯笑道：「你得到經驗。你要知道，這事間接上對你也有很大的價值。在未來的歲月中，只須把這事講給人聽，那你的公司就可以得到很好的名譽了。」

貴新郎（原名 The Noble Bachelor）

聖西門貴族的婚事和那奇怪的結局，起先曾經引起那些貴族社會的注意，此刻卻已被人淡忘。因爲這一件戲劇化的故事已隔了四年之久，社會上新發生的奇聞異事已取代了那件事的地位。但據我所知，這件事的全部眞相還沒有在社會上批露過哩。這事能獲解決，我的朋友歇洛克・福爾摩斯居功厥偉。因此，我覺得我若不把這一件事披露出來，有關他的記錄就算不上是完整的。

在我結婚以前的數星期，我仍和福爾摩斯同住在貝克街。一天午後，他剛散步回來，桌子上已有一封信在那裡等他。那天我終日沒有出門，因爲忽然下雨，秋風陣陣，讓人覺得陰沉愁鬱，我肩膀上的彈傷這時又隱隱作痛，這是我阿富汗戰事的唯一紀念了。我躺在一把安樂椅上，兩脚擱在另一隻椅上看報消遣。不久我已把當天的新聞讀完，便將報紙丟在一旁，沒精打彩地躺著，眼睛看著桌子上的那一封信，信上有一個爵冕的印章，因而暗忖福爾摩斯的這個貴族朋友不知是誰。

我見他進來，便說道：「這裡有一封很體面的信。你今天早晨，不是也接到過一個漁夫和一個海關檢查員的信嗎？」

他含笑著答道：「正是，我的通信人的地位確實很不齊。但越是那些地位低下的平民，我愈感興趣。這一封信很像是一種社交上乏味的問候信，不是讓人見了厭煩，就是滿紙虛語。」

說時，他把信封拆開，在信箋上瞧了一瞧。

又道：「啊，且慢。這也許是一件值得注意的事情。」我道：「那麼，不是尋常的問候信了？」「不是，這與我的業務有關。」我道：「可是有一個貴族主顧嗎？」「是一個英國地位最高的貴族。」「我的好朋友，我恭喜你。」他道：「華生，我老實說，那主顧地位的高下與我不相干。我所注意的是那案子趣味如何。在這一件事上，似乎不像是乏味的。你近來不是很勤於讀報嗎？」

我指著屋角的一大堆報紙，答道：「確有這一回事。因我除了讀報以外，實在沒有別的事可做。」「這樣很好。你也許可以幫助我。我讀報時，專揀那些與犯罪有關的新聞，因為這些事時常有研究的趣味。但你既留心最近的新聞，你可瞧見關於聖西門貴族婚事的新聞呢？」

「讀過，很有趣。」

「好，這封信就是聖西門貴族給我的。我現在可以讀給你聽。但你等我讀完，也應把那些報紙上的新聞檢出來，以便我在這事上可以有些參考。這就是他信上的話：

『我親愛的歇洛克．福爾摩斯先生，據貝華特貴族的意思，我應當把我的事完全請教你。因此，我已決定親自來見你，和你商量這一件關係我婚事的不幸事情。蘇格蘭警場的雷斯特拉先生已承辦這件案子，但他聲言並不反對與你合作，他還說你若能合作，也許還有些助益。我準備今天下午四點來看你，假使你在這時有別的約會，請你設法改期或延後時間，因為我的事情是十分重要的。

羅伯特．聖西門』

這封信是從葛洛司文爵邸發出來的。寫時用一枝鵝毛筆，這貴族右手的小指上沾了些墨水。」福爾摩斯說到這裡，就把那信箋重新摺好。

我道：「他說四點鐘來，此刻已三點了。還有一個鐘頭，他就要來了。」

「那麼，我還有足夠的工夫，可以靠你的幫助，把這人的歷史查一查。你且把那報紙檢出來，依著時間的先後，把那些記載排列出來。我且先瞧瞧這個人究竟是誰。」他說完，從爐簷旁邊的書架上取出一本紅色簿面的參考書來。他回身坐下，把書放在膝上，翻了一回，便道：「在這裡。羅伯特．聖西門，是鮑爾摩公爵的二公子，生於一八四六年。那麼，現在他已四十一歲，的確應當娶妻了。他從前做過殖民地行政大臣，他的父親鮑爾摩公爵也曾做過一任外交大臣。他們是都鐸王朝的後裔。但這些事並沒有多大的研究價值。華生，我想請你告訴我一些實際的情形。」

我道：「我檢尋這些消息並不難。因爲這事最近才發生，其情節也很奇怪不易忘記。我本想告訴你，但我知道你正進行一件案子，又素知你不喜歡在治事時被別的事打擾。」

「唉，你可是說葛洛司文廣場搬運車的那個小問題嗎？這件事著手時便明瞭，此刻早已結束了。現在請你把報紙上找到的資料讀給我聽吧。」

我道：「這是我所讀過的第一篇記載，在晨報的啓事欄裡，已是數星期前的事了。那記載道：『據說，鮑爾摩公爵的次子聖西門，和美國舊金山亞洛伊修斯．陶萊先生的獨生女赫蒂．陶萊小姐已經締結婚約。據說不久就要舉行婚禮。』報導很短，只有這幾句話。」

福爾摩斯把他兩條瘦長的腿伸向火爐邊，

說道：「簡單扼要。」

我又道：「在同一星期中，另有一張社交界的報紙有更多的報導。那新聞道：『在我國的婚姻市場上，不久似將有討論補救方法的必要了。因爲眼前這種自由貿易條例，對我們英國人有重大的損失。我們大不列顛貴族家庭的管理權竟一個一個送到大西洋對岸我們的表姊妹手裡去了。上星期，又有這種事情發生，因此，那些嫵媚的侵入者的錦標單上又多添了一個戰利品了。聖西門貴族二十年來對愛神的箭矢都能堅持壁壘的，現在卻明確地宣布要和赫蒂・陶萊小姐結婚。陶萊小姐的舉止端莊，容貌也很動人，故在偉司培里宮的宴會很惹人注意。她是加利福尼亞富翁的獨生女。據說她的嫁妝在六位數以上。並且未來的希望更是無可限量。數年前鮑爾摩公爵曾把他所收藏的名畫賣掉，景況已可想見。聖西門除了在伯奇瑪有一些小小的地產外，已沒有自己名下的產業。這樣，可知這一件婚約，在女方是從一個美國女子的地位，輕易承襲了不列顛的勳銜，但在新郎那方面，卻也不能說毫無所獲啊。』」

福爾摩斯打了一個呵欠，問道：「還有別的事嗎？」

「有的，多著呢。在晨報上另有一段記載，據說婚禮並不鋪張，打算在海諾佛廣場的聖喬治教堂悄悄舉行，準備請五六個知己朋友，結婚後就要回到亞洛伊修斯・陶萊先生的寓裡。但兩天以後——就是上星期三，另有一段簡短的記述，據說那婚禮已經舉行，新婚夫婦準備前往附近彼得斐爾的貝華特貴族的別墅度蜜月，這些都是在新娘失蹤以前發表的新聞。」

福爾摩斯震了一震，問道：「什麼以前

呀？」我道：「就是那新娘忽然不見了。」「那麼，她在什麼時候不見的？」「在結婚後的早餐席上。」他道：「啊，這件事實在比外表所顯露的更有趣了，的確很奇特。」「是啊，我也覺得這件事異乎尋常。」「新娘失蹤的事情雖非首聞，但大半在行禮以前，或在蜜月期間突然失蹤不見。但像這樣子行禮後便不見的倒是頭一次聽說。現在請你把失蹤時的詳情讀給我聽吧。」我道：「我須先告訴你，那記載並不完全的。」

福爾摩斯道：「我們多少總可以得到些要點。」

「好，這是昨天的早報，我可以念給你聽。那新聞的標題是『新婚奇變』，下面就是那段記載：『聖西門貴族近來因他的婚事發生了奇怪的變端，已陷入極度驚愕無措的狀態。前幾天，報上都已報導過他婚禮本已於昨天早晨舉行，然而竟有不幸的謠言傳布開來。他們的朋友們雖竭力要把這件事隱藏起來，但事既流傳，引起了公衆的注意，就沒有掩飾的必要了。婚禮是在海諾佛廣場的聖喬治教堂舉行的，儀式非常簡單，沒有太多貴客，只有新娘的父親亞洛伊修斯・陶萊先生、鮑爾摩公爵夫人、貝華特勳爵、新郎的弟弟歐斯塔斯勳爵，和新娘的姊妹克拉拉小姐，此外還有費廷頓夫人，這些人在行禮以後便一同往蘭開斯特亞洛伊修斯・陶萊先生的寓所去，那裡早預備了婚禮的早餐。但是，那時忽然發生一個小小的意外，有一個不知名的女子強走進屋子去，說和聖西門勳爵有話說，後來因守門人和管家的竭力阻擋，才把那女子摒逐出去。在這件事發生以前，新娘幸已先進了屋子，和親戚們一同用早餐。後來，新娘忽然說身體不適，就回到她的房內，她離席好久都沒出來，她的父親便起身去看看。據她的女僕說，新娘回房後片刻，便穿上一件外衣，戴上帽子，匆匆出去。有一個僕人也瞧見這樣一個女子出去，但他起先以爲只是普通人，卻沒想到就是他的女主人。陶萊先生確知他女兒失蹤後，便告訴新郎，把這件事通知警察。目前警方已全力調查，希望在短時間內解決這一件奇怪的事情。但到昨天深夜爲止，還沒有那失蹤女子的下落。據外面的傳說，這件事內幕重重，大家都認爲那個強迫登門的女子也許出於嫉妒或別的緣故，而且可能與新娘的失蹤有些關係。因此，警察此刻正著手緝捕那個女子。』」

福爾摩斯道：「就這些了嗎？」我道：「今天的早報還有一小段新聞也值得注意。」「啊，怎麼說呢？」

我道：「那個引起驚擾的女子名叫弗羅拉・蜜勒小姐，此刻已被逮捕。據說她從前是埃里格陸的舞女，和新郎相識多年，此外就沒有別的報導了。這就是報紙上記載的全部事情，現在你都明白了。」

「這當眞是一件有趣的案子。我無論如何不能錯過。門鈴響了。華生，已經四點鐘剛過一點。我相信一定是我們的貴賓來了。華生，你不要走，我很希望你一塊兒在場，以便能有個見證。」

我們的小僮推開門，說道：「羅伯特・聖西門勳爵到了。」這時果然有一個紳士走入室中。他的面容和悅有禮，鼻樑高聳，臉色灰白，嘴上露出一種鹵莽的神氣。他嚴肅鎭定的眼光顯露出他是個天生就發號施令的人。他的舉止敏捷，但體態與年齡有點不符，因爲他已有點駝背，舉步時膝蓋也有些彎曲，那時他的卷邊帽子已摘下，露出灰白色的頭髮，頭頂上的頭髮已很稀疏。至於他的衣服，卻奢華至極。高高的硬領，黑色的禮服，白色的背心，手上黃色的手套，足上精緻的皮鞋，足背另附著淺色的靴衣。他緩緩地走進室來，他的頭向左右顧盼，右手中拿著一條繫著金邊眼鏡的鏈子，搖擺不停。

聖西門勳爵

福爾摩斯站起身來，鞠躬說道：「聖西門勳爵，您好。請您坐在那把藤椅上。這是我的朋友和同事華生醫生，請把那椅子移近火爐些，我們可以細談這件事。」

來客道：「福爾摩斯先生，你應該能體會這件事對我眞是非常痛苦的，現在我的事情十分急迫。我知道你已經辦過好幾件像這樣的案子，不過他們的社會地位不見得與我相同罷了。」「不，事實上地位反而是在下降當中。」來客道：「請問這話什麼意思？」「我前次的主顧是一個國王。」「唉，當眞嗎？我卻沒想到，那一個國王呀？」「波希米亞國王。」來客道：「什麼，他的妻子也失踪了嗎？」

福爾摩斯婉聲道：「對不起，你須明白，我對於別的主顧的事情，也要像對你的事一樣，應當保守祕密。」

「那倒是，請你原諒。現在我的事情，不妨由你發問，以便你可想一種解決的方法。」

「謝謝你。我已從報紙上讀悉了一切情由，

大概不致於有什麼遺漏。例如這一段記載新娘失蹤的報導，應該不致有什麼錯誤吧。」

聖西門勳爵在福爾摩斯所指的報紙上瞧了一瞧，答道：「正是，這一段確實沒有錯誤。」

「但我在發表意見以前，還須從別的方面加些參證，因此我還須問你幾句。」「你儘管問。」

「你第一次遇見赫蒂・陶萊小姐是什麼時候？」「一年以前，在舊金山遇見的。」「那時你可是在美洲遊歷？」「正是。」「你當時就已和她訂婚？」「沒有。」「但你和她很投緣吧？」

「我覺得她非常有趣，她對我也有這樣的感覺。」「她的父親不是很有錢嗎？」「是啊，據說他是太平洋彼岸的首富。」「他的財產如何掙來的呢？」「採礦得來的。數年以前，他還沒有錢。後來忽然發現了金礦，他投資開採，便變成巨富。」「那麼，你對於你夫人的性格有什麼印象？」

那貴族手裡拿著的眼鏡鏈忽然搖動得很厲害，他眼睛瞧著火爐，說道：「福爾摩斯先生，你須知當我妻子二十歲時她的父親方才發財，因此她小時候的歲月大半消磨在山林和礦舍之間，她的教育也完全得之於大自然，不是從學校裡得到的。從我們的眼光看來，可能會覺得她是一個粗野的女子。她的意志堅定，崇尚自由，不受任何傳統和規條的束縛，在我看來，她也可以說是一個剛烈的女子。只要她下定決心，就會義無反顧。所以我若不確信她本性是一個高尚純潔的女子，我當然也不會以我勳爵的地位當賭注。」他說到這裡，乾咳了兩聲，又繼續道：「我覺得她如果遇到什麼不名譽的事情，也許會勇敢的犧牲的。」

福爾摩斯道：「你可有她的照片？」他道：

「我帶在這裡。」說著，他取出一個小匣，掀開了蓋，便見裡面有一個可愛女子的面容。那並不是照片，而是一個畫在象牙上的小畫像。那像的畫工精細，光色可鑑的美髮，大而黑的眸子，美麗的櫻唇，都很傳神。福爾摩斯很注意地瞧了好久，接著，將小匣重新蓋好，還給聖西門勳爵。

他又問道：「那麼，當這位少女到倫敦以後，你就和她重新交往嗎？」

勳爵道：「她的父親帶她到倫敦來。那時恰是倫敦最熱鬧的時候，我和她遇見了好幾次，隨即和她訂婚。現在已和她結婚了。」

福爾摩斯道：「我聽說她帶過來一筆很大的嫁妝，可不是嗎？」「不算太多。數目並沒有超過我家族中常有的嫁妝。」「但自從這婚事發生了變端以後，嫁妝不是仍留在你這裡嗎？」「我並沒有去過問這個問題。」「那自然。但你在結婚的前一天可曾和陶萊小姐會面過呢？」「見過。」「她那時的精神是否很好？」「再好沒有了。她和我談著我們未來的生活情形，非常高興。」「當眞嗎？那很有趣。但到了結婚那天早晨，又怎樣呢？」「她還是很高興。直到婚禮完畢以後才生變。」「那麼，你覺得她有怎樣的改變呢？」「老實說，那時我覺得她的脾氣似乎有點急躁。不過只是件小事，應該不會和這件事發生什麼關係的。」「對不起，姑且說給我們聽聽。是什麼事呢？」

「唉，那事並沒有什麼大不了。當我們行禮後往聖衣室去時，她的花球忽然落掉。那花球落在禮堂中第一排座位前。我們因此停了一下，但那時有一個在座的紳士拾起來送回給她，當時並沒什麼特別的反應，可是後來我提

那時有一個在座的紳士將花球拾起，送還給她。

起這件事情，她的回答非常暴躁。當我們坐了馬車回去的時候，她似乎仍爲了這一件小事而驚擾不安。」

「啊，你說前排座位上有一個紳士，那麼，行禮時除了你們的親戚以外，也有閒雜的人了？」「有的。因爲禮拜堂門一開以後，沒法趕走他們。」「這一位紳士，是你夫人的朋友嗎？」

「不是，不是，我稱他做紳士，原是含著尊敬的意思，其實他只是一個平常的人。我當時也沒有瞧見他的面貌。但我們這樣空談，未免離題太遠了。」

福爾摩斯道：「這樣說來，聖西門夫人在行禮之後，她的精神已沒有像開始往禮堂中去時那麼興奮了。但她回到她父親的屋子時又怎麼樣呢？」

聖西門勳爵道：「我見她曾和她的女僕談話。」「她的女僕是誰？」「她叫做愛麗斯，也是一個美國人。她和我的妻子一塊兒從加利福尼亞來的。」「她可是她的心腹傭人呢？」「我覺得是。她的主人似乎有點過分縱容她。可是在美國，這種情形是和我們不同的。」「她和愛麗斯談了多久？」「只是一兩分鐘。那時我正有別的事情，不很注意。」「那麼，你沒聽見他們說些什麼話？」「我妻子似說什麼 Jumping a Claim。她常會說這種俚語的，我卻不知道有什麼意思。」「美國的俚語，有時是很有意思的。但你夫人和那女僕談完以後，又做什麼？」「她就走到餐廳裡去。」「可是和你一塊兒挽著臂進去的呢？」「不，她不會拘泥禮節，她是單獨進去的。後來我們就席坐下，約有十分鐘久，她忽然站起來，說了句道歉的話，便從餐廳中出去，這一去就沒回來了。」「但我聽說這個女僕愛麗斯曾說，她回到房間以後，將一件長掛罩在她新娘禮服外面，又戴了一頂帽子隨即出去。」「正是這樣。她離開以後，有人見過她和那個弗羅拉・蜜勒一塊兒走進海德公園，蜜勒就是那天早晨在陶萊先生屋前噪鬧的婦人，此刻已被關進警局裡去了。」

福爾摩斯道：「唉，很好。我現在還想略略知道這年輕女子的來歷，你和她的關係怎樣？」

聖西門貴族聳了聳肩，又揚了揚眉毛，答道：「我和她曾經是朋友——我們關係友好。她從前在埃里格陸，我待她不薄，她也沒有足以怨恨我的緣由。但你總知道女子的性情是怎樣的，弗羅拉・蜜勒本來也很可愛，她熱切愛著我，一心要和我成婚。她自從聽見我要結婚的消息，曾寫過好幾封可怕的信給我，老實說，我那天行禮，所以採取這麼祕密的方式，就是怕在禮堂中鬧出什麼笑話，當她趕到陶萊先生家門口的時候，我們剛回去。她想直闖進來，對我妻子發出侮辱的話，其中還含著恫嚇的意思。但我預料也許有這種事發生，因此曾吩咐僕人不許讓任何人進來，所以僕人們當時就將她推出去。她覺得爭噪無益，不久也就離開了。」

「你夫人可知道這一回事?」「沒有，謝天謝地，她沒聽到。」「那麼，後來有人瞧見你夫人和這個女子一塊兒走嗎?」「正是，因此，蘇格蘭警場的雷斯特拉覺得事態嚴重，料想是弗羅拉把我妻子誘出以後，便預備了什麼陷阱，讓她落入圈套。」

福爾摩斯道：「這假設是有可能的。」聖西門貴族忙應道：「你也以爲如此嗎?」「我只說是有可能的，並不一定說是。你自己可是以爲這一點不近情理嗎?」「我不相信弗羅拉會這麼做!」「因爲嫉妒往往會改變人的性格，但你對於這件事情究竟有怎樣的看法呢?」

「你問我嗎?我是來徵求意見的，不是來發表意見的。我已把一切的事實告訴你了。但你既然問我，我也不妨略表我的意見。我認爲她在這件事上大概受到些驚擾，她覺得她踏進了一個較高階級的社會，精神上便不安起來。」「換句話說，你是覺得她精神有點錯亂?」「我實在不忍這麼說，不過別的假設，既然都解說不通，我也只能歸到這一點了。」

福爾摩斯微微笑道：「這也近情理的。聖西門貴族，我想我此刻對於我所要知道的事差不多已完全明瞭了。不過有一句話請你回答，當你們坐在早餐席上的時候，你們可以瞧到窗外嗎?」「可以，我們還可以瞧到對面和那個海德公園。」「好了，我此刻不必再耽擱你了，以後我再和你通信。」

我們的貴客聽了便站起來，一邊說道：「我希望你能夠解決這一個疑問。」「我已解決了。」「呀?什麼?」「我說我已解決這疑問了。」「那麼，我的妻子在那裡呢?」「這一點我不久便可以向你報告。」

聖西門貴族搖頭說道：「我怕這件事必須有一個比你我更聰明的腦子才能夠解決呢。」說時，深深鞠了一個躬，便即退出。

福爾摩斯忽向我笑道：「聖西門貴族把我的腦子和他的腦子相提並論，那實在是太抬舉我呢。我想我在這一番冗長的談話以後，應該飲一杯蘇打威士忌，再吸一根雪茄，以自慰勞。老實說，我在我的主顧進此室以前，我的假設早已成立了。」我驚呼道：「我親愛的福爾摩斯！」

「我從前也有過幾件同樣的案子，不過變端沒有這樣急速。後來我和他談了一會兒，我的假設便得到更多的支持。至於那些偶然的證據，不過出於湊巧，原沒有關係的。」

「但我和你一樣讀過報中的記載，也聽了那貴族的談話，怎麼竟毫無端倪呢？」

福爾摩斯道：「你在這之前沒有類似案子的經驗，那些對我是很有幫助的。在數年前，亞伯丁發生過一件同樣的案子；在普法戰爭後一年，在瑪納克也有過一件案子，性質也差不多。我因其中有一件案子——啊，雷斯特拉來了！雷斯特拉，午安！你可從那架上取一隻空杯來，匣子裡還有雪茄，你自己取吧。」

我見那蘇格蘭警場的偵探穿著一件厚闊的短外套，胸口有一塊領巾，樣子很像船上的船員。他手中還提著一個黑帆布的袋子。他招呼了一聲便坐下，取了一根雪茄，點火吸著。

福爾摩斯向他眨了眨眼，問道：「什麼事呀？我瞧你的神情，似乎覺得很不滿。」「我確實覺得不滿。因爲那件可惡的聖西門結婚案我實在摸不著頭緒。」「當眞嗎？你的話很讓我驚訝。」雷斯特拉道：「誰聽過這樣亂成一團的案子呢？每一種線索到了我的手中，忽又從我的指縫中溜去。我爲了這件事已忙碌了一天了。」

福爾摩斯伸手在那短大衣的臂上摸了一摸，說道：「因此讓你身上濕透了？」「是啊，我曾在塞朋廷湖（海德公園內一湖）裡打撈。」「唉，撈什麼呀？」「撈聖西門夫人的屍體。」歇洛克・福爾摩斯把身子靠著椅背，縱聲大笑。

他問道：「那麼，你可曾在德蘭弗廣場的噴水池中打撈呢？」雷斯特拉道：「爲什麼？這話什麼意思？」「因爲你假使能在塞朋廷湖中撈到這位夫人，那麼，這噴泉中也有撈到的機會啊！」

雷斯特拉橫目向我的同伴恨恨地瞧了一眼，冷冷地說：「我想你對於這件事想必已完全知道了。」「我剛才才聽說這件事。但我的假設卻早已成立。」「當眞嗎？那麼，你認爲塞朋廷湖和這件事沒有關係嗎？」「我不信有關。」「那麼，我們怎麼會在河中得到這些東西？請你給我解釋一下吧。」說時，他把帶來的那個袋子打開，從袋中倒出一件新娘禮服，一雙白緞子的女鞋，一個戴在新娘頭上的花圈和面紗。這些東西都已浸得濕透，因此顏色也變了。他又取出一個新的結婚戒指，放在那衣服的上面，用手指指著，繼續道：「福爾摩斯先生，你請瞧吧。這些東西就像是一個小小的硬殼果，要你想個法子將它敲破哩！」

我的朋友吐出了縷縷的煙霧，答道：「也好，這些東西都是你從塞朋廷湖裡撈起來的嗎？」「不是，這些東西浮在湖邊，被一個園丁發現的。後來人家證實，這些都是新娘的東西。

我覺得她的衣物既在那裡，她的屍體也想必就在附近了。」「若照這種明顯的假設，那麼，任何人的身體，都可在他的衣櫥旁邊發現了。請問你從這方向著手，希望得到些什麼呢？」「我希望得些證據可以證明那弗羅拉・蜜勒和這失蹤案有關。」「恐怕這一點你要覺得困難了。」

雷斯特拉譏諷地說道：「你當眞這樣想嗎？我怕你的推想和結論，有時也不見得切於事實吧？你在這數分鐘裡已出現了兩次錯誤。須知道這衣服確實和弗羅拉・蜜勒小姐有關係的。」「什麼關係呢？」

「這禮服上有一個口袋，袋中有一個明片匣子，匣中有一張字條，這字條就在這裡。」他把字條攤在他面前的桌上，又道：「你聽著：『等一切備妥了後，你可立刻來找我。』下面的署名是F.H.M.。我因著這層緣故，認為聖西門夫人一定是被弗羅拉・蜜勒誘騙出來的。她勢必另有串通的人，因此夫人的失蹤，她一定有責任。這一張字條，既寫著她姓名的縮寫字母，分明是她在門口時悄悄拿給聖西門夫人的，以便將她引到他們的掌握中去。」

福爾摩斯笑道：「雷斯特拉，很好，你說的很有意思。現在讓我瞧瞧這一張紙。」他將那桌子上的紙取起，起初似不很經意，但不一會兒，他的注意力似被挑起，最後又發出一種滿意的呼聲，說道：「這當眞是很要緊的！」「好。哈！你也覺得這樣嗎？」「當眞如此，我應向你道喜。」

雷斯特拉得意洋洋地站起來，忽又低垂了頭瞧視，很驚訝地道：「什麼？你看反了！」「你錯了！這才是正面。」「這是正面嗎？你瘋了！那一面才有鉛筆寫的字。」「不錯，但這一面卻是一張旅館帳單的殘片。我覺得很有注意的價值。」

雷斯特拉道：「那裡沒有什麼意思。我先前也瞧過了，那單子上寫著：『十月四日，房間八先令，早餐兩先令六辨士，鷄尾酒一先令。午餐兩先令六辨士，葡萄酒一杯八辨士。』這些名目，我實在瞧不出有什麼含意。」

「的確不容易瞧得出，但這確實非常重要。至於另一面的字當然也重要，至少那縮寫的簽名不能算不重要。因此，我再向你恭喜。」

雷斯特拉站起來說道：「我已費了不少時間。我最注重實地的工作，卻不喜歡坐在火爐旁邊建構那些奇怪的假設。福爾摩斯先生，再會。我們試試，誰先得到這案子的底蘊。」說完，他把地板上濕淋淋的衣物重新塞在袋裡，接著，就提了袋子向房門走去。

福爾摩斯不等他走出房門，懶懶地說道：「且慢，雷斯特拉，我有一句話對你說。我可以告訴你這案子確切的解答。實際上很少有像聖西門夫人一樣的奇女子，。」

雷斯特拉以憂鬱的目光向我的同伴瞧了一會兒，接著轉向我，很正經地伸手在他的額頭上拍了三下，又很嚴重地搖了搖頭，隨即匆匆出去。

他走出去後，室門還沒有關上，福爾摩斯也忽然跳起來，急忙把外衣穿上。他向我道：「這位朋友剛才說的實地工作的確有道理，我也必須出去看看。華生，我想你還是在這裡讀報吧。」

福爾摩斯出去的時候已過五點了。但我並沒有獨處多少時候，因在一小時內，有一位外送服務生送進一隻扁形的大箱子來。這個人還帶著一位少年一同進來，他們把那箱子打開，我見箱中竟是許多冷食的晚餐，使我出乎意外。他們把那些東西放在我們的烏木桌上，有一對山鷸，一隻野雞，一盒果醬，還有幾瓶陳年的名酒。他們把這些奢侈的食物取出來後，立即退出不見，眞像天方夜譚中所說的仙僮。他們並未說什麼來由，只說這些東西已付過錢了，有人吩咐送到這地點來的。

到了晚上九點鐘時，歇洛克・福爾摩斯才匆匆進來。我見他面容沉著，但眼光中卻露出飛揚的神氣，因此料他此行不致於失望。

他搓著兩手，說道：「他們已把晚餐送來了嗎？」

我道：「他們送來的食物足夠五個人吃。你不是要請客吧？」

他道：「正是，我料想今晚會有客人要光臨。但我很詫異，怎麼，聖西門貴族還沒有到來。太好了，我似乎聽見他的脚步聲正從樓梯走來了。」

這時我們先前的貴客已走進室來。他把眼鏡搖得更厲害，臉上也流露出驚擾不安的神情。

福爾摩斯問道：「你已接到我的信了嗎？」

聖西門貴族答道：「但我老實說，那信中的語意使我驚訝不已。你對於你所說的話，會負責任嗎？」「當然負責的。」

聖西門貴族坐在一張椅子上，用手撫摸他的額頭。

他喃喃自語道：「假使我父親聽到我們家族遭受了這樣的恥辱，他會覺得怎樣呢？」

福爾摩斯道：「這是偶發事件，我卻不覺得這裡面有什麼恥辱。」「你的眼光和我們不同，才覺如此。」「我實不覺得這件事有什麼人應當負咎。那女郎這種鹵莽的舉動固然讓人覺得可惜，但我也想不出除此以外，她還有什麼別的方法。她沒有母親，所以在那緊要的關頭也沒有人和她商量，因此出此下策。」

聖西門貴族用他的手指敲著桌子，抱怨道：「先生，總而言之，這事實在是一種奸謀。」

福爾摩斯道：「你一想到這可憐女子的處境，你該原諒她的。」「我不能原諒。我受夠了恥辱！我非常生氣。」

福爾摩斯忽道：「我似聽見門鈴聲。正是，有腳步聲上樓來了。聖西門貴族，假使我勸不醒你在這件事上略略寬容一些，那我只能另請一個助手來勸解你了。」他說著，便起身開門，引進一位紳士和貴婦人進來，又回頭道：「聖西門貴族，我給你介紹弗蘭克・海・莫而登先生及夫人。我想你早已見過這一位夫人了。」

我們的主顧一瞧見那兩個人進來，立即從椅子上跳起來。他的身體站得很直，眼光注視著地上，一隻手插在他衣服的口袋裡，顯出一種嚴肅而惱怒的樣子。那婦人搶前一步，走到聖西門面前，伸出手來。但他仍低頭，不肯把眼光抬起來，似乎他也知道那婦人請求諒解的面容很難抵擋，因此決意不正眼瞧她。

那婦人道：「羅伯特，你一定很惱怒，我也明白，但這不能怪你。」

聖西門貴族冷冷地道：「請你不要跟我說道歉的話！」

「唉，我知道我這樣待你實在是不合情理的。我本想在出走以前，向你說一聲，但我那時實在昏亂已極。自從在禮堂中瞧見了弗蘭克後，我便不知所措。當時我沒有在聖壇前驚昏過去已經是一件僥倖的事了。」

福爾摩斯向婦人道：「莫而登太太，你在解說這一件事情的時候，我和我的朋友可要暫時迴避嗎？」

那奇怪的男客忽開口道：「假使我可以發表一些意見，我覺得這件事已沒有保密的必要了。我個人認爲，把這一件光明正大的事情，讓歐美兩洲的人知道，我也願意。」我瞧那人的身材瘦高，臉色微黝，但他的容貌和態度卻是一個很敏慧而機警的人。

那婦人說道：「那麼，我就把我們的故事說給你們聽吧。一八八一年時，我在洛磯山附近的梅卡礦場裡和弗蘭克相遇。那時我父親正在那裡找尋礦苗，我和弗蘭克不久便訂了婚約。後來我父親忽然發現了一個大金礦，因此一變而成富翁，但弗蘭克運氣不好，雖然同樣採礦，卻得不到什麼。我父親越富有，便越覺得弗蘭克的窮困。後來，我父親便有悔婚的意思，所以帶我離開那裡，到了舊金山。弗蘭克仍不肯捨棄，跟隨而至，後來他瞞了我的父親，常悄悄和我會面。我知道我父親假使知道了一定要發怒的，因此我們不得不竭力守祕。弗蘭克說，他要重新去採礦，若不像我父親一樣富有，決不回來娶我。因此，我也允諾等他，並和他約定，如果他活在世上，我決不嫁給別人。他便說道：『那麼，我們爲什麼不立即結婚呢？這樣，可以使我放心無慮。但在我成功回來以前，也決不把我們的婚禮宣布出去。』我也贊成了，弗蘭克去請了一個牧師，私下約了一個地點，我就和他舉行正式的婚禮。接著，弗蘭克便和我告別，重新去採礦，我仍和我父親同住。自從和弗蘭克離別以後，聽說他到了蒙大拿，後來又到了亞歷桑那，最後，聽說他轉往新墨西哥去了。之後，我忽在報上得到一個消息，說那裡的一個礦場受許多印地安人的襲擊，有幾個採礦的人被殺，弗蘭克的名字也在其中。我得到這個驚耗，頓時暈去，後來得了幾個月重病。我父親本以爲我已沒有生望，因爲舊金山的名醫幾乎都完全請遍了。這樣過了一年多，一點消息也沒有，因此，我也確信弗蘭克眞的死了。後來聖西門貴族到了舊金山，我和他相遇，隨後我和父親到了倫敦，又遇到他，我們就訂了婚約。我父親也很樂意。但我總覺得我的心先前已被弗蘭克所佔據，實在容不下另一個男人了。雖然如此，我如果嫁了聖西門貴族，我也準備對他盡我應盡的責任的。我們雖不能在愛情上結合，但我們的舉動當然也能夠合而爲一的。當我跟著他到行禮的聖壇前去時，我也早已決定，從今以後，我應當做他的純良妻子。但當我走到了聖壇欄杆邊，偶一回頭，忽見弗蘭克正站在第一排座位前向我瞧視，試想我那時會有怎樣的感覺呢？我一開始以爲這是他的鬼魂，但我再仔細瞧，他依舊站在那裡，眼中露出懷疑的樣子，似問我見了他覺得快樂呢，還是懊惱？我很詫異，怎麼我當時沒有昏倒。我覺得四周的東西都在那裡旋轉，行禮時牧師的話在我耳中也像蜜蜂的噫噫之聲。我實在不知道怎樣才好。暗忖我可要立即中止這個婚禮，就在禮堂中鬧出什麼戲來嗎？我再向他瞧瞧，他似乎已知道我有什麼想法，因爲我見他舉起手指，放在他的嘴唇上，叫我靜默不言。接著，我見他在一張紙上寫什麼字，我知道他一定要告訴我什麼信息。因此我在行禮後經過他座位面前時，故意將我的花球落在他的面前。當他將花球拾起來交還我時，就順手將紙條悄悄塞在我的手裡，那紙上只有一句話，叫我等他作暗號給我的時候，我應立即出去會他，那時候我已決定，我一定要和他重聚，因此無論他有什麼指示，我都會遵行的。後來我回到了家裡，就把這件事告訴我的女僕愛麗斯。她在加利福尼亞時就認識弗蘭克的，並且彼此也很友善。我吩咐她保守祕密，並替我打包些東西，又將我的外套準備好。我知道這事應和聖西門貴族說個明白，但當著他的母親和許多親戚面前，我實在沒有這種膽量。因此，我決定先行逃走，然後再解說明白。我在早餐桌上大概坐了十分鐘左右，便從窗口裡瞧見弗蘭克站在對街，他向我招了招手，便走進公園裡去。我因而託故離席，罩了一件長外套，就悄悄出去，去公園裡找他。那時有一個婦人跟著我，向我訴說聖西門貴族的事情，我無心細聽，但約略知道聖西門貴族從前也有過一些小祕密。但我急忙設法離開她，不久便找到了弗蘭克。接著，我們就坐了一部馬車一同往戈登廣場他預先租好的寓所裡去。到了那裡，我才覺得我算是眞正的結婚，同時我覺得我先前守了多年的秘密總算沒有白費。原來弗蘭克在新墨西哥時，被印地安人擄去做了俘虜，後來逃了出來，到舊金山找我，才知我以爲他已死，往英國來了。他又追蹤而至，直到我結婚的當兒方才尋到。」

這時那美國人也解釋道：「這消息我是從報紙上得到的。但報上只記著新郎的姓名和行禮的教堂，卻沒有刊登出那將要成婚的新娘的地址。」

那婦女又繼續道：「後來我們彼此商量這

事究竟應怎樣結束。弗蘭克的意思是準備開誠布公，把這裡頭的原委向聖西門貴族說明。但我卻覺得非常慚愧，希望從此隱避，不再和這些人相見，我只寫一封短信給我的父親，告訴他我仍活著。因爲我一想到當時那些貴爵貴婦坐在早餐席上等我回去，卻終於失望，我就覺得十分難堪。因此之故，弗蘭克就把我結婚的禮服紮成一捆，丟在沒人發現的地方，以便我不致被人跟蹤。我們本決定明天早晨要去巴黎，不料這一位福爾摩斯先生剛才忽找到我們寓所來。他如何能夠尋來，我實在推想不出。他委婉地告訴我們，我的做法是錯的，弗蘭克的意見很對，我們倆若始終躲藏，那未免一錯再錯。他勸我們到這裡來，和聖西門貴族當面直談，以便解決這件事。我們依著他的話，就立即到這裡來了。羅伯特，你現在一切都明白了。如果你在這件事上感受到什麼痛苦，那都是我的不是，我十分抱歉。但我希望你也不致把我看成是一個下賤的人。」

聖西門貴族聽了這一長篇的故事，眉毛依舊緊皺，嘴唇也緊緊地閉著，表情仍嚴肅不歡，他道：「很抱歉，當著這麼多人的面，說這極隱祕的私事，在我是不習慣的。」

莫而登太太道：「那麼，你不能寬恕我嗎？你在我離去以前，不能和我握一握手嗎？」

聖西門貴族道：「你如果覺得握了握手，能使你快樂，那也可以的。」他說完，果眞伸手，很冷淡地和那女子握手。

福爾摩斯說道：「聖西門貴族，我希望你今晚能在這裡共進一頓友好的晚餐。」

聖西門貴族答道：「我想這一點你未免太奢求了。這件事也許我可以勉強忍受，但我卻決不會因此有什麼快樂。我現在要告辭了，願你們大家晚安。」他向我們鞠了一個躬，便轉身退出。

歇洛克·福爾摩斯向那夫婦二人道：「那麼，我至少可以留你們在這裡賞個臉。莫而登先生，我是一個對美國人常懷好感的人。因爲我們原本都是一家人，以前的釁端決不足以阻梗我們弟兄的感情的。」

我們的來客走後，福爾摩斯向我說道：「這件案子實在是很有趣的。一開始的時候是非常複雜，可是最終卻又非常簡單。因爲經過女子解說原委之後就非常自然合理。只有雷斯特拉認爲案情非常離奇。」

我道：「那麼，你在這事上，可是不曾有過錯誤的推想嗎？」

福爾摩斯道：「首先，有兩點我覺得非常明瞭。第一，那女子起先對於婚禮本來是很願意的，第二，她在行禮後回到家裡，不到幾分鐘工夫忽又反悔。可知她在那天早晨，一定遇到了什麼事情，才使她改變主意。那麼，她究竟遇到了什麼事呢？我料她在行禮完畢出來後因有新郎陪伴，所以一定沒有機會和什麼人談話。但她究竟看到什麼人呢？如果有的話，她所瞧見的人一定是從美國來的。因爲她到英國不久，勢不會有感情如此深切的熟人，竟讓她一見那人，便立刻改變主意。這樣，我們逐步推想，便可得到一種假定，她所瞧見的一定是一個美國人。但這美國人是什麼樣的人呢？何以對她有這樣的吸引力呢？這可知一定是她的情人，或是她的丈夫。我又知道她年輕時的環境是非常奇特而率性的，所以我在和聖西門勳爵晤談以前，已推想到這幾點了。後來他告訴我禮堂中前排座上有一個人，和新娘態度的突然改變。這分明是她藉著掉落花球的機會暗通信息，回家以後，她和那女僕密談，曾有一句Jumping a Claim 的俚語。這是採礦人流行的一句俚語，意思是說佔奪他人應有的權利。因此種種，這事我已完全明瞭了。後來，她忽然失蹤，不消說是跟著一個人去的。這人若非她的丈夫，一定是她的情人。就情勢看來，似乎前一層推想更近情些。」

我道：「那麼，你後來又怎樣找到他們的呢？」

「這一點確實很困難。但我的朋友雷斯特拉得到一個重要的關鍵，卻不知道怎樣利用。那信上的縮寫字母確實是很重要的。但更重要的一點是那張紙的本身。因爲從這紙上，便可知這人在過去的一星期寄住在倫敦最高級的旅館之中。」

「你怎知道是一個高級的旅館呢？」

「這是從昂貴的價錢上知道的。你想八先令一個房間，和八便士一杯葡萄酒，價格豈不昂貴？可見一定是一家高級的旅館。在倫敦這種旅館不多，我走了兩家，便在諾森伯蘭大街的旅館中查到有一個弗蘭克・海・莫而登是從美國來的，在前天方才離去。我又向服務人員取閱帳單的存根，竟和那用以通信的一張相同。他臨去時曾叮囑，如有信件可轉送戈登廣場二二六號，於是我就依著地址找去，果眞尋見這一對情侶。我於是勸他們應採取光明正大的態度，把這事的原委向大衆和聖西門貴族解說明白。我請他們到這裡來見他，他們果眞沒有失約，那是你知道的。」

我答道：「但會面的結果，不算太圓滿。

聖西門貴族的態度並不見怎樣大方啊。」

福爾摩斯笑道：「唉！華生！假使你易地而處，從求婚到成婚，霎時間卻忽然失去妻子和財產，那你的態度也不見得會怎樣大方啊！因此我們對聖西門貴族應當存幾分憐憫之心。並且我們也應當希望我們永不要落入同樣的困境。現在把你的椅子移過來些，還請你把我的提琴拿給我，此刻我們還有一個問題必須解決，我們應該怎樣排遣這一個蕭瑟的秋夜呢。」

髮之波折（原名The Copper Beeches）

歐洛克・福爾摩斯將「每日電訊報」丟在一旁，自言自語道：「天下事往往情節愈大反而愈簡單，不如細小的事來得有趣。一個人從事偵探事業，若不是爲了營業起見，遇到細微的事情反而能夠引起他的興趣。照我平時經驗所得，的確是這樣的。華生，你倒很能體會到這一點，因此記錄我的探案時，大半將那些駭人聽聞而較顯著的巨案隱而不提，卻多描寫那些細微的事情。這種心態和我不謀而合。」

我微笑道：「但是現在，對於你的事情，可不能過份描寫了。因爲有好多讀者都說我過度渲染，大家……」

他不等我說完，就搶著道：「這是你咎由自取。其實一件案子在我偵探的時候原不過費去一天之力，你記載時卻花了許多工夫，煞費考量，然後盈篇累牘的寫著，這樣，自然要惹人家說話了。照我看來，一樁案件只須摘取精華即可，不必瑣瑣碎碎地記述啊！」他說時，將那正點著的煙斗拿在手裡，一邊滔滔不絕地說個不停，和他在深思時的狀態完全相反。

我聽了，心中委實不快，冷冷地道：「這是我記載太詳細的不當，可是其中的細微曲折也不是三言兩語可以了事的。我自己都還覺得不夠仔細呢。」諸君當知我那老友素性好勝，一向只有自己，沒有別人。如今又用這種狡獪的技倆對我，你們試想，那怎不使人惱火呢？

但是福爾摩斯是一個絕頂聰明的人，此刻早已洞知我的想法了。便柔聲安慰我道：「華生，我說你記述不當是有原因的。須知你文筆很好，若能將我的事蹟敘述出來，再加上些理論，就可傳之後世。現在你不這樣做，卻專表揚我一人，將絕好的材料當小說處理，對我雖然有利，對你卻毫無好處，不是很可惜嗎？」

這是個寒冷的早上，天氣已入初春，我們兩人吃過了早餐，各坐在一邊。貝克街上忽然重霧彌漫，路上頓時似入深谷一般，差不多幾步之外，不能見物。屋子裡尤其黑暗，看去只覺一片朦朧。於是我們點了煤氣燈，那微弱的光線搖幌不定，福爾摩斯遂也藉此休息一會，但見他雙眸烱烱，很鎮靜地坐著。原來他一早起床時，就忙碌非常，在報紙的廣告欄裡東尋西覓，好像有什麼緊要的事情的樣子。可是始終沒有尋到，因此憤然棄去，拿我來做他的消遣品。

他休息了一會，將煙斗啣在嘴裡，一邊吸煙，一邊又說道：「華生，近來你所記的，大部分都不錯，眞是大有進步了。像波希米亞王和熱情女案等，可說是尤其顯著。而且這其中也沒什麼誇張的地方，他們再那樣說，實在太過分了。」

我道：「是啊，我本來就是這樣做的，如果他們說我做得太平淡或是太輕泛，也只好由他們說去。要知殺人放火的事情罪大惡極，寫出來徒汚我筆，倒不如這種事情有味，而且那些事的偵探法更是微妙曲折，令人神往。」

他忽然嘆道：「你的話一點也不錯。現在的人差不多都沒腦筋，笨得簡直像隻豬，連淺淺殺人事情，也只能抄襲老文章，照方製藥，絲毫無任何創作力。大概人人能犯罪，人人能破案，幾乎用不到我了。可是重大的事情，雖不常發生，找我的人，反而更多，甚至一枝鉛筆不見了，和一個女子應該進那一個寄宿學校，都要來請教我。你想這多麼可笑。不但如此，就連一衣一食，將來難免也要取教於我哩，這裡有一張紙，你且去瞧瞧，大概這事之後，我的偵探生涯就此終結了。」說罷，就將那紙團拿給我看。

我拿來一看，原來是一封信。是從蒙塔各寄的，上面寫著：「福爾摩斯先生惠鑒：我一向很欽佩你，如今有事奉懇，請為我一決。有人要聘我去做保姆，我疑惑不定，不知做好，還是不做好。明天早上十點半鐘登門領教，希望你不要拒絕。」下面的署名叫薇萊特·亨特，是昨天晚上發的。

我問道：「你可認識這女郎嗎？」他道：「我並不認識她。」我道：「此刻正是十點半，大約是這個時候了。但你不要這樣頹喪，也許此事是極有趣的。你忘了藍寶石一案，它一開始不是也沒什麼嗎？」福爾摩斯不覺笑道：「謝謝你，我很希望這樣。」

說時，便聽見門鈴響，稍一會兒，有一個年輕女郎推門進來。她的衣著很樸素，並不十分華麗，但人甚是活潑，一望可知是一個有主見的女子。

她走進來時，對福爾摩斯道：「抱歉，打擾了。因我現在遇到一件難以決定的事。我自小就沒了父母，又無至親，簡直無人可以商量。我沒有法子，就到先生這裡，懇求你幫我定一個方針！」

福爾摩斯道：「亨特小姐，你且請坐。我能夠辦到的，無不樂意相助。」說罷，便閉上眼，低著頭，屏息聽她的自述。原來這時他已被她婉轉的言語所動，興致也漸漸地回復了。

她坐定後，便道：「我在孟洛上校家裡做了五年的女教師。兩個月前，上校受命他調，將他的子女一同帶往美洲去，而我也就失業了。我雖曾登廣告，想找一個適當的主人，可是始終沒有成功。最後無法可想，只好到女教師介紹所裡去託他們設法。那介紹所離我家很近，經理名叫斯都柏小姐。我和她本來就認識，我就親自去見她。那時她正坐在辦公室裡，許多求事的人都魚貫而入。她旁邊坐著一個很肥碩的男子，但見他下巴堆積著一層層的肥肉，眼睛極細，鼻子平扁，見了煞是可笑。這時他正從衆人之中細細選擇，竟沒有一個滿意的。他後來瞧見了我，忽從椅子上跳起來。說道：『斯都柏小姐，就是她，就是她。』說時搓著他的雙手，顯出很愉快的樣子。一會兒，又問我道：『小姐，你願意做家庭教師嗎？』我道：『先生，我很願意。』他道：『那麼，你要多少薪水呢？』我道：『之前在孟洛上校家時，每月四鎊。』他揚著那隻肥手，連聲喊道：『哦！怎麼只有這一些兒？眞是太侮辱小姐了。』我道：『我的學問沒那麼好，或許不及先生所料。除了英文以外，稍懂些法語、德文和音樂、圖畫，……』他不等我說完，就阻止道：『這都不是問題。我先問你，你可懂得大家閨範嗎？如不懂，我只好另外設法；假使懂得，就每年給你一百鎊薪水。因爲我孩子雖小，他日一定很尊貴，不能胡亂請一個粗陋的人充當教師的。』他說到這裡，見我有些躊躇的模樣，便立刻取出他的皮夾，忙道：『我知道你們做教師的，既受人聘，置備衣物等費用一定開銷很大，我可以先付半年的薪資給你。』

她說到這裡，略略停頓，又對福爾摩斯道：

「先生，請你想想。像我這樣的境況，能夠每年得到一百鎊的進益，不已心滿意足了嗎？不過那人很奇特，我有些遲疑不敢冒然答應他。我便問他姓名道：『先生，您尊姓大名，可否告訴我？』他答道：『我叫洛克塞特。住在漢普郡的銅山毛櫸山莊。那地方是一個鄉村，離溫徹司特不遠，所以風景很好。我們家裡人口並不多，只有妻子和一個孩子。小孩只有六歲，但活潑得很，曾用皮鞋踩死四隻蟑螂，眞是可愛啊！』說完又哈哈大笑，他的眼珠藏在眼皮之內，顯得更細了。其實那孩子的頑劣，固然有些使人驚訝，可是他的態度，尤其令人疑惑。一會，他又道：『你既然要教我的孩子，就必須服從我妻子的命令，可以嗎？』我道：『可以的。』他又道：『不過我妻子有一些癖好，常喜歡教人穿她規定的衣服，假使教你這樣，你也願意嗎？』我道：『願意的。』『她叫你坐在那兒，你便坐在那兒，叫你站在那兒，你便站在那兒，如此，你也辦得到嗎？』『這當然也辦得到的。』『那麼，她要妳剪頭髮，你也能答應她嗎？』啊！福爾摩斯先生，這種話我實在沒有聽過。要知道我自己最寶貴的就是頭髮。難道爲了一百鎊的緣故，便可如此嗎？所以我答道：『先生，這卻辦不到。』他自己也覺得說來太不近情理了。便又道：「小姐，這是和你開玩笑的。總之，她的嗜好確實和別人不太一樣。倘若你能夠答應，我們的約定就可以成立，否則，這五十鎊可不能給你了。』我很堅決地答道：『這實在辦不到。』他失望地道：『既然如此，我只好另求他人了。但像小姐這樣人品，恐不易覓到啊！』說時他又對那經理道：『斯都柏小姐，你此外還有適當的人嗎？』此時斯都柏正在整理簿籍，聽見我的事情不成，讓她失掉一筆很豐厚的佣金，臉上顯出不大快活的樣子。她瞧了我一眼，緩緩說道：『事情不成功嗎？』我道：『條件太苛了。所以不能答應。』她道：『那麼，你的名字仍要留在簿子裡嗎？』我道：『好的。』她道：『亨特小姐，依我看，如此好機會，你還不願意做，別的事情恐也未必會適合了。』說畢，在桌上按了一按鈴，叫女侍者領我出來。」

亨特小姐說到這裡，略停一停，又道：「我回家後，靜靜思考了幾回，總是狐疑不決。因爲一年一百鎊的女家庭教師，在倫敦找不出幾個，的確是最豐厚的了。他行事雖然怪，然而也有相當的代價。如今我爲了愛護頭髮，猝然放棄重金，眞是太蠢了。因此隔天我決定再去見斯都柏，請她設法挽回。豈知我還未動身，已有一個郵差送一封信來。我一看，就是那肥碩男子寄的。現在特地帶來這裡，請先生瞧瞧。」說罷，她朗讀那信道：

「亨特小姐：斯都柏小姐將你的地址告訴我，因此冒昧寫這封信給你。因爲內人聽見有你這樣一個人才，非常渴慕，所以認爲一定要請到你，而且願意每年再加二十鎊，以賠償小姐的損失。我妻子每天早上喜歡人家穿靛藍色的衣服，你一定要依她。但過了早上，就可隨便了。這種衣服，你不必自備，我的愛女愛麗絲曾經留一件在此（她現在在美國費城），她和你的身材很相近。至於其他活動，都可任你自由。不過剪髮一事，卻是她所指定的條件，不能更改，然而每年加上二十鎊，也足補償你的損失了。你的工作就是照顧一個孩子，很簡單的。此刻我已在溫徹司特等你，想和你會面，請勿猶豫。希望你告訴我坐第幾班火車來，以便迎接。傑夫羅．洛克塞特上。」

她讀罷，將信摺好，又道：「福爾摩斯先生，現在我想到洛克塞特那裡去了。不過在沒有動身以前，仍有些懷疑，所以特來請教先生，先生以為我去好，還是不去的好呢？」

福爾摩斯微笑道：「亨特小姐，你心裡要做的事，就自己決定好啦。」

她道：「但你的意思，究竟要叫我去或不去呢？」

福爾摩斯道：「假使你是我妹妹，我決不讓妳去的。」

她詫異道：「福爾摩斯先生，這是什麼意思呀？」

福爾摩斯道：「我也說不出為什麼，但你自己的想法怎樣呢？」

她道：「依我看來，洛克塞特這個人似乎很和氣。他的妻子或許是一個瘋子，所以他不惜重金雇人去調護她。瘋子的心理和常人不同，因此嗜好也特別了。」

福爾摩斯道：「這假設也許是對的。但他每年花四十鎊雇一個年輕女子也是很容易的。何必一定要拿一百二十鎊請你去呢？因此我覺得其中一定有什麼重大的原因。」

她道：「我也有些疑惑，所以特地來請教你。以後我若是遇著什麼事情，有了你幫助，我也就不怕了。」

福爾摩斯道：「這想法也很好。不過你須記著，幾個月後，若是有什麼危險，你……」她道：「哦！什麼危險呀！」福爾摩斯搖搖頭道：「這事我也說不出來。但無論何時如有意外的事情發生，你立刻打電報給我便是。」

她聞言，失望地道：「一百二十鎊是很可貴的，有何危險也只得由它。總之，生死禍福悉由天命，得先生相助或許可以不怕了。今晚我已決定剪去頭髮，寫信關照洛克塞特。明天就準備到溫徹恩特去。」說罷，就站起身來，告別而去。

我聽她的脚步聲已從樓梯上迅速地下去。我便向福爾摩斯道：「老友，我看這女子很細心，或許能保護她自己的。」

福爾摩斯道：「我希望她就像你所說的一樣。」

隔了不久，福爾摩斯的話果然應驗了。這兩個禮拜中，我常常想起這位瀟灑的女子，不知她近來的生活是禍是福。洛克塞特那人是一個慈善家呢，還是惡魔？他的條件，既像兒戲，又像存心不良，心中十分忐忑，不禁爲她感到不安。我又想到福爾摩斯的話，他認爲其中似乎會有什麼危險，這更令人危懼了。有時我問問他，他也不說什麼，只簡單說：「有了事實才能探出罪案。假使這女子是我妹妹，那我決不許她去的。」這類的話，他一天總要說上幾次。一日，他正在試驗化學，眼睛看著玻璃瓶。好像有很重的心事似的。這時已是午夜，鐘聲恰好敲過一點，我正要安寢，忽然有一封急電到來，他拆開略看一遍，便擲給我瞧。他依舊瞧著他的玻璃瓶，說道：「華生，你且查一查明天什麼時候有車？」那時我正讀著那封電報道：「明日務必來溫徹司特黑天鵝旅社一談！我已智窮計盡了。亨特。」接著，我依了他的話檢查，便道：「九點半有一班車，十一點三十分到溫徹司特。」

他又問我道：「華生，你也去嗎？」我道：「當然去。」福爾摩斯道：「那麼，我們明天還要用腦力，今晚早些安睡吧。」

次日將近十一點鐘時，我們已在車中，向著英國舊都出發。福爾摩斯只是低頭深思，一語不發。不一會兒，火車已過了漢普郡。這時正當美麗的春天，長空一碧，遠接平蕪，兩面道旁，綠樹垂蔭，青葱可愛。鱗鱗青瓦，從樹隙中露出，日光照在上面，如詩如畫。我在倫敦時，軒窗臨街，塵囂塞耳，又因數日多霧，眞是沉悶不堪，現在處此境地，心情那能不樂。我不覺喊道：「這風景眞美啊！」

福爾摩斯搖頭微嘆，說道：「華生，我不是藝術家，風景的好壞我實在不懂。我但覺得這荒涼之地，無一處不是犯罪之藪啊！」我不覺悚然道：「咦！這是什麼話？」福爾摩斯道：「我對你說，你也許不信。其實倫敦雖是萬惡之區，比起這裡，還不及十分之一呢。」我道：「老友，這話實在太令人驚訝了！」

福爾摩斯道：「這理由很簡單。因爲通衢達道，衆目昭彰，法網周密，一舉手，一動足，都能惹人的注意，所以偷盜劫掠等事也都難以下手。不如轉至窮鄉僻壤，能夠隨意肆行，無人干涉。漢普郡原是一個窮鄉小鎭，這種地方，警力差不多無法顧及，居民也寥寥無幾，又大都毫無智識。你想不正是那些宵小心目中的大好巢窟嗎？我因爲惦念亨特，所以心中惴惴不安，她也是孤伶伶的一個人，獨住在這種離市鎭很遠的冷僻小鎭啊！」

我道：「但目前她既能自由出入，且能打電報給我們，大概可以斷定她必不是遭遇極大的危險。」

福爾摩斯道：「當然，不過她發電給我們，必有不得已的事情。如今我揣測了七個不同的理由，然而究屬那一個，那非得聽亨特講後才能證實。好在我們目的地已到，那隱約在望的不就是該地禮拜堂的尖頂嗎？」

黑天鵝旅社是當地一個有名的旅館，離車站很近。當我們下車的時候，已望見亨特小姐在旅館門口等著。她早已爲我們預訂了一間房間，我們的餐點也早擺在桌上了。

她見了我們，很誠懇地說：「我眞感激你們兩位如約前來。現在手足無措的我便可照著你們的忠告做，以免不測了。」

福爾摩斯道：「快將你所遇到的事告訴我們吧！」

亨特道：「先生，我正要告訴你，而且急於要把這事說淸楚。因爲我向洛克塞特夫婦告假出門時，言明三點前即回去的。總說一句，洛克塞特夫婦對我很優待，並無絲毫惡意。不過我之所以不能安然放心的緣故，實因覺得他們的行爲太詭異了！」

福爾摩斯道：「他們的行爲怎樣詭異呢？」他說時，把兩條瘦長的腿擱在火爐邊，斜倚了身子，平心靜氣地聽著。

亨特道：「且待我把這事的經過說淸楚：當天，我乘車到溫徹司特時，洛克塞特已如言在車站等候，並用馬車接我到銅山毛櫸山莊。銅山毛櫸山莊是四方形的，並且很寬廣。可是該地氣候潮濕，且年代久遠，所以牆壁上的白堊已剝落不堪。不過景色倒還美麗，密層層的樹林，包圍了三面，正面是一片百碼左右的斜坡，從門口直達南安普敦大道。據洛克塞特說，那三面的樹林是屬於薩瑟頓侯爵的。門前的斜坡才是他自己的私產。貼近他門前有好幾棵銅山毛櫸，所以他的那間住宅就叫做銅山毛櫸山莊。我到了他宅裡後，他便介紹我見他的妻子和兒子。福爾摩斯先生，你還記得我們在貝克街你寓中時的猜度嗎？我們的猜想竟然完全謬誤。原來他的夫人並不是一個瘋子。她待人接物很和藹，年紀不過二十五六歲。這一點確有可疑的地方，因爲她的年紀這樣輕，而洛克塞特看去，至少有四五十歲。何以兩人相差得如此大呢？後來我才知道她是續弦。洛克塞特的前妻已於七年前死去，留下一個女兒，據說因爲不肯和她的繼母同住，所以住別處，就是現在在美國費城的愛麗絲。我推想她的年紀應該也是個二十年華的女郎。洛克塞特夫人實在是碌碌平庸，就像俗話說的「小心翼翼，克盡婦道」的婦人。她唯一的職務便是樣樣體貼她丈夫，處處照顧她的兒子，然而她的丈夫待她也算不差，可說是伉儷情篤了。但不知什麼原因，我總覺得洛克塞特夫人鎮日愁眉不展，滿懷心事，有時還見她兩眼汪汪地呆坐著沉思。我料想或許是因她的兒子太頑皮，所以讓她悲傷。因爲那個孩子的確是被寵壞了。他終日除了蠻橫淘氣和發怒以外，便以殘殺生物爲樂，而他捉老鼠捕小鳥的本領也的確不小。但這些都是瑣碎之談，我也無須細訴。」

福爾摩斯道：「我極愛這些事。且別管它有沒有關係，請你依序講去就是了。」

亨特道：「我希望不要遺漏任何重要的事。」說著，又接下去講道：「洛克塞特家裡有兩個僕人。他們是夫婦，男的叫做杜勒，性情粗蠢，鎮日只知沈浸在酒裡。女的也和女主人一樣很沈默，可是他們倆卻時常吵架，洛克塞特也從不去管他們，我卻覺得可厭極了。好在我終日不是照顧小主人，便是躲在自己房裡，也沒機會和他們會面。我到了銅山毛櫸山莊第三天的早上，洛克塞特夫人剛進了早餐，同她的丈夫耳語了幾句，洛克塞特如被提醒了似的，即向我說道：『亨特小姐，我們眞感激你，你竟實行了我們的要求，眞的把你的頭髮剪去。可是現在還要請你試穿那件藍靛色的衣服呢。那衣服已放在你房裡的床上。』那件衣服的顏色很奇特，但質地倒是很好的毛織品。我穿上後，也覺得非常合身，好似特地爲我量身訂做的，不過看上去並不是簇新的，從前當然已有人穿過了。當我穿上了那件衣服走出去時，他們夫婦倆已在客廳等我多時。他一見了我，臉上便露出愉快的樣子，叫我坐在背窗的一張椅子上。那客廳的面積很大，對街開了三扇長窗，我的椅子便是在當中的一扇窗前，洛克塞特在廳上來回走著，他的神情很愉快，又講了許多詼諧的故事給我聽，惹得我肚子都笑痛了。但是他夫人的臉上卻無笑容，仍如往常一樣的帶著悲愁。他約講了一小時光景，忽地向我道：『時候到了，請你換了衣服去照顧小主人吧。』以後兩天的早上，都是照常叫我換了衣服，坐在背窗的椅子聽他講笑話，我總是肚子笑得發痛。有一次，他拿了一本黃色封面的小說給我，叫我大聲讀給他聽。他又預先把我的椅子移側了些，不致擋去窗外的光線。可是我讀了沒幾頁，有一句剛讀了一半，他忽地又向我道：『別讀了，時候到了，請你換了衣服去照顧小主人吧。』福爾摩斯先生，你看這種景象豈不令我詫異？並且我覺得當我坐在窗前時，他們總是暗暗地注意著我，不讓我向窗外探望，我則因此更覺懷疑了。我知道窗外一定有不能讓我看到的東西，所以不許我向外探望，但我總覺得非一看不可，卻始終沒有機會。有一次，我不留心打碎了一面鏡子，不覺計上心來，便在一次朝背坐在窗前時，預先把一片碎鏡藏在手帕裡，等他講得出神時，我裝作無意隨手拿著手帕擦眼睛，即留心從鏡子裡看去，不料大失所望，竟一無所見啊。

但第二次，我仍注意看著，才見有一個年紀很輕，身材瘦小，蓄著鬍子的男子正站在南安普敦路上，南安普敦路本是一條要道，站著幾個人原也無足爲奇。可是我覺得那人卻是倚著我們門前的柵欄，遙望著我出神。我知其中一定有故，便也不敢多看，即拿下手帕，可是卻早被洛克塞特夫人察覺。她站起來向她丈夫道：『你看那邊站著個人，正鬼鬼祟祟地偷看著我們亨特小姐呢。』洛克塞特看了，便問是否是我的朋友，我答道：『此地並無熟人。』他道：『哦！這人眞是無禮極了，你快揮手斥他走開。』我道：『這也不必，別理會他便了。』他道：『不能，不能，他老是站在那裡，像什麼樣兒。請你一定揮手斥責他就是了。』當下我便揮手驅開那人，洛克塞特夫人也就捲下了窗簾。這是一星期前的事，此後他們也不再叫我坐在窗前，不叫我穿那件藍色的衣服，那個站在窗前的人也沒再看見了。」

福爾摩斯似很出神，說道：「這些事眞有趣，請你講下去！」

亨特道：「但我講得太語無倫次了，恐怕前後意思不能貫串。現在又要講回到我第一日到桐山毛欅山莊的時候，洛克塞特領我到一間靠近廚房的小室前面。我走近時，隱約聽到小室裡有鐵鏈在地上拖著走的聲音，彷彿那裡鎖著一頭龐大的野獸。他道：『你看牠不是很美麗嗎？』他說時指著小室的門縫，叫我往裡看。我正要看時，他又笑道：『你當心，不要害怕啊！』福爾摩斯先生，你猜裡頭是什麼？原來黑洞裡面只見兩隻火球般的眼睛在那裡灼灼閃動。後來他對我說：『這是我的凶猛大獵狗卡洛。這東西連主人也不怕，只有馬夫老杜勒能夠制服他。我們每天只給卡洛吃一餐，所以牠總是餓得饞涎欲滴，一到夜裡便放牠出來防守門戶，假使有人想偷偷地進來，一遇了牠，恐怕性命就不保。因此你以後也當謹愼些，切莫在夜間出來，免招危險啊！』這些倒並不是他故意嚇我的話，因爲有一夜，我睡不著，站在窗前無意中向外探望。這時約是午夜兩點鐘左右，銀白的月色，照得屋前沉寂的地上如同白晝一般。我忽然發現桐山毛櫸樹蔭下發出細小的窸窣聲。起初還以爲是微風捲著落葉的聲音，卻不料月光裡出現一個東西，我定神一看，原來是一條小牛一樣的大狗。灰褐色的毛，嘴邊懸著口套，渾身的骨頭根根突出，雄壯非常。這不用說就是我主人所養的那條卡洛了。此外還有一事，你們知道，我在倫敦時不是已將頭髮剪去了嗎？但我仍十分珍視，所以都把它卷放在箱裡帶了來。有一夜，小主人已入睡，我一時興起，想整理我許多未曾置放好的零星物件。房內有一個舊衣櫥，櫥上有三個抽屜，兩個是空的，一個是鎖著。我先把空的兩個放了東西，可是還有許多東西沒處安放，很想再佔用那鎖著的一個抽屜，我便隨手拿一個鑰匙去試，不料竟被我打開了。福爾摩斯先生，那抽屜裡藏著一件東西，竟使我大吃一驚。你猜是什麼？就是我自己剪下來的頭髮。我那時把頭髮拿在手裡仔細一看，顏色長短和髮量都和我的一樣。這不是我的，又是誰的呢？但我的頭髮明明卷放在箱子裡，何以竟會到這抽屜中去呢？這眞奇了。我兩手顫抖地再將箱子打開一看，觸眼就見我自己的頭髮仍在箱裡。我拿出來比較，竟毫無差異。我不覺十分驚駭，但也不敢聲張。因我畢竟不該擅自打開別人的抽屜。自此以後，好奇的我便處處注意著。一次，我無意中又發覺左邊的一間小樓似無人居住，樓門終日鎖著，從未見人開過。一天，我上樓梯時，忽見那扇門開著，只見洛克塞特從門裡出來，手裡拿了鎖匙，頰赤目睜，一望便知是在盛怒之下。他隨手鎖了門，見了我，也不作一語逕自下去了。這事眞使我詫異極了。當下我踱了出來，一個人獨自在草地上散步，遙望那小樓的四扇百葉窗，蛛網縱橫，塵封不掃，顯見從未打開。但究竟有什麼祕密呢？這時洛克塞特又走了出來。他見了我，笑容滿面，說道：『剛才有些雜事，失禮之處，請你原諒。』我笑答道：『不礙事的。』接著，我又問他道：『那小樓中有沒有住人？』那時我指著的手指尙未放下，他的神情早已大變。一會兒，他勉強笑答道：『我這輩子最喜歡攝影，那小樓便是我沖洗底片的暗房。』他說這話時，雖強自鎭定，但我已見他顯出不自然的態度了。福爾摩斯先生，我那時早已預料必有一件不可告人的隱事祕藏在這小樓中。我一時被好奇心驅使，火急著要一探箇中眞相，表面上雖若無其事，心裡總盤算著，假使有一日天賜良機，我必是個破壞你們詭計的對敵啊。哦！還有一事，不可不告訴你們的，就是除了洛克塞特之外，杜勒和他的妻子也是常在小樓進出的，而且有一次，我曾見他背了一個黑布袋進去。我耗費了幾天的功夫，直到昨天，總算盼到機會了。這夜恰巧杜勒又喝得酩酊大醉，走路踉踉蹌蹌，好似失去地心引力一般，竟把那重要樓門的鑰匙遺忘在鎖孔裡。這時洛克塞特夫妻都在樓下，我就神不知鬼不覺地偷啓了小樓的門，躡足而入。起初走進去時是一條狹長的甬道，壁上沒裱糊，地上也沒鋪毯。走到一個轉折處便是三扇室門，第一第三兩扇都開著，灰淡的夜色，從室中積塵盈寸的玻璃窗上透進來，更覺得陰森可怖。從這灰淡的光線裡我看見那是一間一無所有的空房，當中的一扇門卻是深鎖著，且還加上鐵鏈鎖住，門縫裡倒透出些光來，或許是裡邊有氣窗的緣故。我這時不覺呆呆地對著這扇門望著，從門縫裡既望不見什麼，又不能將這扇門推開，正在束手無策的當兒，忽地耳邊聽到脚步聲，可是卻沒看見人影，只從門縫射出的光線裡看見彷彿有個黑影，陰森森地忽來忽去，煞是可怕。你想我是一個嬌弱的女子，能有多大膽量。一時只嚇得毛骨悚然，遍體顫抖，拚命地鼓起我全身之力，拔腿向門外就奔，彷彿背後有惡魔伸出巨靈之掌追來攫我似的。及至門口，不料洛克塞特已站在那裡，一時收不住脚，便跌入他的懷裡。他倒並無怒容，只微笑向我道：『哦！原來是你，我方才見這樓門開著，早知裡邊有人哩。』我氣喘著道：『啊！真嚇死我了。』他問我道：『小姐，裡面究竟有什麼東西嚇到你！請告訴我。』說時，甚是和善，但也帶著探我口氣的樣子。我道：『我眞笨，跑進了那間空屋，那知裡面陰慘慘地嚇得我直逃了出來。』他道：

『不過如此嗎？』我道：『是的。』他道：『你可知道我何以要鎖門？』我道：『我那裡知道呢？』他瞇著眼睛，微笑道：『我爲了要禁止閒人進入，因此鎖上。你懂嗎？』我道：『我懂了，我必……』『哦！你現在既已知道，若敢再踏進去，那……』他說到這裡，臉忽然一沉，咬緊牙齒，瞪著兩眼，又繼續對我道：『那我立刻就把你丟給卡洛充飢。』我這時眞是嚇得手足無措，只有暫時躲到我自己的臥室裡去，可是我到了房裡，還是恐懼得發抖。福爾摩斯先生，到這時我覺得不得不向你求救了。我現在簡直見了那房子便怕，見了洛克塞特夫婦倆便怕，見了他們的僕人便怕，連見了我所照顧的小主人也怕呢！我本不難暗地裡私自逃走，但我的好奇心和我的恐懼心竟是一樣的強烈，偏要一窺眞相。所以我就打定主意，發電給你。我還記得當我從電報局回來，剛走近家門口，心裡早已驚跳不已，因爲恐怕杜勒又喝醉了酒，糊糊塗塗地把那隻狗解了綁在外面。因此只得戰戰兢兢地溜進了門，幸未遇著危險。但這一夜都沒有睡著。今晨我動身到這裡來時，幸也未曾受到阻礙，但我必須在三點前回去，因爲今晚洛克塞特夫婦倆要出去訪客，我不得不在家照顧小主人。福爾摩斯先生，我現在已將所遇到的事完全告訴你了。你能解釋得出這究竟是怎麼一回事嗎？我又應當怎樣對付呀？」

福爾摩斯和我著了魔似地出神傾聽。等到亨特小姐把這離奇的故事講完之後，他便站起身來，在室中往來踱著，又把兩隻手插在衣袋裡，臉上顯出一種沉靜的表情。

他忽然發問道：「杜勒現在仍喜歡喝酒

嗎？」亨特小姐答道：「是的，我還聽見他的妻子曾向洛克塞特夫人嘆氣說，她丈夫酗酒的習慣眞是無藥可救了。」

「銅山毛櫸山莊裡可有裝著堅牢鎖鏈的地窖呢？」「有的，是藏酒的地窖。」「亨特小姐，我覺得你應付這些事情都很機警勇敢。我不知你肯不肯幫我們做一件事呢？」「當然願意，但不知什麼事呢？」

「今晚我同我的朋友在七點左右到銅山毛櫸山莊。那時洛克塞特夫婦必已外出，我們還盼杜勒早又飲得爛醉。這時要請你將那僕婦哄騙到地窖中去，將她反鎖在裡面，免得她驚恐聲張。這樣一來，那事便容易著手得多了。」

「我就照這樣做便是。」

「好極了。」福爾摩斯又接著道：「至於這事到底爲什麼，我還不能知道，但照我的推測，亨特小姐一定是他們用來替代另一個人的工具。那個人一定被他們關在小樓裡，當然就是那個愛麗絲小姐了，他們說她現在在費城，完全是騙你的。他們所以選你的緣故，必定因爲你的身材、面貌和頭髮的顏色都和愛麗絲一樣。但她的頭髮可能因爲某種緣故剪下來。所以也教你剪下，至於那站在路上的男子，想必就是愛麗絲的朋友，或是她的情人。他們教你穿了她的衣服，讓你開懷大笑，恐怕是爲了顯示愛麗絲已把那男子當作陌生人看，此後不再愛他之故。但他們恐怕那男子會在夜間來探望愛麗絲，所以特地養了一隻凶猛的狗看守著。總之，這些事並不複雜，但是有一點很可疑，就是那小孩子的怪脾氣。」

我驚訝道：「這有什麼關係呢？」

福爾摩斯道：「親愛的華生，你是個醫生，

應知道從小孩的性情上可推測他父母的性情是怎樣。換句話說，就是想知道父母的性情怎樣，只要看他們小孩子的性情就可知道。這一點你是當然知道的。現在那小孩的脾氣既是這樣殘忍橫暴，我敢說若不是得自他笑容滿面的父親的遺傳，那麼就是從他母親那邊得來的。總之，這兩人中必有一個是殘忍橫暴的。不然，他們決下不了這般毒手來對待那可憐的愛麗絲了。」

亨特道：「對啊！對啊！這裡面的一切底蘊都被你一一說穿了，我從頭細細一想，覺得件件都被你猜中。但既是這般情景，我們理當見義勇爲，將這可憐的愛麗絲救出來才是。」

福爾摩斯道：「不錯，但我們應當謹愼行事，因爲我們正和兩個狡猾的奸人相周旋呢。現在只要等到七點鐘，我們到了銅山毛櫸山莊，就可下手解決這問題了。」

將近七點的時候，我們已到了銅山毛櫸山莊，亨特早已站在門口等候。但即使她不站在那兒，當我們遠遠地看到那幾株籠罩在斜陽裡的銅山毛櫸樹時，我們也知道那樹後的大宅子便是我們的目的地了。

歇洛克·福爾摩斯走近，先開口問道：「亨特小姐，你進行得怎樣了？」福爾摩斯問話的當兒，忽聽見一個聲音從扶梯底下傳來。

亨特小姐道：「你聽，這聲音便是被我反鎖在地窖裡的杜勒太太。現在她的丈夫也已喝醉了，鼾息如雷地睡在廚房中，而且他樓門的鑰匙也被我盜來了。」

福爾摩斯很高興地道：「眞是好極了。現在請你領路吧。」

我們上樓之後，便開了小樓的門進去，一直走到那鎖著的房門前。福爾摩斯先將被鎖著的鐵鏈拆壞，然後想去打開那門，豈知連試了好幾個鑰匙，卻始終打不開。那時房裡並沒絲毫聲息，他臉上的銳氣也頓時減了一半。

福爾摩斯道：「我想我們不會來得太晚了吧？」他又接著道：「我看亨特小姐還是站在外邊的好，讓我們先進去。來！華生，請你先把肩膀抵在門上，待我們用力撞進去！」

這門並不十分堅實，被我們兩人合力一撞，早已衝開。我們便乘勢衝了進去，誰料卻是個空房間，沒有半個人影。室中所有的東西不過是一張小床，一張小桌和一籃破布，但上面的氣窗卻開著。

福爾摩斯道：「啊！他們一定得到消息，預先帶她跑了。」

亨特道：「但他們如何……」

「當然從這氣窗走的。且待我看來。」他說的時候，一縱身攀著了氣窗，便已站上屋頂。他又道：「啊，那簷邊還擱著一把長梯呢。」

亨特小姐道：「但洛克塞特出去時，我並未見有梯子放著呢。」

福爾摩斯道：「他一定是出去了又偷偷地回來的，我早說過他是個狡猾陰險的人啊。咦！安靜點，這是什麼人的腳步聲？那人正在上樓呢。華生，我看你還是準備好手槍！」

這話還未說完，早見一個肥壯的人拿了很大的手杖站在門前。亨特小姐怎經得起他銳利目光的注視，早已驚叫一聲，退到牆邊。但福爾摩斯卻已霍地躍到那人的面前站住。厲聲問道：「惡徒！你的女兒呢？」

那胖人瞪大了眼睛，抬頭向氣窗上望了一眼，叫道：「咦！我正要問你呢！你這惡徒！你已在我掌握之中，我要讓你好看。」他說完便反身大踏步向樓下走去。

亨特小姐非常著急，驚呼起來道：「啊喲！他一定去招呼那隻狗了。」

我急忙安慰她道：「不用怕，這裡有手槍呢。」

福爾摩斯厲聲問道：「惡徒！你的女兒呢？」

福爾摩斯道：「最好先關了前面的門。」

說罷，我們便一同衝下樓去。可是剛到客廳時，猛地聽見一陣慘厲的呼號聲從客廳裡傳來。我們不約而同地都驚得停了腳步。誰料忽地又是碰的一聲，從側門裡踉踉蹌蹌地撞出一個醉鬼來，嘴裡兀是叫道：「啊！我的天啊，那一個活得不耐煩了，竟放出這一隻兩天未曾果腹的孽畜啊！」

這時我們急忙往客廳去，觸眼便見那挺臥在血泊裡的就是洛克塞特，旁邊一頭凶猛的巨狗，還俯伏在他的身上，牠尖利如鋼的牙齒，尚留戀著他的頭頸不放。我們便一槍斃了那隻凶狗，將這害人自害的洛克塞特抬進客廳的沙發上。這時酒醉的杜勒早已驚醒，奉了我們的命令，去報告洛克塞特夫人。驀地裡忽聽見亨特小姐叫道：「咦！這不是杜勒太太嗎？」

我同福爾摩斯看時，只見一個高大的婦人走了進來。

那婦人走近，便對亨特小姐道：「是洛克塞特先生回來時放我出來的。但你們何必祕密進行你們的計畫，不讓我知道？否則，我早可將這些事告訴你們，你們也可省得遭遇這許多周折。」

福爾摩斯聞言，注視著她道：「看來，你對於這事的內情一定極明瞭，但不知能否見告？因爲我還有幾處沒有了解。」

「有何不可，假使你們不把我像犯人般地鎖在地窨裡，我早已都講出來了。」她說時略停一停，又接著道：「但你們要上法庭時，請你們別忘記我，我是你們的朋友，也就是愛麗絲小姐的好友啊！講到我的愛麗絲小姐，實在是個好女孩，主人也極愛她。但自從夫人死後，娶了新女主人後，主人對她的愛便漸漸的淡了。主人所有的產業都是前任夫人留下來的，雖然遺囑上寫明是小姐和主人均分，但她素來溫順，不忍拂逆她父親的要求，便完全讓主人掌管著。後來主人知道自己的女兒愛上了一位叫福勒的少年，不覺暗暗地焦急起來，深恐女兒一嫁，便要把產業分去，他便想辦法哄他的女兒，教她簽一張字據給他，證明無論她自己是否嫁人，父親仍可動用她的產業。先生，這件事我小姐雖溫順，也不致於傻到這般地步，她當然堅決拒絕。可是主人見她不肯鑽入圈套，便使出非常的手段，百般地恫嚇她、阻撓她。我小姐承受不了他這樣的虐待，竟得了腦炎，經過了六個星期，才死裡逃生般地痊癒。病後她身體變得非常瘦弱，也把頭髮剪了下來，但……」她正滔滔不絕地說著，忽被福爾摩斯打斷道：「且慢，這樣就夠了。以後的事，我可以猜度出來了。但她的情人仍然愛她，因此你的主人，便將她關了起來。」杜勒太太連連點頭道：「先生，正是，正是。」

福爾摩斯道：「你主人所以要雇用亨特小姐，就因爲她的面貌和愛麗絲小姐相彷，可以利用來欺騙福勒。」她急忙說道：「不錯，不錯，先生眞是神人。」

福爾摩斯似沒有聽見，仍從容道：「不料福勒是個多情種子，還是天天徘徊在屋外不去。恰巧無意中碰到了你，你竟被他一頓花言巧語，外加金錢的利誘，乘著洛克塞特夫婦倆出去的時候，幫了他駕著長梯，救了愛麗絲出去。」

「啊！先生，你竟像親眼看見似的。一切的情形都被你猜中了。」

「我們剛才監禁了你，這要請你恕罪。」他又接著向我道：「華生，你不見醫生同洛克塞特夫人都來了嗎？我想我們應當送亨特小姐回溫徹司特才是呢。」這一句話，可說是我們剖白了銅山毛櫸山莊祕密的凱旋歌啊！

後來聽說洛克塞特脫險獲救，總算命不該絕，但已殘廢，算是因果報應吧。他和夫人與兩個僕人仍住在這不祥的屋裡，過著他們乏味的生活。至於福勒和愛麗絲，眞是應驗了「有情人終成眷屬」的老話，不久便在莫蘭特斯島上舉行婚禮。還有那個亨特小姐，我眞是被我的老友大大地掃了興。因爲他自從這案子結束以後，對這位待他柔情似水且時常拜訪的亨特小姐，就不再感興趣。否則我還我希望她成爲福爾摩斯太太呢！現在聽說她已做了一間私立學校的校長，前途當然不可限量了。

綠玉皇冠（原名 The Beryl Coronet)

有一天早晨，我站在弧形窗的前面望著下面的街市，我道：「福爾摩斯，你瞧，那邊來了個瘋漢。他家裡的人怎麼可以讓他一個人跑出來呢！」

我友從他的扶手椅上懶洋洋地站起來，把雙手揷在衣袋裡，從我的後面望著下邊。那天是二月的某一天，天氣初晴，前幾天下的雪仍舊厚厚地積在地上，在日光照耀下閃閃發光。貝克街的積雪已經被往來的車輛踐壓成一條棕褐色的狹路，但是兩邊的人行道上卻仍堆著很厚的積雪。旁邊灰色的石子路已經打掃乾淨，只是滑得不可駐足，所以也沒有人走。在這種天氣裡，自然沒有什麼人從大都會車站那邊來，因此，他那種不合常理的情形便引起了我的注意。

那個人大約五十歲模樣，壯碩而威嚴，有廣闊端正的面貌，和一種傲岸的神情。他衣著顏色暗淡，卻很奢華，黑色的外套、有光澤的帽子、很精美的褐色皮鞋，和很流行的灰色珠面呢褲。只是他動作的可笑，卻和他的服飾顯得格格不入。他很艱難地走著，有時會忽然跳躍，好像一個疲弱的人，素來不常勞動兩腿，不慣步行的樣子。當他走路的時候，兩手忽上忽下的揮動，頭也不停地搖著，面孔很不自然向四面瞭望。

我道：「他到底有什麼事情呢？他現在正看著房子的門牌。」福爾摩斯搓搓手道：「我認為他要到這裡來。」「到此地來嗎？」「是的，我認爲他是有困難來找我商量。我很熟悉這種情形的。哈！我不是老早跟你說過的嗎？」當他說話時候，那個人已跑到我們的門口，喘著氣，拉動那門鈴。

隔了一會兒，他進了我們房間，仍舊喘著氣，做著手勢。他那種悲傷的面孔和失望的眼神，不由得使我們歛住了笑容，變成了震驚和憐惜。他一時說不出話，只能搖著身體，拉著頭髮，表示他已經被逼到一個不能申說的極限。他忽然跳起來，把頭撞到牆壁上去，我們兩人合力地拉住他，把他拉到房間的中央。歇洛克・福爾摩斯推他坐到一把安樂椅上，就在他旁邊坐了下來，輕輕撫著那人的頭，用他慣常使用的那種柔和的聲音對那人說話。

他道：「你到我這兒來，要把你的事情告訴我，是嗎？你現在因爲焦急的緣故，腦筋有些昏亂。請你靜靜歇一會兒，等你恢復之後再說。我很願意幫你。」

那人坐了一會，他胸口的起伏，仍使他說不出話。他用手帕擦了擦額頭，緊閉兩唇，把臉轉過來，向著我們道：「你們一定以爲我是瘋了！」福爾摩斯回答道：「不，我知道你一定有極大的困難。」

「天曉得我遇到了什麼麻煩！——這件事來得這樣突然而恐怖，簡直叫我沒有法子可想。公衆的羞辱，我或許還可以忍受；但我的人格從來沒有受過一點兒玷污。每個人都有煩惱，那是免不了的，只是兩件事情一起來，並且如此可怕，簡直是要奪去我的靈魂。除此之外，這非但攸關我個人，還關係到那位高貴的人。除非有什麼方法可以查明這件可怕的事，那才有解救的希望。」

福爾摩斯說道：「請你鎮定一點，請你把你的姓名住址和發生的事情詳細地告訴我。」

那客人回答道：「我的名字，大概二位都熟悉的，我叫亞歷山大・霍爾特，就是繡針街霍爾特史蒂文森銀行的經理。」

這個名字的確很熟悉，大家知道他就是倫敦第二大私人銀行的大股東。那麼，這位倫敦的著名大人物到底發生了什麼悲痛的事情，竟讓他有如此可憐的情狀呢？我們屏息著等候他，心中滿抱著急欲聞詳的好奇心，直等到他控制住情緒才繼續說下去。

他道：「現在時間十分寶貴。所以當警局的警員叫我來請你幫忙時，我就匆匆趕到此地。我是坐地鐵到貝克街來的，到了街口，因為馬車在雪地裡走得非常慢，我就步行到此。我平常很少運動，所以現在非常喘。現在，我就用最簡明的方法，把這重要的事情敍述給你們聽。你們大概也知道，銀行事業的發達全靠運用資本得當與否。放款和吸收資金是一樣重要的。最可獲利的方法，是把款項借給那些持有貴重抵押品的人。這幾年來，這一方面，我們已經做得很多很多，有許多貴族鉅家都曾經拿他們家藏的古畫、藏書和金銀器皿到我這裡抵押借款。

昨天早晨，我坐在我銀行的辦公室裡面。有一個行員拿進來一張名片，我一瞧這名字，不由得跳起來，因為他原來是——就是在你面前，我也只能告訴你，他是全世界都知道的人物——英國最尊貴、最榮譽的名字。我那時被他的尊榮所懾，當他進來時，我試著要循禮接待，只是他立刻就談到正事上去。瞧他的神氣，似想要急忙辦妥這樁不愉快的交易。他道：『霍爾特先生，人家跟我說，你常辦理貸款的事。』我道：『是的，要是抵押品妥當，本公司是願做這項營業的。』他道：『我現在急需五萬鎊。這一筆款項，若是向我的朋友們借，本是很容易的事情，但我寧可依營業手續，自己和人家接洽。你大概也知道，以我的地位，變成債務人身分，那是很不合宜的。』我問道：『請問你要這筆款多久呢？』『下星期一我會有大筆收入，到時候我就可以歸還你這筆借款。不論你要什麼利息都可以。但是現在我很迫切需要這筆錢，你最好立刻給我。』我道：『如果這款子是我私人的，不要說這一點數目，就是再多，我也不說第二句話。可是現在是以公司的名義，我一定會受股東的限制，我的意思是說，營業上的手續也要麻煩您辦理。』他道：『我也寧可有這種手續的。』說著，他拿起放在旁邊的一個摩洛哥方匣，接著說道：『你應該聽人說過這個著名的綠玉皇冠吧？』我道：『這是我們帝國的稀世之寶。』『不錯。』他說著打開那個匣子，墊在下面的紅色絲絨，襯托出那輝煌燦爛的寶物。他又道：『這裡有三十九顆無價的綠玉，就是它雕鏤的金質底框也是難以估計的。這皇冠的最低價應該幾倍於我向你借的款項。我預備把這東西留在此地，做我借款的抵押品。』我把那寶貴的匣子拿在手裡，對這榮貴的主顧露出一種疑慮的神色。他問道：『你懷疑這東西的價值嗎？』『不，不，完全不是，只是我想——』『我留這東西在此是合理的，你儘可放心。如果我不是十分確定在四天以內可以贖回來，我做夢也沒有想到要做這種事。這是一件很單純的事情。這抵押品不夠嗎？』『非常夠。』『霍爾特先生，你知道我所以給你這個強有力的信用證品，就因為我聽說你平素的信用很好。我把這東西託付給你，你非但要嚴守祕密，不讓人家知道，最要緊的是要你戒備森嚴，好好兒保管。如果稍有一點損傷，不用說會引起一場軒然大波。不論那一部分少了，就像整個都丟了一樣，因爲這上面的綠玉如果少了，是沒有法子可以彌補的，世界上再也找不出一顆相同的綠玉。我留在此地給你，是十分信任你。我在禮拜一早晨派人來取。』我瞧我那位主顧急於成交離去，便也不再說什麼。我便喚我的會計，命他交付這五萬鎊的鈔票。他去了之後，我一個人留在辦公室裡，那寶貴的匣子仍放在我面前。我那時不禁想到擔負著如此重大的責任，心中未免有些恐懼。這是一國之寶，如果有什麼不幸的事情發生，那自然就無法挽救了。我因此後悔了，覺得不應做這一項買賣，負這個責任。但已經來不及了，所以我就把那東西鎖在我的保險箱裡，接著我便繼續處理其他業務。到了晚上，我覺得不能把如此貴重的東西留在我的辦公室裡。別家銀行的保險箱常常遭竊，我難道不會遭到這項不幸嗎？假使不幸果眞發生，那我的遭遇就不堪設想了！於是我決定這幾天都要帶著那寶匣進出，不教它離開我的掌握。我打定主意後，便叫了一部馬車，帶著這寶匣在身邊，回到斯特里坦我的家裡。我一直拿到樓上，鎖在我更衣室的櫥子裡。福爾摩斯先生，我現在要敍述我家裡的狀況，以便你可以徹底知道我的情形。我的馬夫和僕役都住在外邊，和我的住屋分開。三個女傭都做了好久，她們的忠實都沒有可疑之點。不過有一個新來的女郎叫露西·潘兒，只來了幾個月。但是她非常優秀，所做的事情都十分令我滿意。她是一個非常美麗的女孩子，偶然走過的人，也常常被她吸引住。我們都承認她是一個十分完美的好女孩。至於我的家庭也非常簡單，不必費許多唇舌敍述。我是一個鰥夫，只有一個獨子名叫亞瑟。福爾摩斯先生，他讓我很失望。人家都說我太縱容他了。這確實是我的過失，我也明白是我的錯，只爲我愛妻去世之後，我覺得我所愛的人只剩下他了。我不忍看見他臉上沒有笑容，所以我從沒有拒絕過他的要求。如果我可以嚴厲一些，事實上對於我們兩個人都有益處，只是我做不到。我希望他能接替我的事業，但他實在沒有經商的天賦。他的性情剛愎不羈。說一句老實話，我也不能信任把大宗金錢交給他掌管。他少年時就入了貴族俱樂部，在那裡，因他舉止風流瀟灑，便結識了許多有錢但揮霍無度的人。他喜歡那種賭注很大的牌局，並且常在跑馬場裡賭錢，但常輸錢，所以一再向我索款，逼著我要如他所願，方能讓他很有名譽地還債。他也有幾次想離開他那些狐朋狗友，但是他有一個朋友喬治・朋惠爾勳爵，那人總有辦法拉他回去。講到那個喬治・朋惠爾勳爵的爲人，也無怪容易誘引和屈服他。有時我兒子會帶他到我家，他那種態度不能說他不好。他比亞瑟年長一些，見多識廣，是一個深於世故的人，儀表佳，談吐又優雅可人。但我覺得他的冷血性情，不是他那嫻雅的儀表掩蓋得過的。我默察他狡猾的語言，和從他兩眼裡顯露的陰沈，便認定他是一個不能信任的人。非但我這樣想，就是那個小瑪利也如此想，她是個能夠深入觀察人家性情的人。現在只有她的情形我沒有告訴你。她是我的姪女，五年前，我兄弟亡故之後，只留她一人在世，我就把她領來撫養。我把她當成親生女兒一樣看待，她是我們家的陽光——溫柔可愛又美麗，是個很好的管理家務的人，又是個安靜溫柔端正的好女孩，她也是我的左右手。如果沒有她，我便要不知所措了。她只有一件事不合我的意。我的兒子有兩次向她求婚——因爲他一心一意愛她，卻都被她拒絕。我想，只有她可以指引我兒子走向正路，並且如果他和她結婚後，她一定可以改變我兒子一生的命運。只是，唉！現在來不及了，永遠來不及了！福爾摩斯先生，現在你對於我家中的情形想必已經完全知道。我要繼續講到我那不幸的事件了。那晚，我們吃過晚飯之後，正坐在客廳裡喝咖啡。我告訴亞瑟和瑪利這件事，並且講到那珍貴的寶藏就在我的屋裡，不過沒告訴他們那主顧的姓名。當時拿咖啡進來的是露西·潘兒，不過她已經出門了，但不能確定門是否關好。瑪利和亞瑟聽了都覺得很有趣，叫我給他們瞧瞧那著名的皇冠，但是我認爲這東西不去動它爲妙。亞瑟問道：『這東西放在什麼地方？』『在我自己的房裡。』他道：『好，我希望今天晚上沒有賊來偷才好。』我回答道：『我把它鎖好了。』他道：『啊！任何一個老鑰匙便可以打開這櫥子的。記得我很小的時候曾經拿一把廚房食物櫃的鑰匙打開過。』他常隨便講話，所以我沒注意。但是那晚他跟我到房裡去的時候，臉色非常難看，他眼睛看著地上，向我道：『爸爸，你可以給我二百鎊嗎？』我很快地回答：『不，我不能，對於金錢，我對你實在太慷慨了。』他道：『你仁慈點可憐我，我實在需要這一筆錢。不然，我就沒臉在俱樂部出現了。』我道：

『那麼，這很好呀！』他道：『是的，但你總不致於要我做一個不名譽的人。我實在不能忍受這種恥辱，我一定要設法弄到這一筆錢。假使你眞的不肯給我，我只好想別的法子了。』我那時很生氣，因爲在這一個月裡，他已經第三次向我索錢。我喊道：『我今天一個小錢也不能給你！』我說了這句話，他就向我鞠了躬一聲不響地走了出去。當他走出去之後，我打開衣櫥，看見寶物無恙，便再鎖了起來。於是我到處去巡視，看門窗是否均已關好——這本是瑪利的職務。那天晚上，爲了要妥當一些，所以我親自再察看一趟。當我走下樓梯的時候，看見瑪利在大廳旁的窗邊，當我走近她時，她正把它關好，她似乎有些煩惱的樣子，看著我道：『爸爸，你告訴我，你今晚讓露西出去了嗎？』『沒有，沒有。』『她方才從後門進來。我敢說她又到側門那邊會什麼人。我認爲如此很不妥當，要制止她才好。』『明天早上你可以告訴她，如果你不願意，我來向她說好了。各處都已拴上了嗎？』『爸爸，都已關好。』於是我倆互吻道晚安，我便回到我的寢室，不一會我就睡著了。福爾摩斯先生，我盡量詳細告訴你，以便你在這案件上有些把握。若有不甚清楚的地方，你再問我好了。」

「不會，你的敍述非常淸楚。」

「那麼，我要講到那件事情了。我希望你也能完全明白。我睡覺的時候，本來就很容易被驚醒的，那晚我有重大的事情在腦海裡，自然更不能熟睡。大約兩點的時候，我被一些聲響驚醒。當我醒來後，那聲音忽然停住，只覺得好像有一個輕輕開窗的聲音。我全神貫注地聽。忽然間，我覺得很恐怖，因爲我聽見前面房間裡有一個很淸楚的脚步聲，輕輕地在那邊走動。我從床上起來，心中嚇得亂跳，旋即從更衣室的門角裡窺探。我驚呼道：『亞瑟，你這個惡徒！你這個賊！你竟敢碰這皇冠？』那房間的煤氣燈，我本來就半開著，燈光之下，我看見那可惡的孩子只穿著襯衫和褲子站在燈旁，手裡正拿著那個皇冠。看起來他正想要用全力去拗折這東西。在我驚呼時候，他手中的皇冠掉在地下，他臉色頓時變白，好像死人一樣。我急忙搶起這東西檢查，只見一個金角上面有三顆綠玉已不見。我不禁大怒，喊道：『你這個流氓！你竟把這東西弄壞了！你總是把我的名譽弄糟！你偷去的珍寶究竟放在什麼地方？』他喊道：『偷？』我搖著他的肩膀，怒吼道：『是的，你這個賊！』他道：『沒有少去什麼，不會丟什麼的！』我道：『現在這裡少了三顆玉。你一定知道在什麼地方。你當眞要我叫你賊嗎？你以爲我沒有看見你正想試著拿下另一塊嗎？』他道：『你罵得夠了吧，我再也不能在此地立足。既然你有意把這件事誣賴我，對於這件事，我也不需再做任何辯解。明天一早，我就立刻離開此地，自己去謀生。』我那時好像瘋了，一半是憤怒，一半是悲傷。

在我驚呼的時後，他手中的皇冠掉在地上。

我喊道：『你必會落在警察手中的，這件事情，我必須徹底查究。』那時他喊道：『你在我身上查不出什麼。如果你要報警，讓他們查好了，看他們能夠怎樣。』他當時也已失了常態，那種憤怒的神情也是我所想不到的。那時全家都被驚起，因爲我發怒地大喊，大家都聽到了。瑪利是第一個跑進房間來的人，她知道了這件事情，驚呼了一聲，驀地暈倒在地上。我就叫女傭去報警，決定立刻把這件事情交給警方去偵查。當檢查官和一個警察到我家的時候，亞瑟交疊著兩臂，很鬱憤地站著，他問我是否要把他當做竊盜處置，我回答他說這已不是一件私人的事，因爲這被破壞的皇冠是國家的財產，這事攸關國際名譽。我已決定這事全聽憑法律的處置。他道：『至少你不可讓我立刻被捕。如果你可以讓我離開這屋子五分鐘，對你我都有很大的好處。』我道：『那是你想逃，或許你想去藏匿你所偷的東西。』我便直說。我現在的處境非常的糟糕。我懇求他，要知道非但是我，還有一個比我高貴的貴人，名譽都處在危險之中，而且這件事會引起極大的恥辱，足以震驚全國。他只要告訴我那三顆玉在那裡，便可以避開他的罪名。他冷笑著掉過頭去，向我道：『你的赦免饒恕留給向你求饒的人吧。』我覺得他的心腸太硬了，竟沒有話可以勸化他。那時我只有一個法子了。就是叫那個警官把我兒子監禁起來。並全面搜查。非但在他身上，就是在他房間裡或屋子裡可以藏匿寶物地方都搜查過，卻一點影跡也找不到，他們的勸說和恫嚇也無法叫這孩子開口。今天早晨，那孩子已被送到監獄裡去。我經過了警方形式上的查詢之後，便急忙地跑到此地，要請你運用你的智慧幫我。警方明白地告訴我，現在他們無法可想，無事可爲。要多少錢，請你說好了，我已經出了一千鎊的懸賞。上帝呀，叫我怎樣才好呢？一夜之間，我竟失去了我的名譽、我的財寶和我的兒子。唉！叫我怎樣才好呢！」

他以兩手捧著頭，身體前後搖擺著，嘴裡喃喃不絕，像一個小孩子悲啼時說不清話的模樣。

歇洛克・福爾摩斯靜坐了幾分鐘，皺著眉頭，眼睛注視著火爐。隔了一會兒，問道：「你常有許多朋友來往嗎？」「沒有，除了我的股東和家人之外，有一個亞瑟的朋友偶爾會來。另外那個喬治・朋惠爾勳爵近來來過幾回。我想不到別人了。」「你們應酬多嗎？」「亞瑟常出去，我和瑪利總留在家裡，我們兩人都不喜歡出去交際。」「年輕女郎不出去交際實在少見。」「她天生文靜。她年紀也不輕了。她已二十四歲了。」福爾摩斯道：「從你的敍述上聽起來，她對於這件事情似乎也很驚訝。」他道：「是的，她比我更震驚。」「你對於你兒子的犯罪都沒有懷疑嗎？」「還有什麼疑點！我親眼目睹他兩手捧著那隻皇冠。」「我不認爲這是明確的證據。皇冠上的其餘部分有損壞嗎？」「是的，冠身已經折彎了。」「那麼，你是否以爲他可能正想拉正這東西呢？」他道：「上帝降福給你！你竟設法解救我的兒子，但是太困難了。那時他到底在那兒幹什麼呢？如果他的確無罪，他爲什麼不申辯呢？」

「不錯，但如果他有罪，他難道不會揑造一個謊話來脫罪嗎？他的不作聲，我認爲正好解決這兩個疑點。至於這件案子，還有幾處可疑之處，那些警察對於驚醒你的聲響曾想到過是什麼嗎？」「他們猜是亞瑟關臥室門的聲音。」「呀！眞是奇怪的話！豈有一個打算行竊的人，卻大聲開關著門去驚醒屋裡的人。那麼，他們認爲這失去的三顆寶石怎樣了呢？」「他們仍舊竭力地搜尋，想把它找出來。」「他們到屋外去找過嗎？」「是的，他們非常盡力地搜尋，整個花園都已全部嚴密地檢查過了。」

福爾摩斯道：「親愛的先生，這案情的複雜深祕不是你和警察們所能想像得到的。你現在可明白了呢？在你看來很簡單的情形，我卻認爲異常複雜。你以爲你的兒子從他床上下來，冒著很大的危險跑到你的更衣室裡，開了你的衣櫥，拿出你那皇冠，用了很大的力氣折去那上面的一小部份，再跑到別的地方，藏去這三十九顆寶石中的三顆，藏的又這麼好，竟沒有人找得到，然後他拿了那三十六顆寶石，再回到更衣室裡，讓他自己陷入很容易被人發現的危險中。我要問你，你想這一種論斷靠得住嗎？」

那銀行家做出絕望的手勢，喊道：「不是這樣，是怎樣呢？如果他的行爲眞的是淸白無疵，他又爲什麼不解釋呢？」

福爾摩斯回答道：「要找出他所以不解釋的原因是我們的工作。霍爾特先生，如果你可以，現在我們就同你到斯特里坦去，專心研究一個小時，以便進行眞切的考察。」

我的同伴叫我一塊兒去考察，這恰是我所渴望的，因爲我的好奇心和情感的確已被這奇怪的事情挑起。我的主張和來客一樣，也以爲那銀行家的兒子罪狀顯著。但是我對於我友的判斷力是絕對相信的。我知道他不滿於來客的解釋，一定有幾處可以突破之點。在往城南的路上，他默不作聲，坐在車裡，下巴貼著胸口，帽子壓到眼睛上面，已進入深思的狀態。我們的那位來客，覺得他的那件事經我友給了他一線希望，也覺得起勁了些。他同我胡亂地瞎談著他的事業。我們坐了一會兒火車，又步行了一程，便到了那位大經濟家的住處。

那住宅是白石蓋成的方形新式房屋，離馬路有段距離。一條尚覆著積雪的車道，直通房子前的兩扇鐵門。右邊有一小塊木牌，指著一條窄路，兩邊圍著樹籬，從大路一直通到廚房門口，這就是僕役們出入的通道。在左邊另有一條小巷，連接馬房，這一條路並不完全屬於宅內，其實是一條公共馬路，不過不常有人走到罷了。福爾摩斯讓我們站在門口，他一個人慢慢地繞著這屋子走了一趟。他先經過前面，走下那條僕役們出入的小路，又從後花園兜到馬房的那條小巷。他離開很久，所以霍爾特先生同我先走進飯廳，坐在火爐旁邊，等候他回來。我們靜悄悄地坐著，忽然室門開了，走進一位年輕女郎。她身材苗條，黑色的頭髮和眼睛因她臉色十分蒼白，更襯得烏黑。我想不到一個婦女臉上竟會有如此灰白的臉色。她的嘴唇也白得毫無血色，眼睛裡還含著淚珠，她默默地走進來，讓我感受到她的悲傷比今晨所見銀行家的態度還要嚴重。她分明是一個性情強烈的女子，有充分的自制力。她不顧我在場，一直向她的伯父走去，把她的手放在他的頭上，顯出一種女子的甜美的姿態。

她問道：「你已經叫他們釋放亞瑟了嗎？爸爸呀！你說了沒有？」「不，不，這件事情，一定要徹底查究的。」「但是我敢確定，他是無辜的，你要知道，我們女人的觀察決不會錯。我曉得他決不會做不好的事情，你這樣暴躁地把他捉起來，一定會後悔的。」「那麼，如果他是無辜的，爲什麼不講呢？」「誰知道呢？或許因爲你懷疑他，使他憤怒得開不了口。」「我親眼看見這皇冠在他的手裡，我怎能不懷疑他呢？」「哎！但是他不過拿起來瞧瞧。啊！你一定要相信我的話，他絕對是無辜的。把這事情丟開吧，不要再提起一句話。這是一件可怕的事情。我們親愛的亞瑟竟會到監獄裡去！」「瑪利呀，我無法拋開這件事，而且非得找到這三顆寶石不可。你的眼裡因著對亞瑟的感情，竟蒙蔽著看不見我在這事上的可怕結果。我非但不能丟開這件事，我已經從倫敦請到一個人來，要把這件事更深切地查究一番。」

她對我望了一望，問她的伯父道：「就是這一位嗎？」「不，是這位先生的朋友。他叫我們讓他一個人在那裡，他現在正在察看通往馬房的那一條路。」

她睁大墨黑的眼珠，問道：「察看馬房那邊嗎？在那邊他想有什麼希望呢？哦！我想進來的那一位就是了。先生，我相信你定能證明我所相信的，我那位堂兄亞瑟一定是無辜的。」

福爾摩斯那時已經回來，在門口鞋墊上刮去鞋子上的雪。他回答瑪利道：「我認爲你這句話沒錯。我也很贊同你這種想法，或許我們可以證實的。我要請教瑪利・霍爾特小姐，允許我問一兩句話嗎？」「先生，請問，如果能讓這可怕的案件清楚一些，我都樂於回答的。」「昨天夜裡，你沒有聽見什麼聲響嗎？」「一點也沒有，直到聽見我伯父的高喊，我才跑下來。」「昨夜你在關閉門窗的時候，這許多窗子都拴上嗎？」「拴上的。」「到今天早晨都還拴著嗎？」「是的。」「你們家裡不是有一位熱戀中的女傭嗎？我聽說你告訴你伯父，她昨夜曾經出去看她的情人。」「是的，她就是那個在客廳伺候的女傭。她可能有聽見我伯父講起這皇冠。」「我明白了。你的意思是她或許出去告訴了她的情人，然後兩個人共同計畫偷盜這東西。」

那時那位銀行家，很不耐地呼道：「這到底是怎樣一個疑難的問題啊！我不是告訴過你們嗎？我的確目睹亞瑟把這東西拿在手裡的。」

「不忙，霍爾特先生，我們會討論到這個的。霍爾特小姐，再請你講那個女傭。據我推測，你可是瞧見她從廚房門那裡回來的？」「是的，當我去檢查那門的鐵栓拴上了沒時，我見她溜進來。我並且看見那男子站在黑暗的地方。」「你認得他嗎？」「呀！認識的，就是那個賣菜的人，他常來我家賣蔬菜的。他的名字叫佛朗西斯・普祿司柏。」

福爾摩斯道：「他站在門的左邊，那裡進出的人都不會碰見的。」「是的，他是這樣。」「他是一個裝著一隻木腿的人嗎？」

她墨黑的眼珠裡突然出現又驚又懼的眼神，她問道：「你怎麼像個魔術師，你怎麼會知道呢？」她那時微微的一笑，只是福爾摩斯冷淡的臉上，卻沒有附和她的笑容。

他道：「我想到樓上去瞧瞧，並且還要在這屋外察看一遍。我在上樓之前，先要察看下面的窗戶。」

他很敏捷地在四周察看那些窗戶。站住在一扇從大廳開向那馬房小巷的窗前。他開了這窗，拿出他的放大鏡，很仔細地察看那個窗檻。隔了一會，他道：「現在可以到樓上去了。」

那銀行家的更衣室是一間小房間，器具不多，鋪著灰色地毯，有一個大櫥子，和一面長鏡子。福爾摩斯先跑到大櫥子旁，對著鎖孔，很仔細地看了一番。問道：「那一個鑰匙是開這個門的？」「那個我兒子發現的鑰匙，就是食物櫃用的那一個。」「那個鑰匙在此嗎？」「就在梳洗檯上面。」

福爾摩斯就過去拿了那個鑰匙，打開櫥門。

他道：「這倒是一個沒有聲音的鎖簧。你自然不會被他驚醒了。這匣子想必就是放皇冠的地方，我們一定要瞧瞧的。」他就打開那匣子，把寶物拿出來，放在桌子上面。這東西的確很珍貴，是藝術的結晶，三十六顆寶石也是我從來沒有見過的。皇冠的一邊有一條彎曲且損壞了的邊，就在這上面的一隻角上被偷走了三顆寶石。

福爾摩斯道：「霍爾特先生，這一邊就是不幸丟掉三顆寶石的一角。我要請你允許我，把這一角拆下來。」

那銀行家露出驚恐的神情，急道：「我萬萬不敢嘗試。」

「我卻一定要試試看。」福爾摩斯說著，就用力去試，只是毫無結果。他道：「我一點也動不了它。我的手指是非常有力的，也不能輕易扳動它，平常的人當然也不能折動它。霍爾特先生，試想，如果我真的把他它折斷了，會有怎樣一種情形？那一定有很大的聲響，像開槍的聲音。你跟我說過，這地點離你的床不過幾碼，但你不是一點聲響也沒有聽見嗎？」

「我也不知道是什麼道理。這事情我至今仍解釋不出。」

「我們開始調查後，或許可以有些線索，霍爾特小姐，你現在有何感想？」

她道：「我腦袋裡只分擔著伯父的混亂和煩惱。」

他又對那銀行家道：「你看見你兒子時，他沒有穿皮鞋或拖鞋嗎？」「沒有，他只穿一條褲子和一件襯衫。」「謝謝你。我們在這一次偵查中非常的幸運。如果再不能把這案件弄清楚，那完全是我們的過失。霍爾特先生，我已經獲得你的允許，要繼續往戶外檢查。」

他要求讓他一個人出去，因爲多了無關的腳印可能會增加探案的困難。大約一兩個鐘頭之後，他已事畢回來，腳上踏著很多的雪，他那不可捉摸的臉色，仍舊像從前一樣。

他道：「霍爾特先生，在此地所能觀察的事情，我都已察遍。現在我可以回到我的家裡，幫你推測這件事。」「福爾摩斯先生，這幾顆寶石，究竟在什麼地方呢？」「那我也不知道。」

那銀行家聽見此話，揮著兩手，呼道：「那麼，我不能再見到這些寶石了嗎？也不能再見到我的兒子了嗎？你會給我一些希望嗎？」「我的意見始終沒有變過。」「在上帝面前，請你告訴我，昨夜在我家裡發生的到底是一件怎樣黑暗的事？」

「如果你明天九點到十點鐘能夠到貝克街來看我，我可以把這件事弄得更清楚一些。我知道你已全權委託我辦理這事，如果我可以弄回這三顆寶玉，你想必不會在意所要花費的錢吧。」「我情願傾家蕩產，也要把那寶玉追回來。」「很好，很好，我即刻就進行了。再會吧。我或許在傍晚之前再到此地來一趟。」

我友探案的結果時常出我意料之外，這時

我很清楚他已經有十足的把握了。在我們回家的路上，我有幾次談到這件案子，他總把話題移開，後來我放棄了，便也不再問他。我們回到家還不到三點。他立刻跑到他的房裡去。一會兒他重新下來，穿扮成一個流浪漢的樣子，衣領豎起，一頂磨得發亮的舊帽子，紅的領結，舊的皮靴，活像個流浪漢。

他在火爐架上的鏡子前照了一照，說道：「我想我必須如此做。華生，我本想找你一起去，只怕不很妥當。我試著如此做，我有一種預感，會知道這人到底是誰。我希望一會兒便可以回來。」

他在桌上拿起一塊牛肉夾在兩塊麵包裡，順手把這簡單的食物塞在衣袋，就出發去著手探查。

他回來的時候，我正在喝茶，他臉上有種愉快的精神，手裡揮著一隻破了一邊的皮靴。他把那靴子擲在屋角裡，自己去倒了一杯茶。

他道：「我方才出去不過偵察了一下，這方向沒有錯，現在我要繼續進行了。」我道：「你還要到那裡去呢？」「哦，到城西去。這是很費時間的。恐怕很晚才會回來，你不必等我。」「你進行得怎樣了？」「你聽著。方才我又到過斯坦里特，不過我沒進去和屋主打招呼。這是很有趣的一件小案件，我一點也沒有白費功夫。但是現在我不能空談多費時間。我要換去這一身難看的衣服，回復我尊貴的原貌。」

我不必聽他講，從他神情上觀察，已可以知道他很滿意。他的眼睛閃閃發亮，蒼白的臉上也微微的泛起紅暈。他急忙走上樓去，不一會兒，我聽見大廳門關上的聲音，知道他已經出去了。

我一直等到夜半，仍不見他的影蹤，我覺得很疲倦，便回房去睡。他在探案的時候，一出去常整天整夜的不歸，所以他沒回來，我也不驚奇。我不知道他是什麼時候回來的，但是當我早晨下去吃早餐時，看見他一手托著一杯咖啡，一手拿著報紙，很整潔舒服地坐在那裡了。

他道：「華生，很抱歉沒有同你一起進餐。但是你應記得，我約了我們那位主顧，他不一會兒就要來了。」

我回答道：「怎麼，現在才九點鐘剛過，他眞的會準時嗎？我好像聽見一陣鈴聲，恐怕就是他來了。」

當眞，進來的就是我們的主顧。但我望見他的臉色，不禁震了一下。他天生寬厚的大臉龐已完全失神，頭髮也好像有一部份變白了。他走進來時那種頹唐的神氣比昨天還驚亂，顯示他更加悲傷痛苦。我把一張安樂椅推到他面前，他沈重地坐下。

他道：「我不知道我爲什麼有這麼多慘酷的遭遇。兩天以前，我還是快樂昂揚的一個人。世界上的一切難事與我無關。現在我竟落到這麼悲慘的境地。一件件悲慘的事情輪流著到我身上。現在我的姪女瑪利又逃走了。」

「她背了你逃走了嗎？」

「是的，今早我發現她的床沒有睡過，她房裡也是空的，只有桌子上有張字條是留給我的。昨天晚上，我並不發怒，只是很憂鬱地對她說，如果她答應嫁給我兒子，我兒子就不致弄到如此的地步了。或許我說這句話太欠斟酌了些。她也許就因爲這個緣故才走的，所以她信上說：『我最親愛的伯父：我覺得我實在爲你帶來很大的災禍，如果我意向稍變，這不幸的事就不致於發生。我腦海裡有了這一種感覺，就覺得住在這屋裡永遠不會愉快，非得離開不可。請你不必顧念我的未來，自有天命安排，你不必派人找我，因爲這樣非但沒有結果，反而使我不便。但不論是生是死，我都是你最愛的人。——瑪利』福爾摩斯先生，她這一張字條，究竟是什麼意思，你想她是自盡了嗎？」

「不，不，決不會自盡的。這或許是一種最好的解決方法。霍爾特先生，我認爲你的患難將要結束，很快可以過去了。」

「哈！你這麼認爲嗎？福爾摩斯先生，你已經發現了什麼？你已經知道了什麼？這寶石究竟在什麼地方？」

「你用一千鎊的代價來換得這三顆寶石，不覺得太浪費了嗎？」「不，不，我情願多出十倍的錢。」

「那也不必。有三千鎊，就可以揭破這案子了。我想，還要少許的酬金。你帶了你的支票簿來了嗎？請拿這一枝筆。簽一張四千鎊的支票給我好了。」

那銀行家略略顯出懷疑的神情，但立刻簽了支票。福爾摩斯走到他的書桌旁邊，拿出一小塊三角形的金片，有三顆寶玉嵌在上面。他順手把這東西放在桌上。

那位主顧立刻搶在手裡，發出尖銳、快樂的呼聲，接著喘息著說道：「你找到了這個！你救了我了！你救了我了！」

這種快樂，和他之前悲傷的反應一樣激烈。他喘著氣，立即把尋得的寶石藏在胸前。

福爾摩斯很嚴肅地問道：「霍爾特先生，還有一筆債，你應當還的。」

他趕忙拿起一枝筆，說道：「還債？請你說個數目，我立刻就付。」

「不，不，這一項不是針對我的。你應當對你高尚的孩子給點補償。就是令郎。如果我有了這樣一個兒子，對於他所做的事情，我也會感到驕傲的。」

「那麼，這東西不是亞瑟偷的嗎？」「我昨天已經跟你說過。今天再重複一遍，當然不是他拿的。」

「你是對的！那麼，我立刻就去看他，並讓他知道，全案已經大白了。」

「他已經知道了。當我一明瞭這件案情，就去探望他。但他仍不肯告訴我，我就把這件事告訴他，他說我推斷的沒錯，又告訴我幾點我所不明白的事情，但是有了今早你所帶來的消息，就可以叫他開口詳說了。」

「看在上帝的面上，請你告訴我，這到底是怎麼一回事！」

「我當然會告訴你。我也可以告訴你我偵察這實情所採取的步驟。但我要先說一句話，那也是我最難說出口的，也是你最不想聽到的，就是喬治・朋惠爾勳爵和你的姪女瑪利早已有了密約，現在兩個人已一起逃走了。」「我的瑪利嗎？不會吧！」

「不幸得很，這非但不是不可能的事，而且已確定無疑。這個男子——你和令郎都沒弄清楚他的眞正身分，他是英國最危險的分子——一個敗家的賭棍，一個非常暴戾的惡徒，簡直是沒有心肝沒有天良的一個人。你的姪女看不清他的眞面目，當他在她的面前發誓——他在她面前做過了幾百回，她便信以爲她是他心坎裡唯一的愛人。他說的話常能夠博得她歡心，她終於成了他的玩物，每天晚上，她都和他密會。」

那位銀行家臉色轉灰，喊道：「我不能相信這句話！我不願相信這句話！」

「那麼，我來告訴你昨天你家裡所發生的事。你回房之後，你姪女以爲你睡了，她溜了下去，在那開向馬房小路的窗口和她的情人講話。他的脚印深深的印在雪裡，我知道他站了很久。她便跟他談到那皇冠。他的金錢貪慾便落到這一個消息上，他便求她去偷這皇冠。她的確也愛你，不過也像普通女子的性情一樣，對於她情人的愛情力量卻足以蓋蔽其他的感情。她就是這樣的一個女子。當她看見你走下樓來，她來不及聽他的指示，就趕快關上窗，並告訴你她看見那侍女溜出去與那裝木脚的情人幽會，不過這事情也是確實的。令郎亞瑟與你交談過後便回房去睡。但他因爲愁念著俱樂部裡的債務問題，所以睡不著。半夜他聽見有一陣輕柔的脚步聲經過他的房門。他就起來，窺見他堂妹正偷偷地從走廊走進你的更衣室去。他大吃一驚，連忙穿了一點衣服，候在暗處，要看這奇怪的事情。不久，她從你的更衣室出來。從那走廊的燈光下，他看見她手裡捧著那隻寶貴的皇冠走下樓去。他滿含著恐慌，偷偷躲在靠近你門口的簾子後面，從那裡他可以窺見下面廳上的情況。他見她偷偷地打開客廳上的大窗，把這皇冠遞給在暗處中的一個人，急忙又關了窗，回到她臥室裡去，那時她還走過令郎所隱藏的簾子前。當她在做這一件事的時候，他看見竟是他愛的人，心裡充滿了驚恐，竟不知怎樣才好。等到她走了之後，他決定要挽救你的不幸。他衝到下面，赤著兩脚，打開窗，跳進雪裡，跑過那條小巷，在月光裡，隱隱看見一個黑影在他前面，那就是喬治・朋惠爾。這時他拿到皇冠想要逃走，卻給亞瑟抓住，兩人便爭鬥起來。你的兒子拉住了皇冠的一邊，那個人拉住了另一邊。兩人爭奪了一會，你的兒子打倒了喬治，並且把他的眼睛打傷。那時有一些東西忽然掉下去，但你兒子見皇冠既已到手，便急忙奔回，關好了窗，跑到你的房裡，才發現當他們爭奪時，已把這皇冠弄得有一點彎了。於是他想要把那彎折的部分弄直，就在那時，你看見他了。」

那銀行家喘著說道：「是這樣嗎？」

「那時你立即對他破口大罵。他得到你這種『熱心』的酬謝，自然覺得非常憤怒。但他不願把那件事的情由解釋明白，以免洩露他所愛的人的祕密。他是富有義俠精神的，所以就決定保守她的祕密。」

霍爾特先生呼道：「難怪她後來一看見那皇冠，驚叫一聲便暈厥過去。呀！上帝呀！我簡直是個盲目的愚夫！他求我讓他出去五分鐘，原來也就是爲了這個緣故！原來我親愛的兒子正想去他爭鬥的地方尋找失去的三顆寶石。我實在太荒謬了，竟如此誣賴他！」

福爾摩斯接著說道：「當我到了你的住處，就立刻謹慎地察看雪裡有什麼可以幫助我的脚印。我知道自從那晚下雪以後，便沒有下過雪了，只有一層濃霜，正好可保留那些脚印。我先走到那條通往廚房的小路，那裡已經踩踏得不能分辨。在那條路的外邊，也就是在廚房門的旁邊，看出一個女人和一個男人曾經站在那裡講話，我從一個圓形的脚印知道那人是裝著一隻木脚。我並且知道他們是被人驚散的，那女的很快地跑進廚房，因爲我看見她前脚印深而後脚印淺。當時那木脚人等了一會，也就走開了。我知道這必是那女侍和她的情人，因爲你已經把這事告訴我了。我兜過花園，看見許多雜亂的脚印，斷定是警察們的；只是當我走到了那通往馬房的小路時，這件事的眞相好像已很明白地寫在我前面的雪裡。那邊有兩行是一個穿皮靴的人的脚印。另有兩行脚印我認定是一個赤脚的人的。我立刻想到你告訴我，你當時看見你兒子的情形。第一種是來回走的脚印；第二種是奔跑的腳印，他的腳印有幾處是踏在前面的脚印裡。這很明顯地就是第二個人追第一個人所留的。我跟著靴子的脚印走，一直到了大廳的窗下，見兩靴踏凹了許多的雪，顯見那人在那裡等候的時間很久。我再走到另一端去，大約離小路有一百碼的距離，我看見有靴印旋轉的痕跡，雪也踏去不少，這表示在那裡有過爭鬥。結果我在地上發現幾點血跡，我知道我的猜測完全沒有錯誤。那兩個靴印就向前跑了出巷子，接著又發現了幾點血，我知道是那個人受了傷。當他走到大路後，因石路已經掃過，所以這裡便是線索的終點。你總還記得，在我踏進你的房子的時候，我就用放大鏡察看大廳窗的窗檻和窗框。我立即發現有人從這裡進出。我又可以分辨他進來的時候脚是濕的。那時我便很快地假設：有一個人在窗外等，一個人拿這寶物給他，這事情被令郎看見，他就去追捕這賊人，兩個人爭鬥起來，大家拉扯那皇冠，所以造成這種非獨力所能的彎折。他很得意地拿了戰利品回來，卻不知道留了一小塊在敵人那裡。這許多事情，我既已清楚，便再推究到底這個賊是誰？誰是私運這皇冠給他的人？我有一句箴言，先把不可能的情形去掉，留下來的，無論怎樣不可能，便是實在的眞相。你自己既沒有把這皇冠拿下去，那麼，拿下去的只剩你姪女和幾個女傭了。但如果是女傭們幹的，令郎又何必替他們受過呢？這絕對沒有可能的。因爲他很愛他的堂妹，所以就很容易解釋他所以保守這祕密的緣故了。況且這是一件很不名譽的事情，自然更有守密的必要了。我又想起你看見她站在窗口，而且後來她一看見皇冠，忽然暈去。我的揣測，便成了正確的判斷。不過誰是她的同謀呢？那一定是她的情人。因爲別的人總不能勝過她對於你的愛和感恩的。我知道你不喜歡出去交際，你的朋友有限。但卻有一個喬治·朋惠爾勳爵。這人我久聞其名，他在女人圈裡是惡名昭彰。所以我知道那留著的許多脚印和偷竊這寶石的人一定是他無疑。他雖知他的事已經被亞瑟知道，但他仍舊以爲自己的地位很安穩，因爲他知道亞瑟只要稍吐露一語，便會危害到他家人的名譽。好了，你總也能想到我以後的計畫。我扮成了流浪漢的樣子，跑到喬治家裡，與他的侍僮結識，探知他的主人在前夜頭上受傷。後來又花了六先令買到他主人的一雙破皮靴，拿著這靴，我再到斯坦里特察驗，那靴子和脚印竟完全相符。」

霍爾特先生道：「昨天晚上，我見一個衣衫襤褸的人在小巷內徘徊，就是你嗎？」

「不錯，是我。我見我已經得到了我所要的，就立刻回家，回復原來的裝束。那時已到了最重要的一步，我的舉動不能不特別審愼。我知道這事既不能當衆宣布，也不可讓代罪羔羊被起訴，否則那狡猾的惡徒勢必要冷眼看我們對這事情束手無策。我就跑到喬治那裡去。起初他當然一概否認，但是當我詳細說出他所做的事情以後，他便顯出狂怒的樣子，把掛在牆上的護身棒拿下來，我知道他要把這東西當做武器，沒等他拿下來，我立即拔出手槍抵著他的腦袋。於是他才安分一些，不敢怎樣。我對他說，我可以給他一個報酬，換取這三顆寶石——每顆一千鎊。這一句話第一次引起他懊惱的神情。他道：『哎喲！太遲了些！我已經拿到六百鎊脫手了！』我就答應他，決不報警，逼他告訴我買這寶石的人的姓名和地址。我就到那邊和這個人議價，好久，才以每顆一千鎊成交。於是我再去探望令郎，告訴他案情已經大白。我回到家裡時大約已是兩點鐘的時候。我因爲一天辛苦的工作，睡時自然也很甜適了。」

我沒等他拿下護身棒，立即拔出手槍抵著他的腦袋。

那銀行家聽到這裡，站起來，說道：「先生，你花一天的工夫就讓英國免受衆人恥笑。我簡直沒有一句適當的話可以謝你。請你不要見怪，你做了這樣的事情，我無以回報。你的能力實在前所未聞。我現在急切地要到我兒子那邊，向他道歉。我實在不應如此對待他。至於瑪利，我實在抛不下她。憑你的智巧，你能告訴我她的行蹤嗎？」

福爾摩斯回答道：「我們可以肯定地說，她和喬治・朋惠爾在一起。並且我敢肯定，一旦確定她所犯下的罪，他們必會受到加倍的處罰的。」

附錄一

眞實與虛幻之間——柯南・道爾與福爾摩斯

「倫敦的貝克街上，一個肩掛照相機的遊客在抬頭找尋門牌。商業大廈管理員白拉斯見了便說：『又來了一個。』果然那遊客在門外止步，略一猶豫，然後推門而入，走到擺在大堂的辦公桌前，面帶困惑的神情向白拉斯問路：『我想找二百二十一號B座福爾摩斯的住宅。』

這已是當天的第十二次，白拉斯重複解釋二一九號到二三三號歷來是阿比國民房屋協會的會址，並非福爾摩斯和華生住宅……每星期都有大堆信件寄給二百二十一號B座福爾摩斯收。郵局總是負責地把這些信件交給阿比國民房屋協會，由協會客氣地簡覆：『收信人已遷，現址不詳。』」（註一）

福爾摩斯這個角色誕生至今已有一百一十年。對於全世界無數的福爾摩斯迷來說，他們絲毫不會懷疑他存在的眞實性。自從柯南・道爾一八八七年賦予他生命之後，這個身材瘦削、有著鷹鉤鼻、頭戴獵帽、肩披風衣、口啣煙斗的人就永遠活在人們的心中。

這個角色創造之初，其實並沒受到太多的關注。一八八六年，柯南・道爾完成了《血字的研究》(A Study in Scarlet)之後，曾寄給「康希爾」雜誌，可是該雜誌並沒有意願刊登。之後，又轉寄了幾家出版社，仍不被採用。最後才由渥德・洛克公司買下，在一八八六年「比頓雜誌耶誕特刊」上發表，並於第二年出版單行本。全世界的福爾摩斯迷大概很難想像，他們心目中的大英雄的問世竟是如此一波三折。

柯南・道爾到底有什麼本事能夠創造出一個這樣活靈活現、家喻戶曉的大偵探呢？要瞭解這一點，必須從他的生長背景講起。

柯南・道爾(Arthur Conan Doyle, 1859～1930)出生於蘇格蘭的愛丁堡。從小就對文學有濃厚的興趣。一八七〇年進入隸屬耶穌會的史東尼赫斯特(Stonyhurst)學院就讀(該校是全英國最著名的耶穌會學校)。一八七六年(十七歲)進入愛丁堡大學醫學院就讀。這些求學的過程，對他日後的創作影響深遠。尤其是醫學院強調歸納分析的方法，以及辨識疾病細微差異的臨床訓練，成就他塑造一個以科學方法辦案的偵探。在這段求學期間，他也遇到了一個對他影響至深的人——約瑟夫・貝爾教授(Dr. Joseph Bell)。這位教授在愛丁堡醫學院相當有名，很受學生的喜愛。他有一種特殊的能力，能立刻對一個素未謀面的病人斷出病症，並說出問診病人的職業、個性、生活習慣，以及曾在那裡服役，隸屬什麼兵團等。柯南・道爾對他這種「神奇」的能力相當著迷。而這位貝爾教授也就成了福爾摩斯的原型。柯南・道爾曾回憶到：

加博里歐(Gaboriau)（註二）的作品在處理情節的轉折處不留痕跡，相當吸引我。愛倫·坡筆下那位能幹的杜賓偵探從小就是我的偶像。但是，我是否可能來點特別的呢？我想到了我的老師貝爾。想到他瘦削如鷹的臉龐，他那奇妙的方法，以及對於事情細節一語道破的驚人能力。如果他是一名偵探，一定能將這個迷人，卻欠缺章法的事業導入精確的科學之路。我想試試看是否能夠達到這種效果。在現實生活中都有可能的事，我爲何不將它帶入小說中呢？（註三）

在《血字的研究》中，貝爾教授的影像清晰地浮現。當福爾摩斯初次見到華生時就說：「我瞧你到過阿富汗。」這點著實讓華生感到驚訝。華生也形容福爾摩斯：「……身高在六呎以上，因爲過分瘦削，顯得頎長無比……他那細長如鷹喙般的鼻子，顯示他機警果斷……。」

一八八一年，柯南·道爾取得了醫師的資格，在一艘貨輪上擔任隨船醫生。次年，開始自己執業。雖然從事醫務工作，但是他仍對文學創作充滿熱情。此時他開始嘗試偵探小說的創作。除了以貝爾爲原型創作出福爾摩斯之外，爲了推動劇情的發展，他也安排了一個福爾摩斯的最佳拍檔——華生醫生。這個角色的塑造具有相當的意義。他不僅發揮了綠葉陪襯紅花的效用，也似乎產生了一些非預期的結果。這位醫生是福爾摩斯的好友，也可以說是他的助手，他與福爾摩斯經歷相同的事情，卻不像福爾摩斯具有敏銳的觀察與推斷能力（甚至有些遲鈍），因此福爾摩斯得以透過與華生的對話，將他的觀察與推理過程告知讀者，然後由華生以第一人稱的方式講述出來（除了「獅鬣」（The Lion's Mane）、「爲祖國」（His Last Bow）……等篇外）。這種第一人稱的敍述方法，讓讀者很容易地就進入了作者所鋪陳出的情境中。此外，華生這個醫生的身份與柯南・道爾具有高度的重疊性，讀者在閱讀的過程中很容易就把華生等同於柯南・道爾。如此一來就增加了故事的可讀性與可信度。因爲在讀者看來，柯南・道爾是在向大家講述一個「他」與「他的朋友」所共同經歷的眞實故事。再加上他們就住在倫敦貝克街二百二十一號B座（眞有此住址），也過著典型的維多利亞女王時代的生活：坐著大家熟悉的兩輪或四輪馬車出沒於倫敦街頭，有一個女房東兼管家婦負責幫他們傳遞來訪者的名片並引見客人，每天都閱讀「每日電訊報」，有時會去劇院欣賞音樂或看賽馬，遇到急事則去電報局發電報……。凡此種種，難怪讀者會這麼相信福爾摩斯與華生是眞有其人，彷彿走在倫敦的街道上，隨時都可能與他們擦身而過。

由於角色塑造的成功，故事情節懸疑緊湊，使得福爾摩斯探案受到了大家的肯定。一八八九年柯南・道爾繼續發表了第二個長篇《四簽名》（The Sign of Four），獲得了熱烈的迴響。不過他的醫生生涯卻不像他的文學生涯一般順利。他在倫敦的眼科診所門可羅雀，許多作品是他在診療室中完成的。這種窘境促使他在一八九一年決定棄醫從文，專心從事文學創作。

貝爾雖是福爾摩斯的原形，但他決非福爾摩斯的全部。因爲柯南・道爾本身的部分特質也融入其中。由於醫學院的訓練，使得他具備敏銳的分析推理能力，因此對於劇情的鋪陳與推理毫無困難。再加上從小母親就教育他要守法，尊重正義，培養他具備騎士的精神，所以他自然也會把這些精神注入他所創作的角色當中，福爾摩斯和華生都分享了這些特質。他們兩人在劇中協助警方打擊不法，幫助弱小與婦女，或者基於榮譽感與愛國心爲政府效命（例如在「爲祖國」一劇中幫助英國政府破獲德國間諜一案）等，這些正是騎士精神（或者可說是英國紳士精神）的具體展現。

福爾摩斯探案的成功，使得柯南・道爾名利雙收，約稿源源不斷。然而他開始厭倦不停地寫福爾摩斯，他抱怨福爾摩斯佔據他太多的時間，甚至把他的心靈從美好的事物中攫走。因爲柯南・道爾其實更喜歡寫歷史小說（註四）。一八九三年，他寫了「最後問題」(The Final Problem)，讓福爾摩斯與他的死對頭莫理亞提教授（Professor Moriarty)雙雙墜落瑞士的萊亨巴哈瀑布(Reichenbach Falls)中。柯南・道爾覺得鬆了一口氣，終於可以擺脫這個麻煩的公衆英雄，全心投入自己更喜歡的文學創作。不過福爾摩斯的死訊一宣布之後卻引發了讀者的錯愕與抗議(就連作者的母親也提出了抗議)。超過兩萬人取消訂閱連載福爾摩斯的「河濱」雜誌(Strand)，許多人傷心地爲福爾摩斯服喪以示哀悼，甚至有位女士還非常沒禮貌地寫信去指責他，劈頭就罵：「你這個殘忍的畜生！」這種種激烈的反應恐怕連作者都始料未及。儘管如此，柯南・道爾仍不爲所動。直到一九〇三年柯南・道爾才又讓他在「空屋」(The Empty House) 一案中戲劇性地復活，重新展開他驚險、刺激的偵探生涯。

柯南・道爾傾畢生之力創作福爾摩斯的系列故事，總共寫了四個長篇，五十六個短篇。在故事的終了，他並沒有明確地交待福爾摩斯的最後去處，只是從故事中我們可以知道，福爾摩斯後來歸隱蘇薩克斯做「養蜂學」的研究。這樣的安排，對於廣大的福爾摩斯迷來說當然是很難接受的。許多人自圓其說地認爲，福爾摩斯明的是去做研究，暗地裡則是轉而爲英國情報局效命了。所以在「爲祖國」一案中可以發現福爾摩斯又重現江湖了！這種說法究竟是讀者一廂情願的解釋，或者果眞如此，其實已沒有深究的必要了。因爲誰會願意殘忍地去戳破心目中的夢想呢？不論如何，可以肯定的是，自從「空屋」一案奇蹟似地復活之後，福爾摩斯與華生就永遠地生活在濃霧彌漫的倫敦城中了。因爲就如一位研究福爾摩斯的學者史塔列特所言：「在烏有之鄉，在幻想的心裡，福爾摩斯和華生兩人，爲了愛他們的人永生不死。」

註釋

一　摘錄自一九七三年四月號的《讀者文摘》，頁一〇三——一〇四。

二　加博里歐(Gaboriau, Emile, 1823?~1873)，法國的小說家，有法國的愛倫・坡之稱。

三　本段文字摘譯自 Hodgson, John A., (eds.) *Sherlock Holmes: The Major Stories with Contemporary Critical Essays.* Boston: Bedford Books, 1994 (p.4)

四　柯南・道爾的一部歷史小說《白衣團》(The White Company)，曾有人讚美它是自《艾凡侯》（亦有譯爲《薩克遜英雄傳》）(Ivanhoe)以來最好的歷史小說。

附錄二

柯南・道爾(Arthur Conan Doyle)年譜

一八五九年　五月二十二日生於蘇格蘭的愛丁堡。

一八七〇年　進入隸屬於耶穌會的史東尼赫斯特(Stonyhurst)學院就讀。該校是全英國最著名的耶穌會學校。

一八七五年　完成史東尼赫斯特學院的學業，至奥地利的耶穌會學校留學一年。

一八七六年　進入愛丁堡大學的醫學院就讀，在那裡他遇到了對他影響深遠的約瑟夫・貝爾(Dr. Joseph Bell)老師——他就是福爾摩斯的原型。

一八八一年　大學畢業後，在一艘非洲西岸航線的客貨輪上擔任隨船醫生。

一八八二年　開始執業。

一八八五年　與露薏絲・霍金斯(Louise Hawkins)小姐結婚。

一八八六年　完成福爾摩斯探案的第一個長篇《血字的研究》。寄給「康希爾」雜誌，可是該雜誌沒有意願刊登。最後由渥德・洛克公司買下，在「比頓雜誌耶誕特刊」上發表。

一八八七年　《血字的研究》單行本發行。
一八八九年　發表福爾摩斯探案的第二個長篇《四簽名》。
一八九〇年　發表歷史小說《白衣團》(The White Company)。曾有人讚美這部作品是自《艾凡侯》(Ivanhoe)以來最好的歷史小說。
一八九一年　去維也納研讀眼科學。隨後在倫敦開設眼科診所，但生意清淡。決定棄醫從文，專心從事文學創作。
一八九二年　將發表的十二個福爾摩斯探案短篇故事，集結成第一個短篇《冒險史》。
一八九三年　妻子露薏絲罹患肺結核。
在「最後問題」一篇中宣布了福爾摩斯的死訊。暫時結束有關福爾摩斯的創作。
一八九四年　將之前陸續發表的十一個短篇故事，集結成第二個短篇《回憶錄》。
一八九七年　認識琴·賴基(Jean Leckie)小姐，並墜入情網。
一九〇〇年　赴南非，以軍醫的身分參加布爾戰爭(Boer War)。並發表作品《大布爾戰爭》。
一九〇二年　受封騎士爵位。
發表福爾摩斯探案的第三個長篇故事《古邸之怪》。

一九〇三年　由於廣大讀者的要求，福爾摩斯在「空屋」一案中復活了！
一九〇五年　出版福爾摩斯探案的第三個短篇故事集《歸來記》。
一九〇六年　妻子露薏絲去世。
一九〇七年　與琴・賴基小姐結婚。
一九一五年　出版福爾摩斯探案的最後一個長篇《恐怖谷》。
一九一六年　宣布轉向性靈學的研究。
一九一七年　出版福爾摩斯探案的另一個短篇故事集《爲祖國》。
一九一八年　出版《新啓示錄》(The New Revelation)一書。此書是柯南・道爾轉向研究形而上學之後，有關這方面的第一本著作。
一九二七年　出版福爾摩斯探案的最後一個短篇故事集《福爾摩斯個案紀錄》。(編者案：本局將最後的兩個短篇故事集合併成本系列故事的最後一個短篇《新探案》。)
一九三〇年　七月七日與世長辭。

參考書目

中文部分

呂美玉　〈永生不死的福爾摩斯〉，中國時報四十三版，一九九七年二月十六日。

黃永林　《中西通俗小說比較研究》，臺北：文津，一九九五年。

彼德・布朗恩(Peter Browne)　〈福爾摩斯永在人間〉，《讀者文摘》四月號，一九七三年。

林　瀅　〈「偵探小說迷」倫敦朝聖（上）〉，《推理雜誌》一五一期，一九九七年。

范伯群　《偵探泰斗——程小青》，臺北：業強，一九九三年。

　　　　《民國通俗小說鴛鴦蝴蝶派》，臺北：國文天地，一九八九年。

徐淑卿　〈推理小說重現江湖〉，中國時報四一版，一九九七年九月十八日。

程盤銘　〈福爾摩斯是如何創造出來的？〉，《推理雜誌》一四六期，一九九六年。

　　　　〈福爾摩斯探案中的社會背景〉，《推理雜誌》一四七期，一九九七年。

　　　　〈福爾摩斯之前應用推理法的前輩們〉，《推理雜誌》一四八期，一九九七年。

　　　　〈福爾摩斯探案與偵探小說的定型〉，《推理雜誌》一四九期，一九九七年。

〈福爾摩斯的行業：私家偵探〉，《推理雜誌》一五〇期，一九九七年。
〈福爾摩斯探案在偵探小說中的地位〉，《推理雜誌》一五一期，一九九七年。
〈福爾摩斯年譜〉，《推理雜誌》一五二期，一九九七年。
〈福爾摩斯偵探術〉，《推理雜誌》一五三期，一九九七年。
〈福爾摩斯的俠義精神和越權行爲〉，《推理雜誌》一五四期，一九九七年。
〈福爾摩斯與公家警察〉，《推理雜誌》一五五期，一九九七年。
〈抬舉福爾摩斯成名的選手們〉，《推理雜誌》一五六期，一九九七年。
〈福爾摩斯探案的「眞經」與「僞經」〉，《推理雜誌》一五七期，一九九七年。
〈福爾摩斯探案中的「中國」〉，《推理雜誌》一五八期，一九九七年。

新潮推理編輯室　〈偵探小說的開拓者……柯南・道爾〉，臺北：志文，一九九五年。
〈柯南・道爾的生平與其作品〉，臺北：志文，一九九五年。
〈家喻户曉的福爾摩斯〉，臺北：志文，一九九五年。
〈柯南・道爾年譜〉，臺北：志文，一九九五年。

鄭麗園　〈貝克街二二一號〉，《英國女王有請！》，臺北：聯經，一九九六年。

盧郁佳　〈百分百死亡遊戲〉，聯合報四五版，一九九七年十月二十七日。

魏紹昌　《我看鴛鴦蝴蝶派》，臺北：商務，一九九五年。

英文部分

Doyle, Arthur Conan Great Works of Sir Arthur Conan Doyle. New York: Chatham River Press, 1984.

Hodgson, John A., Editor Sherlock Holmes: The Major Stories with Contemporary Critical Essays. Boston: Bedford Books of St. Martin's Press, 1994.

國家圖書館出版品預行編目資料

冒險史 / 柯南・道爾原著 ; 程小青等譯.
-- 修訂一版 . -- 臺北市 : 世界 , 1997〔民 86〕
面 ; 公分 -- (福爾摩斯探案全集)
譯自：A adventure of sherlock holmes
ISBN 957-06-0172-8 (平裝)

873.57　　86015776

福爾摩斯探案全集

冒險史

722 - 2925

作　者／柯南・道爾
譯　者／程小青等
修訂整理／世界書局編輯部
發行人／閻　初
發行者／世界書局
登記證／行政院新聞局局版臺業字第〇九三一號
地　址／台北市重慶南路一段九十九號
電　話／(〇二)二三一一〇一八三
傳　真／(〇二)二三三一七九六三
郵撥帳號／〇〇五八四三—七　世界書局
印刷者／世界書局
出版日期／一九二七年初版一刷
一九九七年十二月修訂一版一刷
定　價／二二〇元